W9-CMQ-083

optimisation

théorie et algorithmes

Dans la même collection

1 P. Faurre. *Navigation inertielle optimale et filtrage statistique.*

2 J. Céa. *Optimisation : théorie et algorithmes.*

En préparation :

A. Bensoussan. *Filtrage optimal des systèmes linéaires.*

P.J. Laurent. *Approximation et optimisation.*

Ph. Ciarlet, D. Feingold, P.A. Raviart. *Méthodes numériques de résolution des systèmes linéaires*

MÉTHODES MATHÉMATIQUES DE L'INFORMATIQUE

Collection dirigée par J.L. LIONS

Professeur à la Faculté des Sciences de Paris

optimisation

théorie et algorithmes

Jean CÉA

Professeur à la Faculté des Sciences de Nice

DUNOD

PARIS

1971

AVANT-PROPOS

L'optimisation est un concept bien naturel dans la vie courante : devant un problème donné, en présence de plusieurs solutions possibles, tout individu choisit (en général) une solution qui est qualifiée de « meilleure ». Du point de vue mathématique, se donner un problème d'optimisation, c'est se donner un ensemble U et une fonction J, définie sur U et à valeurs dans $\mathbb{R}$: il s'agit alors de trouver u tel que :

$$(*) \quad \begin{cases} u \in U \\ J(u) \leqslant J(v) \quad \forall v \in U \end{cases}$$

U représente l'ensemble des solutions possibles pour atteindre une cible ou pour faire fonctionner un système; au point de vue pratique, l'appartenance à U se traduira souvent par le respect de certaines contraintes; pour cela U sera souvent appelé le domaine des contraintes (ou encore, l'ensemble des points où les contraintes sont respectées). J représente un critère qui oriente le choix d'une solution possible : dans (*), il s'agit de choisir une solution u qui minimise la valeur de J sur l'ensemble U; en changeant J en $-J$ le problème serait un problème de maximisation. En pratique J représente un coût, un rendement, un bénéfice, une durée...

Notons ceci : il se peut que le problème (*) n'admette pas une solution; dans ce cas, on cherchera une solution réalisable u telle que $J(u)$ soit « assez voisin » de $\operatorname{Inf}_{v \in U} J(v)$.

La description de l'ensemble U se fait, en général, à l'aide d'équations et d'inéquations qui lient les différents paramètres d'un système. Lorsque les systèmes sont assez complexes, il peut être difficile de les décrire, et même de les utiliser numériquement; on se contente alors de « modèles », qui sont des descriptions simplifiées de la réalité. Cependant, l'avènement d'ordinateurs de plus en plus puissants nous donne la possibilité de travailler sur des modèles complexes de plus en plus fins. En général, il est impossible d'obtenir une expression analytique d'une solution optimale d'un problème d'optimisation. On est donc réduit à chercher une approximation numérique d'une telle solution. Le problème de la recherche des méthodes numériques est intimement lié aux possibilités des ordinateurs.

Dans toutes ces méthodes, l'idée essentielle est la suivante : on remplace un « gros » problème par une suite des « petits » problèmes; généralement dans ces derniers, il n'y avait qu'UNE VARIABLE, mais on assiste de plus en plus à l'éclosion de *méthodes de décomposition* d'un gros problème en problèmes de moyenne importance (cela est lié aux possibilités de calculs parallèles dans les ordinateurs). Une autre direction de recherche est la suivante : les problèmes avec contraintes sont difficiles à résoudre, on a donc essayé d'éliminer ces contraintes, et, cela a conduit aux *méthodes de pénalisation.* Notons qu'il s'agit là d'un cas particulier où la *nature du problème donné est changée*; une autre façon de faire cela a été suggérée par les spécialistes de la mécanique, de l'économie, ... : il s'agit d'associer au problème donné au nouveau problème appelé *problème dual.*

Pour faciliter la lecture de ce livre, nous avons donné dans le chapitre 1 tous les outils mathématiques qui serviront dans la suite. Il s'agit essentiellement de la notion d'espace de Banach et de Hilbert, d'opérateurs linéaires et continus, des topologies fortes, faibles et faibles-* du théorème de Hahn-Banach et de la compacité.

Le Chapitre 2 est consacré à la dérivation au sens de Gateaux et de Fréchet. Ces notions sont importantes du fait qu'elles nous permettent d'aborder les problèmes de façon indépendante de la dimension des espaces dans lesquels ces problèmes sont posés.

Dans le Chapitre 3, il est question de la recherche du minimum d'une fonctionnelle dans le cas sans contrainte. Nous exposons les méthodes qui nous paraissent les plus intéressantes; un effort pour l' « unification » de ces méthodes a été fait.

Le Chapitre 4 est consacré aux problèmes avec contraintes. Nous nous limitons au cas convexe, le cas général étant encore assez pauvre en résultats. La convergence des algorithmes est toujours prouvée sauf dans le §1 nº 5 où une description assez rapide de certaines méthodes est donnée; la pénalisation et la décomposition sont étudiées dans les §2 et 3.

Enfin, dans le Chapitre 5, nous faisons une étude rapide de la dualité, basée sur l'utilisation des Théorèmes de Hahn-Banach et du Min-max; des exemples assez généraux sont donnés.

Presque toutes les méthodes exposées dans ce livre ont été testées numériquement. La comparaison des méthodes numériques est un problème très délicat et n'a pas été étudiée dans cet ouvrage. Nous renvoyons aux Tests de M. A.R. Colville pour une réponse partielle à ce problème.

Ce livre reprend les cours que j'ai faits à la Faculté des Sciences de Rennes (1966-1967, 1967-1968), à l'Université de Californie à Los Angeles (1968-1969) et à l'École d'Été d'Analyse Numérique de l'E.D.F.–C.E.A. (juillet 1969). Je tiens à remercier les directions de ces établissements ainsi que les étudiants qui, par leurs remarques et suggestions, m'ont permis d'améliorer ce cours.

M. J.L. Lions a bien voulu accueillir ce travail dans la collection qu'il dirige, ce dont je le remercie vivement.

Je remercie les Éditions Dunod pour leur remarquable travail.

TABLE DES MATIÈRES

CHAPITRE 3. — **Recherche du minimum d'une fonctionnelle**

CHAPITRE 4. — **Minimisation avec contraintes**

CHAPITRE 1

ÉLÉMENTS D'ANALYSE FONCTIONNELLE

§ 1. ESPACES DE BANACH

Nous désignons par Λ, soit le corps des nombres réels, soit celui des nombres complexes. Tous les espaces introduits dans ce chapitre seront des espaces vectoriels sur Λ. Nous ne préciserons pas dans quel cas nous nous trouverons sauf si cela était nécessaire.

1. Définition des espaces de Banach. Premières propriétés

Une semi-norme sur un espace vectoriel V est une application p de V dans $\mathbb{R}_+$ telle que

(N1) $\qquad p(\lambda v) = |\lambda| p(v) \quad \forall v \in V \quad \forall \lambda \in \Lambda$

(N2) $\qquad p(u+v) \leqslant p(u) + p(v) \quad \forall u, v \in V$

on dit que p est une norme sur V si de plus, p vérifie :

(N3) $\qquad v \in V, \quad p(v) = 0 \Rightarrow v = 0.$

compte tenu de (N1), (N3) peut s'écrire

$$v \in V, \quad p(v) = 0 \Leftrightarrow v = 0.$$

Il est usuel de noter une norme dans V par $\|\cdot\|_V$ ou $\|\cdot\|$. Un espace vectoriel normé est un espace vectoriel muni d'une norme : sur un espace vectoriel normé, on définit la distance $d(u, v)$ entre deux éléments u et v par

$$d(u, v) = \|v - u\|$$

la boule ouverte de centre u et de rayon r est l'ensemble des $v \in V$ tels que

$$d(u, v) < r$$

Sur un espace vectoriel normé, on définit la topologie suivante : tout voisinage de $u \in V$ est un ensemble contenant une boule ouverte de centre u et de rayon non nul ; ou encore un ouvert quelconque est une réunion quelconque de boules ouvertes. La notion de convergence est la suivante : on dit que v_n converge vers v lorsque $n \to \infty$ si

$$\lim_{n \to \infty} \|v_n - v\| = 0 .$$

Cette convergence est dite forte (par opposition à d'autres convergences que nous introduirons plus loin)

Rappelons qu'une suite de Cauchy dans V (muni de la topologie forte) est une suite v_n qui vérifie : $\forall \varepsilon > 0$, $\exists N(\varepsilon)$ tel que

$$m, n > N(\varepsilon) \Rightarrow \|v_m - v_n\| < \varepsilon .$$

Un espace vectoriel est dit complet lorsque toute suite de Cauchy de cet espace y est convergente (vers un élément de l'espace).

DÉFINITION 1.1. Un espace de Banach est un espace vectoriel normé et complet.

Exemple 1.1. Espaces $\mathbb{R}^n$ et $\mathbb{C}^n$.

Soit $x = (x_1, \ldots, x_n) \in \mathbb{R}^n$. Posons

$$\|x\| = (\sum_{i=1}^{n} x_i^2)^{1/2}$$

il est bien connu que $\mathbb{R}^n$ muni de cette norme est complet.

De même pour $\mathbb{C}^n$ muni de la norme.

$$\begin{cases} x = (x_1, \ldots, x_n) \in \mathbb{C}^n \\ \|x\| = (\sum_{i=1}^{n} |x_i|^2)^{1/2} \end{cases}$$

Exemple 1.2. On désigne par $\mathscr{C}([0,1])$ l'espace des fonctions continues sur le segment fermé $[0,1]$ et a valeurs dans $\mathbb{C}$. On munit V de la norme

$$\|f\| = \operatorname{Sup}_{x \in [0,1]} |f(x)| . \tag{1.1}$$

(Vérifier qu'il s'agit bien d'une norme!). Montrons que cet espace est complet. Soit f_n une suite de Cauchy dans V, alors

$$\begin{cases} \forall \varepsilon > 0, \exists N(\varepsilon) \quad \text{tel que} \\ n, m > N(\varepsilon) \Rightarrow \|f_n - f_m\| < \varepsilon \end{cases}$$

et compte tenu de la définition de la norme, il vient

$$\begin{cases} \forall \varepsilon > 0, \exists N(\varepsilon) \quad \text{tel que} \\ n, m > N(\varepsilon) \Rightarrow |f_n(x) - f_m(x)| < \varepsilon \quad \forall x \in [0,1] \end{cases} \tag{1.2}$$

ce qui montre que pour tout x, la suite numérique $f_n(x)$ est de Cauchy; il existe donc un nombre noté $f(x)$ tel que

$$\lim_{n \to \infty} f_n(x) = f(x) .$$

Si dans (1.2), on fait tendre m vers $+\infty$, il vient :

$$\begin{cases} \forall \varepsilon > 0, \exists N(\varepsilon) \quad \text{tel que} \\ n > N(\varepsilon) \Rightarrow |f_n(x) - f(x)| < \varepsilon \quad \forall x \in [0,1] \end{cases}$$

ainsi f est une limite uniforme de fonctions continues sur $[0,1]$; on en déduit que f est continue donc $f \in V$ et finalement V est complet; en conclusion, muni de la norme (1.1) l'espace $\mathscr{C}([0,1])$ est un espace de Banach.

Exemple 1.3. Soit p vérifiant $1 < p < +\infty$; on désigne par l^p l'espace des suites $a = (a_0, a_1, \ldots, a_k, \ldots)$ d'éléments de Λ telles que

$$\sum_{k=0}^{\infty} |a_k|^p < +\infty .$$

montrons que

$$\|a\|_p = (\sum_{k=0}^{\infty} |a_k|^p)^{1/p} \tag{1.3}$$

est une norme et que, muni de cette norme, l'espace l^p est complet.

On vérifierait que si a, $b \in l^p$ alors $a+b \in l^p$.

La relation (N1) est trivialement vérifiée. Afin d'établir la relation (N2) démontrons d'abord deux lemmes.

LEMME 1.1. Soient $\alpha, \beta > 0$, $p > 1$, $\frac{1}{p} + \frac{1}{p'} = 1$, alors

$$\alpha . \beta \leqslant \frac{\alpha^p}{p} + \frac{\beta^{p'}}{p'}$$

(il suffit de poser $\gamma = \alpha \cdot \beta^{1/(1-p)}$ et de montrer que le minimum de $\frac{\gamma^p}{p} + \frac{1}{p'} - \gamma$ est atteint pour $\gamma = 1$.)

LEMME 1.2 (Inégalité de Hölder).

Si $a \in l^p$, $b \in l^{p'}$, alors

$$\sum_{p=0}^{\infty} |a_k \cdot b_k| \leqslant \|a\|_p \cdot \|b\|_{p'} . \tag{1.4}$$

Démonstration. On pose

$$\alpha_k = \frac{|a_k|}{\|a\|_p}, \qquad \beta_k = \frac{|b_k|}{\|b\|_{p'}}$$

et avec le lemme 1.1 on a :

$$\frac{|a_k b_k|}{\|a\|_p \cdot \|b\|_{p'}} \leqslant \frac{|a_k|^p}{p \cdot \|a\|_p^p} + \frac{|b_k|^{p'}}{p' \, \|b\|_{p'}^{p'}}$$

d'où, par sommation,

$$\sum_{k=0}^{\infty} \frac{a_k\, b_k}{\|a\|_p \cdot \|b\|_{p'}} \leqslant \frac{1}{p} + \frac{1}{p'} = 1\,.$$

Établissons maintenant N2; si $a, b \in l^p$ on a :

$$\|a+b\|_p^p = \sum_{k=0}^{\infty} |a_k+b_k|^p \leqslant \sum_{k=0}^{\infty} |a_k+b_k|^{p-1} \cdot |a_k| + \sum_{k=0}^{\infty} |a_k+b_k|^{p-1}\, |b_k|$$

en posant $c_k = |a_k+b_k|^{p-1}$, on a $c \in l^{p'}$ car

$$\|c\|_{p'} = \Big(\sum_{k=0}^{\infty} |a_k+b_k|^{(p-1)p'}\Big)^{1/p'}$$

$$= \Big(\sum_{k=0}^{\infty} |a_k+b_k|^{p}\Big)^{1/p'} = \|a+b\|^{p/p'}\,.$$

Par suite, utilisant deux fois le lemme 1.1 il vient :

$$\|a+b\|_p^p \leqslant \|c\|_{p'}\, \|a\|_p + \|c\|_{p'}\, \|b\|_p \leqslant \|a+b\|^{p/p'} (\|a\|_p + \|b\|_p)$$

d'où

$$\|a+b\|_p \leqslant \|a\|_p + \|b\|_p \tag{1.5}$$

(il s'agit de l'inégalité de Minkowski)

Montrons, maintenant, que l^p est complet : soit $a^n = (a_0^n, \ldots, a_k^n, \ldots)$ une suite de Cauchy dans l^p. On a donc :

$$\begin{cases} \forall \varepsilon > 0, \quad \exists N(\varepsilon) \quad \text{tel que} \\ n, m > N(\varepsilon) \Rightarrow \|a^n - a^m\| < \varepsilon \end{cases} \tag{1.6}$$

la suite numérique $n \to a_k^n$ est une suite de Cauchy. Donc il existe un nombre a_k tel que

$$\lim_{n \to \infty} a_k^n = a_k$$

on peut écrire (1.6) sous la forme

$$\begin{cases} \forall \varepsilon > 0, \quad \exists N(\varepsilon) \text{ tel que} \\ n, m > N(\varepsilon) \Rightarrow \sum_{k=0}^{\infty} |a_k^n - a_k^m|^p < \varepsilon^p\,. \end{cases}$$

en particulier si q désigne un entier positif quelconque

$$\begin{cases} \forall \varepsilon > 0 \quad \exists N(\varepsilon) \quad \text{tel que} \\ n, m > N(\varepsilon) \Rightarrow \sum_{k=0}^{q} |a_k^n - a_k^m|^p < \varepsilon^p\,. \end{cases}$$

en faisant tendre m vers l'infini, puis q vers l'infini il vient :

$$n > N(\varepsilon) \Rightarrow \sum_{k=0}^{\infty} |a_k^n - a_k|^p < \varepsilon^p$$

de là, il vient trivialement

$$\begin{cases} a \in l^p \\ \lim\limits_{n \to \infty} a^n = a \quad \text{dans } l^p \end{cases}$$

par suite, muni de la norme (1.3), l^p est un espace de Banach. ∎

Exemple 1.3'. Cas particuliers où $p = 1$, $p = +\infty$.

Pour $a \in l^1$, on a :

$$\|a\|_1 = \sum_{k=0}^{\infty} |a_k| .$$

$a \in l^\infty$ si la suite a_k est bornée; on pose alors

$$\|a\|_\infty = \operatorname*{Sup}_{k=0,\ldots,\infty} |a_k| .$$

On vérifierait facilement que l^1 et l^∞ sont des espaces de Banach (avec les normes précédentes).

Exemple 1.4. Espaces $L^p(\Omega)$ (ou $L_p(\Omega)$); $1 \leqslant p < +\infty$. Ω désigne un ouvert de $\mathbb{R}^n$; le point générique est noté $x = (x_1, \ldots, x_n)$.

On dit que $f \in L^p(\Omega)$ si f est mesurable et si

$$\int_\Omega |f(x)|^p \mathrm{d}x = \int_\Omega |f(x_1, \ldots, x_n)|^p \mathrm{d}x_1, \ldots, \mathrm{d}x_n < +\infty$$

(il s'agit d'une intégrale au sens de Lebesgue).

On pose

$$\|f\|_{L^p(\Omega)} = \left(\int_\Omega |f(x)|^p \mathrm{d}x \right)^{1/p} \tag{1.7}$$

et on montre que, muni de cette norme, $L^p(\Omega)$ est un espace de Banach. ∎

Ajoutons ici quelques définitions et notions classiques. Tout d'abord soit V un espace de Banach muni de deux normes notées $\|\cdot\|$ et $|||\cdot|||$; supposons qu'on ait

$$\alpha \|v\| \leqslant |||v||| \leqslant \beta \|v\| \quad \forall v \in V ,$$

où α et β sont deux nombres fixes qui vérifient :

$$0 < \alpha \leqslant \beta < +\infty$$

dans ces conditions, l'ensemble des voisinages d'un point quelconque est inchangé, donc les topologies associées aux deux normes sont les mêmes et par suite on dit que les *deux normes sont équivalentes*.

On vérifierait qu'un sous-espace vectoriel fermé d'un espace de Banach est encore un espace de Banach. Il en est de même pour un espace produit (fini) d'espaces de Banach et pour un espace quotient d'un espace de Banach par un sous-espace fermé.

DÉFINITION 1.2. Un sous-ensemble $\mathscr{V}$ d'un espace de Banach V est dense dans V si

$$\forall u \in V, \forall \varepsilon > 0, \exists v \in \mathscr{V} \quad \text{tel que} \quad \|u-v\| < \varepsilon \, ;$$

de façon équivalente on peut dire que $\mathscr{V}$ est dense dans V si

$$\forall u \in V, \quad \exists v_n \in \mathscr{V} \quad \text{tel que} \quad \lim_{n \to \infty} v_n = u \quad \text{dans } V.$$

DÉFINITION 1.3. On dit que V est séparable s'il contient un sous-ensemble dense et dénombrable.

2. Dualité. Continuité faible

Commençons par étudier un espace d'opérateurs linéaires et continus. Soient V et Q deux espaces vectoriels normés. Rappelons qu'un opérateur A est dit linéaire de V dans Q si

$$\begin{aligned} A(u+v) &= Au + Av \quad && \forall u, v \in V \,, \\ A(\lambda u) &= \lambda A u && \forall u \in V, \forall \lambda \in \Lambda \, ; \end{aligned}$$

l'opérateur est dit continu si

$$u_n \to u \text{ dans } V \Rightarrow Au_n \to Au \text{ dans } Q \quad \text{quand } n \to \infty \, .$$

Compte tenu de la linéarité il suffit d'avoir la continuité à l'origine, ce qui s'exprime par

$$\begin{cases} \forall \varepsilon > 0 \ \exists N \text{ tel que} \\ \|u\|_V \leqslant N \Rightarrow \|Au\|_Q \leqslant \varepsilon \, . \end{cases}$$

Si $v \in V$, $v \neq 0$, alors $\left\| \dfrac{\varepsilon v}{\|v\|} \right\| \leqslant \varepsilon$, d'où

$$\left\| A \frac{\varepsilon v}{\|v\|} \right\| \leqslant N \, ,$$

d'ou

$$\|Av\| \leqslant \frac{N}{\varepsilon} \|v\| \quad \forall v \, .$$

Finalement un opérateur linéaire est continu si et seulement si il existe une constante fixe M, $0 \leqslant M < +\infty$, telle que

$$\|Av\|_Q \leqslant M . \|v\|_V \quad \forall v \in V .$$

On pose alors

$$\|A\| = \operatorname*{Sup}_{v \in V} \frac{\|Av\|_Q}{\|v\|_V} \tag{2.1}$$

Compte tenu de la linéarité, il suffit de considérer le sup. sur la boule unité $\|v\| \leqslant 1$.

On vérifie trivialement que $\|A\|$ est une norme sur l'espace des opérateurs linéaires et continus de V dans Q.

DÉFINITION 2.1. $\mathscr{L}(V, Q)$ est l'espace des opérateurs linéaires et continus de V dans Q, muni de la norme (2.1).

PROPOSITION 2.1. Si V est un espace vectoriel normé, si Q est un espace de Banach, alors $\mathscr{L}(V, Q)$ est un espace de Banach.

Démonstration. Soit A_n une suite de Cauchy dans $\mathscr{L}(V, Q)$; par définition

$$\begin{cases} \forall \varepsilon > 0 \quad \exists N(\varepsilon) \quad \text{tel que} \\ n, m > N(\varepsilon) \Rightarrow \|A_n - A_m\| < \varepsilon \end{cases} \tag{2.2}$$

ce qui entraîne :

$$n, m > N(\varepsilon) \Rightarrow \|(A_n - A_m)v\| \leqslant \varepsilon \|v\| . \tag{2.2$'$}$$

D'après cela la suite $A_n v$ est de Cauchy dans Q qui est complet : on dénote donc par Av la limite de $A_n v$. A_n étant linéaire il est clair que A est linéaire. Si maintenant, on fait tendre m vers l'infini dans (2.2)′ il vient

$$n > N(\varepsilon) \Rightarrow \|A_n v - Av\| \leqslant \varepsilon \|v\| \tag{2.3}$$

Par suite, pour n assez grand :

$$\|Av\| \leqslant \|Av - A_n v\| + \|A_n v\| \leqslant \varepsilon \|v\| + \|A_n\| \, \|v\| ;$$

mais grâce à (2.2), $\|A_n\| \leqslant c < +\infty$; finalement A est continu. La linéarité est évidente; donc $A \in \mathscr{L}(V, Q)$. D'après (2.3) on a

$$\begin{cases} \forall \varepsilon > 0, \exists N(\varepsilon) \quad \text{tel que} \\ n > N(\varepsilon) \Rightarrow \|A_n - A\| \leqslant \varepsilon , \end{cases}$$

donc $\lim A_n = A$ dans $\mathscr{L}(V, Q)$.

PROPOSITION 2.2. On donne un espace vectoriel normé V et un espace de Banach Q, une suite $A_n \in \mathscr{L}(V, Q)$; on suppose que :

i) $A_n v$ converge $\forall v \in \mathscr{V}$, $\mathscr{V}$ étant un sous-ensemble dense dans V, lorsque $n \to \infty$

ii) $\|A_n\| \leqslant c < +\infty \quad \forall n.$

Alors

j) $A_n v$ converge $\forall v \in V$ lorsque $n \to \infty$.

jj) En posant $Av = \lim\limits_{n\to\infty} A_n v$, on a $A \in \mathscr{L}(V, Q)$.

Démonstration. Soit $v \in V$, on a :

$$\begin{aligned} \|A_n v - A_m v\| &\leqslant \|A_n v - A_n q\| + \|A_n q - A_m q\| + \|A_m q - A_m v\| \\ &\leqslant c\,\|v-q\| + \|A_n q - A_m q\| + c\,\|v-q\| \quad \forall q \in V . \end{aligned}$$

On peut choisir $q \in \mathscr{V}$ de façon que $\|v-q\|$ soit arbitrairement petit.

On peut ensuite choisir n et m assez grands pour que $A_n q - A_m q$ soit arbitrairement petit (puisque $A_n q$ converge!). Cela signifie que la suite $A_n v$ est de Cauchy, comme Q est complet, $A_n v$ converge quand $n \to \infty$. On pose

$$Av = \lim_{n\to\infty} A_n v\,;$$

il est clair que A est linéaire de V dans Q. De plus

$$\|Av\| = \lim_{n\to\infty} \|A_n v\|$$

et comme

$$\|A_n v\| \leqslant c\,\|v\|\ ;$$

il vient

$$\|Av\| \leqslant c\,\|v\|$$

donc $A \in \mathscr{L}(V, Q)$.

DÉFINITION 2.2. Soit V un espace vectoriel normé sur Λ. Le dual (topologique) fort de V est l'espace $\mathscr{L}(V, \Lambda)$ et est désigné par V'.

Autrement dit, *un élément de V' est une forme linéaire et continue sur V*; au point de vue des notations, si L désigne une telle forme, la valeur de L au point v sera notée Lv ou $L(v)$ ou encore $\langle L, v\rangle$ et on posera (voir 2.1)

$$\|L\| = \operatorname*{Sup}_{\substack{v\in V\\ v\neq 0}} \frac{|Lv|}{\|v\|_V}\,. \tag{2.1$'$}$$

COROLLAIRE 2.1. Le dual d'un espace vectoriel normé est un espace de Banach. Il s'agit en effet du cas de la proposition 2.1 avec $Q = \mathbb{R}$ ou $\mathbb{C}$. ∎

EXEMPLE 2.1. Soit p tel que $1 \leqslant p < +\infty$ et soit p' lié a p par : $\dfrac{1}{p} + \dfrac{1}{p'} = 1$.

Montrons que :

$$(l^p)' = l^{p'}\,.$$

Premier cas : $1 < p < +\infty$. Soit e_k, $k = 1, 2, \ldots$, la base canonique de l^p :

$$\begin{cases} e_k = (0, \ldots, 0, 1, 0, \ldots) \\ 1 \text{ est en } k^{\text{ième}} \text{ position} . \end{cases}$$

Si $a = (a_1, \ldots, a_k, \ldots)$, on peut écrire

$$a = \lim_{n \to \infty} \sum_{k=1}^{n} a_k \cdot e_k ,$$

soit maintenant $f \in (l^p)'$; posons

$$b_k = f(e_k) ,$$

et on a

$$f(a) = \lim_{n \to \infty} \sum_{k=1}^{n} a_k \cdot b_k .$$

Introduisons maintenant $C^n \in l^p$ par :

$$C^n = (C_i^n)$$

$$C_i^n = \begin{cases} 0 \quad \text{si } b_i = 0 \\ |b_i|^{p'-1} \dfrac{b_i}{|b_i|} \quad \text{si } b_i \neq 0 \\ 0 \quad \text{si} \quad i > n \end{cases} \quad 1 \leqslant i \leqslant n .$$

(C^n est une suite finie, donc $C^n \in l^p$).

Nous avons

$$|C_i^n| = \begin{cases} |b_i|^{p'-1} & 1 \leqslant i \leqslant n \\ 0 & i > n \end{cases}$$

$$C_i^n . b_i = \begin{cases} |b_i|^{p'} & 1 \leqslant i \leqslant n \\ 0 & i > n \end{cases}$$

d'où

$$\begin{cases} f(C^n) = \sum_{i=1}^{n} |b_i|^{p'} \\ \|C^n\|_p = (\sum_{i=1}^{n} |b_i|^{(p'-1)p})^{1/p} = (\sum_{i=1}^{n} |b_i|^{p'})^{1/p} \end{cases}$$

la relation $|f(C^n)| \leqslant \|f\| . \|C^n\|$ s'écrit alors :

$$\sum_{i=1}^{n} |b_i|^{p'} \leqslant \|f\| (\sum_{i=1}^{n} |b_i|^{p'})^{1/p}$$

d'ou en simplifiant (á l'aide de $\frac{1}{p} + \frac{1}{p'} = 1$)

$$\left(\sum_{i=1}^{n} |b_i|^{p'}\right)^{1/p'} \leqslant \|f\|$$

ce qui montre que $b = (b_1, b_2, \ldots) \in l^{p'}$ et que

$$\|b\|_{l^{p'}} \leqslant \|f\|_{(l^p)'} .$$

Réciproquement, soit $b \in l^{p'}$; alors $\forall a \in l^p$ on a grâce à l'inégalité de Holder

$$\left|\sum_{n=1}^{\infty} a_n b_n\right| \leqslant \|a\|_{l^p} \cdot \|b\|_{l^{p'}}$$

on peut alors définir $f \in (l^p)'$ par

$$f(e_k) = b_k$$

et l'inégalité précédente, entraîne

$$\|f\|_{(l^p)'} \leqslant \|b\|_{l^{p'}} .$$

En conclusion, on peut identifier un élément f de $(l^p)'$ et un élément b de $l^{p'}$

Deuxième cas : $p = 1$. Soit $f \in (l^1)'$ on pose cette fois (avec $b_k = f(e_k)$)

$$C_i^n = \begin{cases} \dfrac{b_i}{|b_i|} & \text{si } b_i \neq 0 \text{ et si } i = n \\ \\ 0 & \text{dans les autres cas.} \end{cases}$$

et on a

$$\begin{cases} f(C^n) = |b_n| \\ \|C^n\|_{l^1} \leqslant 1 \end{cases}$$

la relation $|f(C^n)| \leqslant \|f\| . \|C^n\|$ entraîne cette fois :

$$|b_n| \leqslant \|f\| \quad \forall n$$

donc $b \in l^\infty$; réciproquement a tout $b \in l^\infty$ on peut associer $f \in (l^1)'$. Ainsi on peut identifier $(l^1)'$ et l^∞.

Remarquons ceci :

$$(p')' = p \quad (1 < p < +\infty) ,$$
$$l^p = (l^{p'})' = (l^p)'' .$$

on a vu que $(l^1)' = l^\infty$ mais on n'a pas $(l^\infty)' = l^1$.

EXEMPLE 2.2. On peut démontrer que le dual de $L^p(\Omega)$ est $L^{p'}(\Omega)$, ou $1 \leqslant p < +\infty, \frac{1}{p} + \frac{1}{p'} = 1$

L'espace vectoriel V' étant un espace vectoriel normé, on peut définir son espace dual qui est noté V'' et qui est aussi appelé le bidual de V.

DÉFINITION 2.3. Nous dirons que la suite v_n converge faiblement vers v quand $n \to \infty$ si

$$\lim_{n\to\infty} v'(v_n) = v'(v) \quad \forall v' \in V' .$$

Une notation commode pour exprimer la convergence faible sera :

$$v_n \rightharpoonup v \quad \text{quand } n \to \infty .$$

(Nous dirons parfois : v_n converge vers v au sens de la topologie faible dans V).

Notons ceci : si v_n converge vers v au sens de la topologie forte de V (c'est-à-dire $\lim_{n\to\infty} \|v_n - v\|_V = 0$) alors v_n converge vers v au sens de la topologie faible (démonstration évidente); la réciproque est en général fausse. On vérifierait toutefois que dans le cas des espaces de dimension finie il y a identité entre les deux topologies.

3. Le théorème de Hahn-Banach

3.1 *La forme analytique du théorème*

DÉFINITION 3.1. Une forme sous linéaire sur un espace vectoriel V réel est une application p de V dans $\mathbb{R}$ vérifiant

i) $p(\lambda v) = \lambda . p(v) \quad \forall \lambda \in \mathbb{R}_+, \quad \forall v \in V$

ii) $p(u+v) \leqslant p(u) + p(v) \quad \forall u, v \in V.$

une semi norme est une fonction sous linéaire particulière.

Dans le cas réel on dit qu'une forme linéaire f sur V est majorée par p si l'on a

$$f(v) \leqslant p(v) \quad \forall v \in V.$$

THÉORÈME 3.1 (cas réel)

les données :

V un espace vectoriel sur $\mathbb{R}$,
p une fonction sous linéaire sur V,
M un sous espace vectoriel de V,
f une forme linéaire sur M.

on suppose que f est majorée par p sur M.

la conclusion :

il existe une forme linéaire g sur V, majorée par p et qui prolonge f (i.e. $f(v) = g(v) \quad \forall v \in M$).

Démonstration. On désigne par P l'ensemble des couples (h, H) où H est un sous-espace de V contenant M et où h est une forme linéaire sur H, majorée par p et prolongeant f. Un tel couple est (f, M) donc P n'est pas vide. Il est clair que P est inductif pour la relation d'ordre

$$(h, H) \prec (h', H') \Leftrightarrow \begin{cases} H \subset H' \\ h' \text{ prolonge } h \end{cases}$$

par suite, d'après le théorème de Zorn, P a au moins un élément maximal, que nous désignerons par (g, G). Il suffit de montrer que $G = V$. Supposons que $G \neq V$, alors il existe $w \in V$, $w \notin G$; désignons par G_1 l'ensemble des éléments de la forme $v + \lambda w$, $v \in G$, $\lambda \in \mathbb{R}$, et posons

$$g_1(v + \lambda w) = g_1(v) + \alpha . \lambda$$

G_1 contient G, g_1 prolonge g; par suite si nous pouvons choisir α de façon que g_1 soit majorée par p nous aurons une contradiction avec le résultat (g, G) est maximal. Montrons qu'un tel α existe. Pour que g_1 soit majorée par p il faut et il suffit que

$$g(v) + \alpha\lambda \leqslant p(v + \lambda w) \quad \forall v \in G \quad \forall \lambda \in \mathbb{R} .$$

Si $\lambda > 0$ cela s'écrit, après division par λ et compte tenu de la sous-linéarité :

$$g(u) + \alpha \leqslant p(u + w) \quad \forall u \in G .$$

Si $\lambda < 0$ cela s'écrit, après division par $-\lambda$:

$$g(u) - \alpha \leqslant p(u - w) \quad \forall u \in G .$$

Nous devons donc choisir α tel que :

$$g(u) - p(u - w) \leqslant \alpha \leqslant p(u + w) - g(u) \quad \forall u \in G .$$

Un tel choix est possible car

$$g(u) + g(v) = g(u + v) \leqslant p(u + v) \leqslant p(u - w) + p(v + w) ,$$

d'où

$$g(u) - p(u - w) \leqslant p(v + w) - g(v) \quad \forall u, v \in G$$

et donc

$$\operatorname*{Sup}_{u \in G} (g(u) - p(u - w)) \leqslant \inf_{u \in G} (p(u + w) - g(u)) .$$

THÉORÈME 3.2 (cas réel ou complexe) :

les données :

V un espace vectoriel sur $\mathbb{R}$ ou $\mathbb{C}$,
p une semi-norme sur V,
M un sous-espace vectoriel de V,
f une forme linéaire sur M;

on suppose que p majore f sur M au sens suivant :

$$|f(v)| \leqslant p(v) \quad \forall v \in M;$$

la conclusion : il existe une forme linéaire g sur V, qui prolonge f et qui est majorée par p sur V :

$$f(v) = g(v) \quad \forall v \in M$$
$$|g(v)| \leqslant p(v) \quad \forall v \in V.$$

Démonstration. Le cas réel se déduit trivialement du théorème 3.1.

Étudions le cas complexe. On peut écrire $f(v)$ sous la forme :

$$\begin{cases} f(v) = f_1(v) + \mathrm{i}.f_2(v) \\ f_1(v) \in \mathbb{R}, \quad f_2(v) \in \mathbb{R}. \end{cases}$$

Avec $f(\mathrm{i}v) = \mathrm{i}f(v)$ il vient

$$\begin{cases} f_2(v) = -f_1(\mathrm{i}v) \\ f_1(v) = +f_2(\mathrm{i}v) \end{cases}$$

et donc f peut s'écrire :

$$f(v) = f_1(v) - \mathrm{i}f_1(\mathrm{i}v).$$

On a :

$$|f(v)| = |f_1(v)| + |f_1(\mathrm{i}v)| \leqslant p(v) \quad \forall v \in M,$$

donc f_1 est majorée par p sur M. On peut alors utiliser le théorème 3.1. A partir des éléments f_1, p et des espaces V et M (identifiés à des espaces vectoriels sur $\mathbb{R}$) il vient : il existe une forme linéaire g_1, telle que

$$g_1(v) = f_1(v) \quad \forall v \in M$$
$$g_1(v) \leqslant p(v) \quad \forall v \in V.$$

Posons

$$g(v) = g_1(v) - \mathrm{i}g_1(\mathrm{i}v)$$

Puisque $g_1(v) = f_1(v) \quad \forall v \in M$, il vient

$$g(v) = f(v) \quad \forall v \in M.$$

De plus, si on pose :

$$g(v) = \rho e^{\mathrm{i}\theta}, \quad \rho \geqslant 0,$$

on a

$$\rho = |g(v)| = g(e^{-i\theta} v) = g_1(e^{-i\theta} v) = ig_1(ie^{-i\theta} v);$$

mais $\rho \in \mathbb{R}$, donc :

$$\rho = |g(v)| = g_1(e^{-i\theta} v)$$

et puisque p majore g_1 :

$$|g(v)| = g_1(e^{-i\theta} v) \leqslant p(e^{-i\theta} v) = p(v).$$

Pour finir, on vérifierait facilement que g est linéaire. ∎

3.2 *Quelques conséquences du théorème de Hahn-Banach*

COROLLAIRE 3.1

Soit M un sous-espace vectoriel d'un espace vectoriel normé V.
Soit $m' \in M'$; alors il existe $v' \in V'$ tel que:

$$\begin{cases} v'(v) = m'(v) & \forall v \in M \\ \|v'\| = \|m'\| \end{cases} \tag{3.1}$$

Démonstration. La forme linéaire continue $v \to m'(v)$ définie sur M vérifie :

$$|m'(v)| \leqslant \|m'\| \, \|v\| .$$

En posant

$$p(v) = \|m'\| . \|v\|$$

on est dans les conditions d'utilisation du théorème 3.2, donc il existe une forme linéaire v' définie sur V et qui vérifie

$$v'(v) = m'(v) \quad \forall v \in M$$
$$|v'(v)| \leqslant \|m'\| . \|v\| \quad \forall v \in V .$$

Par suite $v' \in V'$ et $\|v'\| \leqslant \|m'\|$; mais, clairement, $\|v'\| \geqslant \|m'\|$, d'où (3.1).

COROLLAIRE 3.2. Soit V un espace vectoriel normé, soit $w \in V$, $w \neq 0$.
Alors il existe $v' \in V'$ vérifiant :

$$\begin{cases} \|v'\| = 1 \\ v'(w) = \|w\| . \end{cases} \tag{3.2}$$

Démonstration. Posons $M = \mathbb{R}w = \{m \mid m = \lambda w, \lambda \in \mathbb{R}\}$ et $m'(m) = \lambda \|w\|$ si $m = \lambda w$; on a donc $\|m'\| = 1$ et $m'(w) = \|w\|$. Il ne suffit plus que d'appliquer le corollaire 3.1.

COROLLAIRE 3.3. Si V est un espace vectoriel normé, si $v'(w) = 0$ $\forall v' \in V'$ alors $w = 0$.

Démonstration. D'après le corollaire (3.2), si $w \neq 0$, il existe $v' \in V'$ vérifiant (3.2) d'où $\|w\| = 0$ puisque par hypothèse $v'(w) = 0 \quad \forall v' \in V'$.

COROLLAIRE 3.4. Soit V un espace vectoriel normé, soit M_0 un sous-espace fermé de V, soit $w \in V$ et $w \notin M_0$; alors il existe $v' \in V'$ vérifient

$$\begin{cases} v'(m_0) = 0 \quad \forall m_0 \in M_0 \\ v'(w) \neq 0 \end{cases} \tag{3.3}$$

[en multipliant v' par un scalaire, on peut imposer $\|v'\| = 1$].

Démonstration. Notons de suite que $w \neq 0$ sinon $w \in M_0$; posons :

$$d = \operatorname*{Inf}_{m_0 \in M_0} \|w - m_0\|$$

puisque $w \notin M_0$ et que M_0 est fermé on a $d > 0$. Désignons par M le sous-espace engendré par w et M_0 :

$$m \in M \Leftrightarrow m = \lambda w + m_0, \ \lambda \in \mathbb{R}, \ m_0 \in M_0 .$$

On a, si $\lambda \neq 0$:

$$m = \lambda\left(w - \left(-\frac{m_0}{\lambda}\right)\right)$$

et donc

$$\|m\| = |\lambda| . \left\|w - \left(\frac{m_0}{\lambda}\right)\right\| \geqslant |\lambda| \cdot d . \tag{3.4}$$

Définissons maintenant une forme linéaire m' par

$$m'(m) = \lambda . d$$

On a immédiatement

$$\begin{cases} m'(w) = d \neq 0 \\ m'(m_0) = 0 \quad \forall m_0 \in M_0 . \end{cases} \tag{3.5}$$

De plus

$$|m'(\lambda w)| = |\lambda d| \leqslant \|\lambda w\| . \frac{d}{\|w\|} \leqslant \|\lambda w\|$$

car $d \leqslant \|w - 0\| = \|w\|$. Si $\lambda \neq 0$, grâce à (3.4) :

$$|m'(m)| = |m'(\lambda w + m_0)| = |\lambda| d \leqslant \|m\|$$

En résumé, m' vérifie (3.5) et

$$|m'(m)| \leqslant \|m\| \quad \forall m \in M . \tag{3.6}$$

Il suffit maintenant d'utiliser le corollaire 3.1 pour définir v' vérifiant (3.3).

COROLLAIRE 3.5. Soit V un espace vectoriel normé; si V' est séparable alors V est séparable.

Démonstration. Soit v'_n, $n = 1, 2, \ldots$ une suite dense dans la boule unité de V'.
Rappelons ceci : si $v' \in V'$ on a :

$$\|v'\| = \operatorname*{Sup}_{\|v\|=1} |v'(v)|$$

et donc $\forall \varepsilon > 0$, $\exists v \in V$ tel que

$$\begin{cases} \|v\| = 1 \\ (1-\varepsilon)\|v'\| \leqslant |v'(v)| . \end{cases}$$

En particulier pour $\varepsilon = \frac{1}{2}$, $\exists v \in V$ tel que

$$\begin{cases} \|v\| = 1 \\ \frac{1}{2}\|v'\| \leqslant |v'(v)| \end{cases}$$

Soit donc v_n tel que

$$\begin{cases} \|v_n\| = 1 \\ \frac{1}{2}\|v'_n\| \leqslant |v'_n(v_n)| \end{cases}$$

et désignons par M le sous-espace fermé engendré par les v_n ; il est séparable par construction; montrons que $M = V$. Si $M \neq V$ alors il existe $w \in V$, $w \notin M$ et d'après le corollaire précédent il existe $v' \in V'$ tel que

$$\begin{cases} \|v'\| = 1 \\ |v'(w)| \neq 0 \\ v'(m) = 0 \quad \forall m \in M \end{cases}$$

et en particulier

$$v'(v_n) = 0 \quad \forall n ,$$

d'où

$$\tfrac{1}{2}\|v'_n\| \leqslant |v'_n(v_n)| \leqslant |v'_n(v_n) - v'(v_n)| + |v'(v_n)|$$

ou

$$\tfrac{1}{2}\|v'_n\| \leqslant \|v'_n - v'\| \quad \forall n .$$

On peut choisir v'_n de façon que

$$\lim \|v'_n - v'\| = 0 ,$$

puisqu'on a supposé que la suite v'_n était dense dans la boule unité de V'. La relation $\|v'\| = 1$, la dernière inégalité et la dernière égalité sont donc en contradiction. ▌

3.3 *Compléments* (en vue de la forme géométrique du théorème)

Soit f une forme linéaire sur un espace vectoriel V; rappelons que le noyau N de f est défini par :

$$N = \{v \mid v \in V, f(v) = 0\}$$

Notons que deux formes linéaires qui ne diffèrent que d'une constante multiplicative ont même noyau.

Supposons que f *ne soit pas identiquement nulle* : il existe donc $w \in V$ tel que $f(w) = 1$; soit v un élément quelconque de V; posons

$$n = v - f(v).w$$

on a

$$f(n) = f(v) - f(v).f(w) = 0\,,$$

donc $n \in N$; ainsi tout élément $v \in V$ est de la forme

$$v = \lambda.w + n \quad \lambda \in \mathbf{R}, n \in N \tag{3.7}$$

(on vérifierait que cette représentation est unique). Lorsqu'il en est ainsi on dit que *la codimension du sous-espace N est* 1.

Réciproquement soit N un sous-espace de V de codimension 1. Montrons qu'il est le noyau d'une forme linéaire f; par définition, on a la représentation (3.7) qui étant unique peut s'écrire :

$$v = \lambda_v.w + n_v\,,$$

Posons

$$f(v) = \lambda_v\,.$$

On a donc

$$\begin{cases} f(w) = 1 \\ f(n) = 0 \quad \forall n \in N \end{cases}$$

et, clairement, $v \to f(v)$ est linéaire. Donc le résultat cherché est établi.

DÉFINITION 3.2. Un hyperplan est le noyau d'une forme linéaire non nulle [ou, d'après ce qui précède, un sous-espace de codimension 1].

Un hyperplan affine est un sous-ensemble de la forme $u + N$, où u est donné dans V et N est un hyperplan. On vérifierait ceci : si f est une forme linéaire sur V, $\alpha \in \mathbb{K}$, alors l'ensemble

$$H = \{v \mid f(v) = \alpha, v \in V\}$$

est un hyperplan affine. Réciproquement, à tout hyperplan affine on peut associer un couple f, α (défini à une constante multiplicative près). On dira que $f(v) = \alpha$ est l'équation de l'hyperplan (affine).

On dit que deux parties A et B de V sont séparées par l'hyperplan $f(v) = \alpha$ si A (resp. B) est dans le demi-espace $\{v \mid v \in V, f(v) \geqslant \alpha\}$ et B (resp. A) dans le demi-espace $\{v \mid v \in V, f(v) \leqslant \alpha\}$. Lorsque les inégalités sont strictes nous dirons que A et B sont strictement séparés par l'hyperplan.

DÉFINITION 3.3. Soit V un espace vectoriel, A une partie de V, $w \in A$. On dit que w est un point interne de A si $\forall v \in V$, $\exists \varepsilon > 0$ tel que $w + \delta v \in A$, $\forall \delta$ $|\delta| < \varepsilon$.

DÉFINITION 3.4. Soit A une partie convexe d'un espace vectoriel E; on suppose que 0 est un point interne de A. La jauge de A est une fonction de E dans $\mathbf{R}$ ainsi définie :

$$p(v) = \inf \lambda \quad \lambda \in \mathbf{R}_+ \quad \text{tel que } v \in \lambda A .$$

[Rappelons que A est convexe si $\forall a, b \in A$, $\forall \theta \in [0,1]$ on a $\theta a + (1-\theta) b \in A$].

Puisque 0 est un point interne de A l'ensemble des λ n'est pas vide et donc $p(v)$ est bien défini.

De plus, on a très facilement :

$$\begin{cases} p(v) \geqslant 0 \quad \forall v \in V \\ p(0) = 0, \quad p(v) \leqslant 1 \quad \forall v \in A, \; p(v) \geqslant 1 \quad \forall v \notin A \end{cases} \tag{3.8}$$

3.4 *Forme géométrique du théorème*

PROPOSITION 3.1. La jauge d'une partie convexe A d'un espace vectoriel V est une fonction sous linéaire sur E [on suppose que 0 est un point interne de A].

Démonstration. On doit montrer que :

$$\begin{cases} p(\lambda v) = \lambda p(v) \quad \forall \lambda \in R_+, \quad \forall v \in V \\ p(u+v) \leqslant p(u) + p(v) \quad \forall u, v \in V . \end{cases}$$

la première est évidente, vérifions la seconde. Soient $\varepsilon > 0$, $\lambda_0 > p(v) \geqslant \lambda_0 - \varepsilon$, $\lambda_1 > p(u) \geqslant \lambda_1 - \varepsilon$; les points $\frac{v}{\lambda_0}$ et $\frac{u}{\lambda_1}$ appartiennent a A et puisque A est convexe, le point $\frac{1}{\lambda_0 + \lambda_1} \cdot \left[\lambda_0 \cdot \left(\frac{v}{\lambda_0} \right) + \lambda_1 \left(\frac{u}{\lambda_1} \right) \right]$, c'est-à-dire $\frac{1}{\lambda_0 + \lambda_1} (u+v)$, appartient a A; donc

$$u + v \in (\lambda_0 + \lambda_1) A$$

et

$$p(u+v) \leqslant \lambda_0 + \lambda_1 \leqslant p(u) + p(v) + 2\varepsilon .$$

Comme ε est arbitraire positif, il vient le résultat cherché.

COROLLAIRE 3.6. Soient V un espace vectoriel, A une partie convexe admettant 0 comme point interne, u un point non interne à A; alors

$$p(u) \geqslant 1 .$$

Démonstration. u n'étant pas un point interne il existe v et $\varepsilon > 0$ tels que

$$0 < \delta < \varepsilon \Rightarrow u + \delta v \notin A$$

et avec (3.8) il vient

$$p(u+\delta v) \geqslant 1$$

mais avec la sous linéarité de p il vient :

$$1 \leqslant p(u+\delta v) \leqslant p(u)+\delta p(v)$$

comme on peut prendre δ arbitrairement petit, il vient le résultat cherché.

THÉORÈME 3.3 :

les données :

V un espace vectoriel sur $\mathbf{R}$,
M et N deux ensembles convexes de V tels que :
M a au moins un point interne,
N ne contient aucun point interne de M.

la conclusion :

il existe un hyperplan (affine) H qui sépare M et N.

Démonstration. On peut supposer que 0 *est un point interne à* M (par une translation on se ramènerait au cas général).

Soit $w \in N$ et posons :

$$A = w + M - N .$$

[A est donc l'ensemble des éléments de la forme $w+m-n$, $m \in M$, $n \in N$].

Premier point. Montrons ceci :

$$\begin{cases} 0 \text{ est un point interne de } A \\ w \text{ n'est pas un point interne de } A \,. \end{cases}$$

Notons que A contient M, donc 0 est un point interne de A ; si w était interne à A, par translation 0 serait interne à $M-N$ ce qui aboutit à une contradiction, car en effet : soit $v \neq 0$, alors pour $\in$ assez petit, εv serait dans $M-N$ d'où

$$\varepsilon v = m - n, \quad m \in M, \quad n \in N$$

et d'où

$$\frac{n+\varepsilon v}{1+\varepsilon} = \frac{m}{1+\varepsilon} .$$

Si v a été choisi dans N, par convexité $\dfrac{n+\varepsilon v}{1+\varepsilon} \in N$; d'autre part M étant convexe et 0 point interne, on vérifierait que $\dfrac{m}{1+\varepsilon}$, $\varepsilon \geqslant 0$ est un point interne de M; finalement $\dfrac{n+\varepsilon v}{1+\varepsilon}$ est dans N et est un point interne de M ce qui contredit une hypothèse.

Deuxième point. Soit p la jauge de A; w n'étant pas interne, le corollaire 3.6 entraîne

$$p(w) \geqslant 1\,. \tag{3.9}$$

Il est toujours possible de trouver une forme linéaire f définie sur l'ensemble $\mathbf{R}w = \{v \mid v = \lambda w,\, \lambda \in \mathbf{R}\}$ telle que

$$f(w) = p(w)\,,$$

alors pour $\lambda \geqslant 0$:

$$f(\lambda w) = \lambda f(w) = \lambda p(w) = p(\lambda w)$$

et pour $\lambda < 0$:

$$f(\lambda w) = \lambda f(w) \leqslant 0 \leqslant p(\lambda w)\,,$$

donc, sur $\mathbf{R}w$

$$f(v) \leqslant p(v)$$

En utilisant la forme analytique du théorème de Hahn-Banach on peut prolonger f à tout l'espace: il existe une forme linéaire F définie sur V et vérifiant:

$$\begin{cases} F(v) = f(v) & \forall v \in \mathbf{R}w \\ F(v) \leqslant p(v) & \forall v \in V. \end{cases} \tag{3.10}$$

D'où, en particulier:

$$F(w+m-n) \leqslant p(w+m-n) \quad m \in M,\, n \in N$$

et comme $w+m-n \in A$, on a a fortiori

$$F(w+m-n) \leqslant 1$$

ou

$$F(w) + F(m) - F(n) \leqslant 1$$

ou

$$p(w) + F(m) - F(n) \leqslant 1$$

et compte tenu de (3.9), il vient

$$F(m) \leqslant F(n) \quad \forall m \in M,\, \forall n \in N\,.$$

Il suffit de choisir α tel que:

$$\operatorname*{Sup}_{m \in M} F(m) \leqslant \alpha \leqslant \inf_{n \in N} F(n)$$

pour terminer la démonstration.

COROLLAIRE 3.7

les données :

V est un espace vectoriel *normé* sur $\mathbf{R}$,

M et N deux ensembles convexes de E tels que :

M a au moins un point *intérieur*,

N ne contient aucun point interne de M;

la conclusion : on peut trouver $F \in V'$ (dual *topologique* de V) et $\alpha \in \mathbf{R}$ tels que :

$$\begin{cases} F(m) \leqslant \alpha \leqslant F(n) & \forall m \in M, \quad \forall n \in N \\ F \neq 0. \end{cases} \tag{3.11}$$

Démonstration. Il suffit de montrer que $F \in V'$; nous savons que A contient M qui contient la boule B de centre 0 (si 0 est un point intérieur à M) et de rayon r : on a donc

$$p(v) = \operatorname*{Inf}_{\substack{v \in \lambda A \\ \lambda \geqslant 0}} \lambda \leqslant \operatorname*{Inf}_{\substack{v \in \lambda B \\ \lambda \geqslant 0}} \lambda = \frac{\|r\|}{r}$$

ce qui donne, avec (3.10) :

$$F(v) \leqslant p(v) \leqslant \frac{\|r\|}{r} \quad \forall v \in V$$

par suite $F \in V'$. ∎

COROLLAIRE 3.8

les données :

V est un espace vectoriel *normé* sur $\mathbf{R}$,

N un sous-ensemble *convexe fermé* dans V,

$u \in V$, $u \notin N$;

la conclusion : on peut trouver $F \in V'$ et $\alpha \in \mathbf{R}$ tels que

$$\begin{cases} F(u) < \alpha \leqslant F(n) & \forall n \in N \\ F \neq 0. \end{cases} \tag{3.12}$$

Démonstration. Il existe une boule M de centre u et de rayon $r > 0$ qui ne rencontre pas N (puisque N est fermé et $u \notin N$); u est un point intérieur à M; d'après le corollaire 3.7 il vient (3.11). Il suffit de montrer que $F(u) < \alpha$; puisque $F \neq 0$, il existe z tel que $F(z) = 1$; par suite $u + \frac{r}{\|z\|} \cdot z \in M$ et $F\left(u + \frac{r}{\|z\|} \cdot z\right) \leqslant \alpha$, d'où

$$F(u) \leqslant \alpha - r\frac{F(z)}{\|z\|} = \alpha - \frac{r}{\|z\|} < \alpha .$$

COROLLAIRE 3.9. Soit V un espace vectoriel normé sur $\mathbf{R}$; soit N un sous-ensemble convexe dans V; si N est fortement fermé il est aussi faiblement fermé et réciproquement.

Démonstration (dans le cas non évident). On suppose que N est fortement fermé. Soit u_n, $n = 1, 2, \ldots$ une suite faiblement convergente vers u quand $n \to \infty$; montrons que $u \in N$; si $u \notin N$ alors il existe un couple F, α,

$$F \in V' \quad \text{et} \quad \alpha \in \mathbf{R}, \text{ tel que}$$

$$\begin{cases} F(v) \leqslant \alpha & \forall v \in N \\ F(u) > \alpha \end{cases}$$

et en particulier

$$\begin{cases} F(u_n) \leqslant \alpha & \forall n \\ F(u) > \alpha \end{cases}$$

et par suite on ne peut pas avoir

$$\lim_{n \to \infty} F(u_n) = F(u);$$

d'où une contradiction avec $u_n \to u$; donc $u \in N$ et N est faiblement fermé. ∎

4. Réflexivité. Compacité faible. Convergence faible-*

Nous allons montrer qu'il existe un « prolongement » canonique J de V dans V''. De façon plus précise on a le

THÉORÈME 4.1. Il existe un opérateur J de V dans V'' ayant les propriétés suivantes :

$$\text{(4.1)} \qquad \begin{cases} J \text{ est linéaire, continu, injectif} \\ \|Jv\|_{V''} = \|v\|_V \quad \forall v \in V. \end{cases}$$

Démonstration. v étant donné dans V, considérons l'application $v' \to v'(v)$, où v' est un élément quelconque de V'; on a :

$$|v'(v)| \leqslant \|v\|_V \,.\, \|v'\|_{V'}.$$

Par suite $v' \to v'(v)$ est une forme linéaire et continue sur V'. Désignons par Jv cette forme; par définition

$$Jv(v') = v'(v).$$

Il est clair que $v \to Jv$ est une application linéaire de V dans V''. De plus on a :

$$\|Jv\|_{V''} = \operatorname*{Sup}_{v' \in V'} \frac{|Jv(v')|}{\|v'\|_{V'}} \leqslant \operatorname*{Sup}_{v' \in V'} \frac{\|v\|_V \,.\, \|v'\|_{V'}}{\|v'\|_{V'}} \leqslant \|v\|_V.$$

En sens contraire, d'après le théorème de Hahn-Banach, Corollaire 3.2, il existe $u' \in V'$ telle que

$$\begin{cases} \|u'\|_{V'} = 1 \\ u'(v) = \|v\|. \end{cases}$$

Par suite :

$$\|J(v)\|_{V''} = \operatorname*{Sup}_{v' \in V'} \frac{|Jv(v')|}{\|v'\|_{V'}} \geqslant \frac{|Jv(u')|}{\|u'\|_{V'}} = \|v\| ,$$

d'où

$$\|Jv\|_{V''} = \|v\|_V .$$

Supposons que $Jv = 0$; alors la relation précédente entraîne $v = 0$. ▮

On peut ainsi identifier V avec le sous-espace JV de V'', JV désignant l'ensemble des Jv, $v \in V$.

DÉFINITION 4.1. On dit que V est réflexif lorsque $JV = V''$. (En d'autres termes, *lorsqu'on peut identifier V et V''*).

PROPOSITION 4.1. Soit V un espace de Banach réflexif; alors V' est aussi un espace de Banach réflexif.

Démonstration. Comme on peut identifier V et V'', on peut identifier V' et V''' donc V' est réflexif.

PROPOSITION 4.2. Soit V un espace de Banach réflexif; alors tout sous-espace fermé dans V est réflexif.

Démonstration. Soit M un sous-espace fermé dans V.

Premier point : si $v' \in V'$, on désigne par $\dot{v}'$ la restriction de v' à M :

$$\dot{v}'(m) = v'(m) \quad \forall m \in M .$$

Clairement $m \to \dot{v}'(m)$ est une application linéaire et continue sur M.

Deuxième point : : soit $m'' \subset M''$. Alors l'application

$$v' \to m''(\dot{v}')$$

est une forme linéaire et continue sur V' puisque composée des applications linéaires et continues $v' \to \dot{v}' \to m''(\dot{v}')$; par suite il existe $v'' \in V''$ tel que

$$v''(v') = m''(\dot{v}')$$

ou encore, puisque $JV = V''$, il existe $m \in V$ tel que

$$v'(m) = m''(\dot{v}') . \tag{4.2}$$

Troisième point : $m \in M$? En effet dans le cas contraire, d'après le théorème de Hahn-Banach, corollaire 3.4, il existerait u' tel que

$$u' \in V', \quad u'(m) \neq 0, \quad u'(n) = 0 \quad \forall n \in M .$$

donc, en particulier, $\dot{u}' = 0$, alors dans (4.2) il viendrait en choisissant $v' = u'$

$$0 \neq u'(m) = m''(\dot{u}') = m''(0) = 0\,!$$

Quatrième point : puisque $m \in M$, on a :

$$v'(m) = \dot{v}'(m)$$

et (4.2) s'écrit :

$$\begin{cases} \dot{v}'(m) = m''(\dot{v}') \\ \forall v' \in V' , \end{cases}$$

mais, d'après le théorème de Hahn-Banach corollaire 3.1, toute forme $m' \in M'$ peut se prolonger en une forme $v' \in V'$, telle que $m' = \dot{v}'$; d'où

$$\begin{cases} m'(m) = m''(m') \\ \forall m' \in M' . \end{cases}$$

Ainsi on peut identifier un élément m'' quelconque dans M'' avec un élément m de M; donc M est réflexif. ▮

Une propriété très importante des espaces réflexifs est la suivante.

THÉORÈME 4.2. Si V est un espace de Banach réflexif, alors de toute suite bornée dans V, on peut extraire une sous-suite faiblement convergente vers un élément de V.

[Ce résultat est parfois énoncé de la façon suivante; la boule unité d'un espace de Banach réflexif est faiblement (séquentiellement) compacte].

Démonstration. Soit $v_n \in V$, $\|v_n\| \leqslant c < +\infty \quad \forall n$.

Montrons qu'il existe un élément $u \in V$ et une sous-suite u_n, extraite de la suite v_n, telle que

$$\lim u_n = u \quad \text{dans} \quad V \text{ faible} .$$

Soit M le sous-espace vectoriel de V engendré par les v_n. Il est séparable par construction, il est réflexif puisque tout sous-espace fermé d'un espace réflexif est réflexif (prop. 4.2). Le bidual M'' est donc séparable et finalement M' est séparable puisque son dual l'est (corollaire 3.5). Soit donc u'_m, $m = 1, 2, \ldots$ une suite dense dans la boule unité de M'. A partir de u'_m et de v_m on va construire une sous-suite *par le procédé diagonal* : on a :

$$|u'_1(v_n)| \leqslant \|u'_1\| \,.\, \|v_n\| \leqslant c\,\|u'_1\|$$

la suite numérique $n \to u'_1(v_n)$ est donc bornée; on peut en extraire une sous-suite convergente; cela revient à extraire une sous suite de la suite v_n :

$$(4.3)_1 \qquad u'_1(v_{1,n}) \text{ converge dans } \Lambda \ (\mathbf{R} \text{ ou } \mathbf{C}) \text{ quand } n \to \infty .$$

De même :

$$|u'_2(v_{1,n})| \leqslant c\,\|u'_2\|$$

et par extraction d'une sous-suite $v_{2,n}$ de la sous-suite $v_{1,n}$:

$(4.3)_2$ $\qquad u'_2(v_{2,n})$ converge dans Λ quand $n \to \infty$.

On continue le procédé pour arriver après la $p^{\text{ième}}$ extraction

$(4.3)_p$ $\qquad u'_p(v_{p,n})$ converge dans Λ quand $n \to \infty$.

Posons

$$u_q = v_{q,q} \, .$$

Par construction u_q appartient à toutes les sous-suites $\{v_{p,n},\ n = 1, 2, \ldots\}$ telles que $p \leqslant q$. Si donc p est fixe (mais quelconque)

$$u'_p(u_q) \text{ converge dans } \Lambda \text{ lorsque } q \to \infty \, .$$

Définissons u''_q par

$$\begin{cases} u''_q \in M'' \\ u''_q(u') = u'(u_q) \quad \forall u' \in M' \, . \end{cases}$$

On sait qu'on a (voir théorème 4.1) :

$$\|u''_q\| = \|u_q\| \, .$$

La situation est alors :

$$\begin{cases} u''_q(u'_p) \text{ converge dans } \Lambda \text{ quand } q \to +\infty ; \\ \text{la suite } u'_p,\ p = 1, 2, \ldots, \text{ est dense dans la boule unité de } M' ; \\ \|u''_q\| = \|u_q\| \leqslant c. \end{cases}$$

D'après la proposition 2.2, $u''_q(u')$ converge $\forall u' \in M'$ et de plus, si u'' est défini par

$$u''(u') = \lim_{q \to \infty} u''_q(u') \, ,$$

on a : $u' \to u''(u')$ est une forme linéaire et continue sur M', donc $u'' \in M''$. Soit $u \in M$ tel que

$$u''(u') = u'(u) \quad \forall u' \in M'$$

[u existe et est unique, car M est réflexif].

On a donc :

$$\begin{cases} u'(u) = u''(u') = \lim\limits_{q \to \infty} u''_q(u') = \lim\limits_{q \to \infty} u'(u_q) \quad \forall u' \in M' \\ u \in M \\ u_q \in M. \end{cases}$$

Soit maintenant $v' \in V'$ et $\dot{v}'$ la restriction de v' à M; puisque u, $u_q \in M$ on a :

$$v'(u) = \dot{v}'(u)$$
$$v'(u_q) = \dot{v}'(u_q)$$

et puisque

$$\dot{v}'(u) = \lim_q \dot{v}'(u_q),$$

il vient

$$v'(u) = \lim_q v'(u_q) \quad \forall v' \in V'.$$

DÉFINITION 4.2. Soit V un espace vectoriel normé; soit V' son dual; *la topologie faible-* de V'* est définie de la façon suivante : nous dirons que la suite $v'_n \in V'$ converge vers $v' \in V'$ au sens de la topologie faible-* de V', quand $n \to \infty$, lorsque :

$$\lim_{n\to\infty} v'_n(v) = v(v) \quad \forall v \in V$$

[on dira ainsi v'_n *converge faiblement-* vers* v', ..., et on notera $v'_n \overset{*}{\rightharpoonup} v'$ quand $n \to \infty$].

Il est bon de remarquer que la *convergence faible* de V' est la suivante : $v'_n \rightharpoonup v'$, quand :

$$\lim_{n\to\infty} v''(v'_n) = v''(v') \quad \forall v'' \in V'',$$

donc la convergence faible de V' utilise les éléments de V'' alors que la convergence faible-* utilise ceux de V. Cependant lorsque V est réflexif alors $V \equiv V''$ et les deux notions sont confondues. Le cas pratique où cette notion est intéressante est celui où

$$V = L^1 \quad \text{et} \quad V' = L^\infty, \quad \text{car} \quad V \not\equiv V''.$$

THÉORÈME 4.3. Soit V un espace vectoriel normé et *séparable*. Alors de toute suite borné dans V', on peut extraire une sous-suite faiblement-* convergente vers un élément de V'.

Démonstration. Soit v_n une suite bornée dans V' :

$$\|v'_n\| \leqslant C,$$

et soit v_m une suite dense dans la boule unité de V (elle existe, V étant séparable). Par le procédé diagonal (voir la démonstration du théorème précédent) on obtient $u_q = v_{q,q}$, qui a la propriété suivante :

$$u'_q(v_p) \text{ converge lorsque } q \to \infty; \quad \forall p.$$

On peut poser

$$u'(v_p) = \lim_{q\to\infty} u'_q(v_p) \tag{4.4}$$

et on a :

$$|u'(v_p)| = \lim_q |u'_q(v_p)|$$

et puisque

$$|u'_q(v_p)| \leqslant \|v_p\|$$

il vient

$$|u'(v_p)| \leqslant \|v_p\|$$

De plus

$$u'(v_p + v_q) = u'(v_p) + u'(v_q),$$
$$u'(\alpha v_p) = \alpha u'(v_p).$$

Comme la suite des v_p est dense dans la boule unité de V, on peut définir par continuité $u'(v)$ $\forall v \in V$ et finalement $u' \in V'$. Avec (4.4) il viendrait

$$u'(v) = \lim_{q \to \infty} u'_q(v) \quad \forall v \in V.$$

Nous allons étudier maintenant une proposition qui sera constamment utilisée dans la suite :

PROPOSITION 4.3. Soit V un espace de Banach reflexif; soit u_m, $m = 1, 2, \ldots$, une suite d'éléments de V; on suppose que

$$\begin{cases} \|u_m\| \leqslant c < \infty \quad \forall m \\ \text{la suite } u_m \text{ a un seul point adhérent faible } u. \end{cases}$$

Alors : la suite u_m converge faiblement vers u quand $m \to +\infty$.

Démonstration. Supposons que u_m ne converge pas vers u; alors il existe une sous-suite $u_{m'}$, extraite de la suite u_m, et un élément $f \in V'$, tels que la suite $\langle f, u_{m'} \rangle$ ne converge pas vers $\langle f, u \rangle$ [le symbole $\langle\ ,\ \rangle$ signifiant la dualité entre V et V']; finalement, on peut trouver $\varepsilon > 0$, $f \in V'$, une sous-suite $u_{m'}$ tels que

$$|\langle f, u_{m'} - u \rangle| \geqslant \varepsilon > 0 \qquad \forall m.$$

Mais $u_{m'}$ étant bornée et V étant réflexif, on peut trouver une sous-sous-suite $u_{m''}$ qui converge faiblement vers un certain élément de V. Cet élément ne peut être que u par hypothèse

$$\lim \langle f, u_{m''} - u \rangle = 0.$$

Ce qui contredit les inégalités précédentes. ∎

De même, en utilisant le Théorème 4.3, on a la

PROPOSITION 4.4. Soit V un espace de Banach séparable; soit u_m, $m = 1, 2, \ldots$ une suite d'éléments de V. On suppose que

$$\begin{cases} \|u_m\| \leqslant c < +\infty \quad \forall m \\ \text{la suite } u_m \text{ a } \textit{un seul} \text{ point adhérent faible-}* \end{cases}$$

Alors :

la suite u_m converge faiblement-* vers u quand $m \to +\infty$. ▮

Au point de vue pratique, l'utilisation de la proposition 4.3 (par exemple) se fera de la façon suivante : on a une suite $u_m \in V'$, $\|u_m\| \leqslant c < +\infty \quad \forall m$; on en extrait une sous-suite qui converge vers un élément u; on montre que u est indépendant de la sous-suite (parce que, par exemple, u est la solution *unique* d'un certain problème). On est alors dans les conditions d'utilisation de la proposition 4.3. ▮

§ 2. ESPACES DE HILBERT

Nous allons étudier maintenant des espaces de Banach particuliers.

1. Définitions et propriétés élémentaires

DÉFINITION 1.1. Soit V un espace vectoriel sur le corps Λ ($\Lambda = \mathbf{R}$ ou $\mathbf{C}$). Une application f de $V \times V$ dans Λ est une forme hermitienne (dans le cas complexe, symétrique dans le cas réel) si elle vérifie les relations suivantes : $\forall u, u_1, v, v_1 \in V$, $\lambda \in \Lambda$

$$\begin{cases} f(u_1 + u_2, v) = f(u_1, v) + f(u_2, v) \\ f(u, v_1 + v_2) = f(u, v_1) + f(u, v_2), \end{cases}$$

$$\begin{cases} f(\lambda u, v) = \lambda f(u, v) \\ f(u, \lambda v) = \bar{\lambda} f(u, v), \end{cases}$$

$$f(u, v) = \overline{f(v, u)}.$$

(Notons que les deuxième et quatrième relations se déduisent des trois autres). Si f est une forme hermitienne il vient facilement les relations suivantes :

Cas $\Lambda = \mathbf{R}$:

$$4f(u, v) = f(u+v, u+v) - f(u-v, u-v). \tag{1.1}$$

Cas $\Lambda = \mathbf{C}$:

$$4f(u, v) = f(u+v, u+v) - f(u-v, u-v) + \mathrm{i}f(u+\mathrm{i}v, u+\mathrm{i}v) - \mathrm{i}f(u-\mathrm{i}v, u-\mathrm{i}v). \tag{1.1'}$$

DÉFINITION 1.2. i) Une forme hermitienne est dite positive si

$$\forall v \in V \quad \text{on a } f(v, v) \geqslant 0;$$

ii) Une forme hermitienne est dite définie positive si

- $\forall v \in V \quad$ on a $f(v, v) \geqslant 0$,
- $f(v, v) = 0 \Rightarrow v = 0$.

PROPOSITION 1.1. Si f est une forme hermitienne positive de $V \times V$ dans Λ, on a l'inégalité de Cauchy-Schwarz :

$$|f(u, v)|^2 \leqslant f(u, u).f(v, v) \quad \forall u, v \in V. \tag{1.2}$$

Démonstration. Si $f(u, v) = 0$, (1.2) résulte de ce que $f(u, u) \geqslant 0$. Supposons que $f(u, v) \neq 0$ et posons

$$\theta = \frac{f(u, v)}{|f(u, v)|}.$$

On a, en particulier pour tout λ réel,

$$f(\bar{\theta}u + \lambda v, \bar{\theta}u + \lambda v) \geqslant 0$$

ou encore

$$\bar{\theta}\theta f(u, u) + \lambda\bar{\theta} f(u, v) + \lambda\theta f(v, u) + \lambda^2 f(v, v) \geqslant 0,$$

ce qui entraîne, avec la définition de λ,

$$f(u, u) + 2\lambda |f(u, v)| + \lambda^2 f(v, v) \geqslant 0 \quad \forall \lambda \in \mathbf{R}.$$

Si $f(v, v) = 0$, l'inégalité précédente entraîne $f(u, v) = 0$, cas déjà étudié.

Si $f(v, v) > 0$, alors le discriminant du trinôme du second degré en λ est négatif et il vient (1.2).

DÉFINITION 1.3. Un produit scalaire sur V est une forme hermitienne définie positive de $V \times V$ dans Λ.

On notera un produit scalaire de la façon suivante :

$$(u, v), ((u, v)), (u, v)_V, \ldots$$

Soit (u, v) un produit scalaire, posons

$$\|u\| = (u, u)^{1/2}. \tag{1.3}$$

On a immédiatement les propriétés suivantes :

$$\|u\| \geqslant 0,$$
$$\|u\| = 0 \Rightarrow u = 0,$$
$$\|\lambda u\| = |\lambda| . \|u\| .$$

Montrons que

$$\|u+v\| \leqslant \|u\| + \|v\| .$$

On a :

$$\|u+v\|^2 = (u+v, u+v) = \|u\|^2 + (u, v) + (v, u) + \|v\|^2$$
$$= \|u\|^2 + 2\,\mathrm{Re}(u, v) + \|v\|^2$$

ce qui, avec l'inégalité de Cauchy-Schwarz, entraîne :

$$\|u+v\|^2 \leqslant \|u\|^2 + \|v\|^2 + 2\|u\| . \|v\| ,$$

d'où

$$\|u+v\| \leqslant \|u\| + \|v\| .$$

PROPOSITION 1.2. L'application $u \to \|u\|$ (définie par (1.3)) est une norme sur V.

Notons que l'inégalité de Cauchy-Schwarz s'écrit :

$$|(u, v)| \leqslant \|u\| . \|v\| \quad \forall u, v \in V . \tag{1.2'}$$

Ainsi un espace vectoriel muni d'un produit scalaire peut être muni d'une norme (associée au produit scalaire). La réciproque est en général fausse : si un espace vectoriel est muni d'une norme, cette norme n'est en général pas associée à un produit scalaire.

On peut montrer qu'une condition nécessaire et suffisante, pour qu'une norme puisse être associée à un produit scalaire est que :

$$\|u+v\|^2 + \|u-v\|^2 = 2\|u\|^2 + 2\|v\|^2 \quad \forall u, v \in V . \tag{1.4}$$

Le produit scalaire est dans ce cas :

$$\begin{cases} (u, v) = \frac{1}{4}\{\|u+v\|^2 - \|u-v\|^2\} \\ \text{si } \Lambda = \mathbf{R} \end{cases} \tag{1.5}$$

ou

$$\begin{cases} (u, v) = \frac{1}{4}\{\|u+v\|^2 - \|u-v\|^2 + \mathrm{i}\,\|u+\mathrm{i}v\|^2 - \mathrm{i}\,\|u-\mathrm{i}v\|^2\} \\ \text{si } \Lambda = \mathbf{C}. \end{cases} \tag{1.5'}$$

DÉFINITION 1.4. Un espace de Hilbert est un espace vectoriel muni d'un produit scalaire tel que, pour la norme associée à ce produit scalaire, [il faudrait dire : pour la topologie associée à la norme, associée au produit scalaire] cet espace soit complet.

Un espace de Hilbert est donc un cas particulier d'un espace de Banach.

Exemple 1.1 : l'espace de Hilbert $\mathbf{R}^n$.

Si $x = (x_1, \ldots, x_n)$, $y = (y_1, \ldots, y_n)$, on pose

$$(x, y)_{\mathbf{R}^n} = \sum_{i=1}^{n} x_i y_i$$

et on a

$$\|x\|_{\mathbf{R}^n} = (x, x)^{1/2} = (\sum_{i=1}^{n} x_i^2)^{1/2} . \tag{1.6}$$

On vérifie que $\mathbf{R}^n$ est un espace de Hilbert.

Exemple 1.2 : l'espace de Hilbert l^2.

Rappelons que $u \in l^2$ si $u = (u_1, u_2, \ldots)$, $u_i \in \Lambda$, et si $\sum_{i=1}^{\infty} |u_i|^2$ est bornée.

Posons

$$(u, v)_{l^2} = \sum_{i=1}^{\infty} u_i \cdot \bar{v}_i . \tag{1.7}$$

Cela a un sens car $\sum_{i=1}^{\infty} |u_i|^2$ et $\sum_{i=1}^{\infty} |v_i|^2$ sont bornés.

On vérifierait facilement que (1.7) définit bien un produit scalaire. On a montré dans le § 1 que l^2 est complet pour la norme

$$\|u\|_{l^2} = (\sum_{i=1}^{\infty} |u_i|^2)^{1/2} , \tag{1.8}$$

c'est-à-dire pour la norme associée au produit scalaire.

Exemple 1.3 : l'espace de Hilbert $L^2(0, 1)$.

Si $u, v \in L^2(0, 1)$, on pose

$$(u, v)_{L^2(0, 1)} = \int_0^1 u(x) \cdot \overline{v(x)} \mathrm{d}x . \tag{1.9}$$

et

$$\|u\|_{L^2(0, 1)} = [\int_0^1 u(x) \cdot \overline{u(x)} \mathrm{d}x]^{1/2} . \tag{1.10}$$

Dans l'espace $C([0,1])$ (fonctions continues sur $[0,1]$ à valeurs dans Λ) (1.9) définit bien un produit scalaire; mais l'espace n'est pas complet pour la norme associée à ce produit scalaire.

DÉFINITION 1.5. Dans un espace de Hilbert V, deux éléments u et v sont dits orthogonaux lorsque $(u, v)_V = 0$.

Notons que

$$(u, v) = 0 \Rightarrow \|u \pm v\|^2 = \|u\|^2 + \|v\|^2 \tag{1.10}$$

car en effet

$$\|u \pm v\|^2 = (u \pm v, u \pm v) = \|u\|^2 \pm (u, v) \pm (v, u) + \|v\|^2 = \|u\|^2 + \|v\|^2.$$

2. La projection dans un espace de Hilbert

2.1 *Projection sur un sous-ensemble convexe fermé non vide*

THÉORÈME 2.1. Soit K un sous-ensemble convexe, fermé, non vide d'un espace de Hilbert V sur le corps Λ ($\Lambda = \mathbf{R}$ ou $\mathbf{C}$); soit $u \in V$ et $d = \operatorname{Inf}_{v \in K} \|u - v\|$; alors il existe un élément unique $w \in K$ tel que :

$$d = \|u - w\| . \tag{2.1}$$

Démonstration. On fera la démonstration dans le cas où $u=0$. Soit u_n, $n=1, 2, \ldots$ une suite vérifiant

$$\begin{cases} u_n \in K & n = 1, 2, \ldots \\ \lim\limits_{n \to \infty} \|u_n\| = d. \end{cases}$$

Puisque K est convexe, $\dfrac{u_n + u_m}{2} \in K$ et donc

$$\left\| \frac{u_n + u_m}{2} \right\| \geqslant d \quad \forall n, m .$$

Or, d'après la relation (1.4), on a :

$$\|u_n - u_m\|^2 = 2(\|u_n\|^2 + \|u_m\|^2) - \|u_n + u_m\|^2 \leqslant 2(\|u_n\|^2 + \|u_m\|^2) - 4d^2 .$$

Faisons tendre n et m vers $+\infty$, il vient

$$\lim_{n, m \to \infty} \|u_n - u_m\| = 0 .$$

Par suite, u_n, $n=1, 2, \ldots$, est de Cauchy. Comme V est complet et que K est fermé, il existe $w \in K$ tel que

$$w = \lim_{n \to \infty} u_n ,$$

$$\|w\| = \lim \|u_n\| = d .$$

Vérifions l'unicité de w : supposons que

$$\begin{cases} w_1, w_2 \in K \\ \|w_1\| = \|w_2\| = d ; \end{cases}$$

alors

$$d \leqslant \left\| \frac{w_1 + w_2}{2} \right\| \leqslant \tfrac{1}{2}\|w_1\| + \tfrac{1}{2}\|w_2\| = d ,$$

donc

$$\left\| \frac{w_1 + w_2}{2} \right\| = d$$

et

$$\|w_1 - w_2\|^2 = 2(\|w_1\|^2 + \|w_2\|^2) - \|w_1 + w_2\|^2 = 0 ,$$

d'où $w_1 = w_2$. ▮

DÉFINITION 2.1. Avec les notations du théorème 2.1, l'élément w est appelé projection de u sur K; on notera parfois

$$w = Pu .$$

THÉORÈME 2.2 (caractérisation de la projection).

Les trois relations suivantes sont équivalentes (si w vérifie l'une, il vérifie les deux autres) :

$$\begin{array}{llll} \text{(I)} & w \in K, & \|u-w\| \leqslant \|u-v\| & \forall v \in K, \\ \text{(II)} & w \in K, & \operatorname{Re}(u-w, v-w) \leqslant 0 & \forall v \in K, \\ \text{(III)} & w \in K, & \operatorname{Re}(u-v, w-v) \geqslant 0 & \forall v \in K. \end{array}$$

Avant de donner la démonstration, disons de suite ceci; si w vérifie une de ces relations, alors il vérifie la première et par suite il est confondu avec la projection de u sur K.

Démonstration. Nous ferons la démonstration dans le cas réel.

(I)$\Rightarrow$(II) : soit $v \in K$; alors $(1-\theta)w + \theta v = u + \theta(v-w) \in K$ pour $\theta \in [0,1]$ et

$$\|u-w\|^2 \leqslant \|u-(w+\theta(v-w))\|^2 ,$$

ou encore

$$\|u-w\|^2 \leqslant \|u-w\|^2 - 2\theta(u-w, v-w) + \theta^2\|v-w\|^2 ;$$

d'où

$$2(u-w, v-w) \leqslant \theta\|v-w\|^2 \quad \forall v \in K, \forall\theta \quad \theta \in [0,1] .$$

En faisant tendre θ vers 0, il vient (II).

(II)$\Rightarrow$(III) : si $(u-w, v-w) \leqslant 0$, alors

$$(u-v+v-w, v-w) \leqslant 0 ,$$

ou encore

$$(u-v, v-w) + \|v-w\|^2 \leqslant 0 ;$$

d'où il vient (III).

(III)$\Rightarrow$(I) : soit $v \in K$, alors $w + \theta(v-w) \in K \quad \forall\theta \in [0,1]$ et on a:

$$(u-(w+\theta(v-u)), w-(w+\theta(v-w))) \geqslant 0 \quad \forall\theta \in [0,1] ;$$

d'où, après des simplifications élémentaires :

$$\theta\|v-w\|^2 \geqslant (u-w, v-w)$$

et lorsque $\theta \to 0$, il vient

$$(u-w, v-w) \leqslant 0 ,$$

ou encore

$$(u-w, v-u+u-w) \leqslant 0 ,$$
$$\|u-w\|^2 \leqslant (u-w, u-v) ,$$

ce qui, avec l'inégalité de Cauchy-Schwarz, entraîne :

$$\|u-w\| \leqslant \|u-v\| . \quad \blacksquare$$

Établissons maintenant deux autres relations vérifiées par la projection sur un ensemble convexe fermé; on donne $u, v \in V$ et on désigne par Pu et Pv les projections de ces éléments sur K. On a donc :

$$\operatorname{Re}(u - Pu, k - Pu) \leqslant 0 \quad \forall k \in K,$$
$$\operatorname{Re}(v - Pv, k - Pv) \leqslant 0 \quad \forall k \in K.$$

On choisit $k = Pv$, puis $k = Pu$ et on ajoute membre à membre ces deux inégalités :

$$\operatorname{Re}(u - Pu, Pv - Pu) + (v - Pv, Pu - Pv) \leqslant 0$$

ou

$$\operatorname{Re}(-u + Pu + v - Pv, Pu - Pv) \leqslant 0,$$

ou finalement

(2.2) $$\|Pu - Pv\|^2 \leqslant \operatorname{Re}(Pu - Pv, u - v).$$

De là, en utilisant l'inégalité de Cauchy-Schwarz :

(2.3) $$\|Pu - Pv\| \leqslant \|u - v\|,$$

ce qui montre que la projection est une contraction. ∎

COROLLAIRE 2.1. Dans un espace de Hilbert V (réel ou complexe), si K est un sous-ensemble convexe fortement fermé alors il est faiblement fermé et réciproquement :

Démonstration

a) On suppose que K est faiblement fermé. Soit $u_n \in K$, $n = 1, 2, \ldots$ telle que $\lim_{n \to \infty} u_n = u$ (au sens de la topologie forte). Montrons que $u \in K$: en effet, on a a fortiori $\lim u_n = u$ (au sens de la topologie faible) et donc $u \in K$.

b) On suppose que K est fortement fermé. Soit $u_n \in K$, $n = 1, 2, \ldots$ telle que $\lim_{n \to \infty} u_n = u$ (au sens de la topologie faible). Montrons que $u \in K$; remarquons tout d'abord que l'application $v \to (v, w)$ est linéaire par définition et continue grâce à Cauchy-Schwarz; donc si $u_n \rightharpoonup u$, cela entraîne

$$\lim_{n \to \infty} (u_n, w) = (u, w) \quad \forall w \in V;$$

K étant fortement fermé il existe un projecteur P et on a :

$$\operatorname{Re}(u - Pu, u_n - Pu) \leqslant 0$$

et puisque $u_n \rightharpoonup u$ cela entraîne par passage à la limite :

$$\operatorname{Re}(u - Pu, u - Pu) \leqslant 0$$

donc $u = Pu$ et donc $u \in K$. ∎

2.2 *Projection sur un sous-espace vectoriel fermé*

(Nous nous plaçons dans le cas réel).

DÉFINITION 2.2. Si M est un sous-espace vectoriel fermé de l'espace de Hilbert V on désigne par $M^\perp$ l'ensemble des éléments de V orthogonaux à tous les éléments de M :

$$M^\perp = \{w \mid w \in V, (w, v) = 0 \quad \forall v \in M\} ;$$

soit P la projection de V sur M. Traduisons la relation (II) :

$$Pu \in M, \quad (u - Pu, v - Pu) \leqslant 0 \quad \forall v \in M .$$

Mais on peut maintenant choisir v de la façon suivante : $v = \pm\varphi + Pu$, $\varphi \in M$, d'où

$$(u - Pu, \pm\varphi) \leqslant 0 \quad \forall \varphi \in M$$

et finalement

(II) $$(u - Pu, \varphi) = 0 \quad \forall \varphi \in M .$$

On sait que (II) caractérise la projection et que Pu est unique: donc $\forall u \in V$ il existe un élément et un seul dans M tel que

$$(u - w, \varphi) = 0 \qquad \forall \varphi \in M;$$

cet élément est la projection de u sur M. La relation précédente montre que

$$u - w \in M^\perp \quad \text{ou} \quad u - Pu \in M^\perp ,$$

et réciproquement si $u - w \in M^\perp$ alors $w = Pu$. Cela signifie qu'on peut écrire tout élément $u \in V$ sous la forme

(2.4) $$u = m + m^\perp \quad m \in M, \quad m^\perp \in M^\perp$$

et que cette représentation est unique; on peut écrire (2.4) sous la forme

(2.4)′ $$u = Pu + Qu ,$$

où Q est la projection sur $M^\perp$.

On vérifierait que $(M^\perp)^\perp = M$.

THÉORÈME 2.3. Si M est un sous-espace vectoriel fermé d'un espace de Hilbert V, si P est la projection de V sur M; alors P est un opérateur linéaire et continu tel que

(2.5) $$\begin{cases} P = P^2 \\ (Pu, v) = (u, Pv) \quad \forall u, v \in V. \end{cases}$$

réciproquement tout opérateur $P \in \mathscr{L}(V, V)$ vérifiant (2.4) est une projection de V sur PV.

Démonstration. On vérifierait facilement que P est linéaire, la continuité résulte de ce que P est une contraction.

On a évidemment $P = P^2$; de plus, en désignant par Q la projection sur $M^\perp$:

$$\begin{aligned}(Pu, v) &= (Pu, Pv+Qv) = (Pu, Pv)\\ &= (Pu+Qu, Pv) = (u, Pv)\,.\end{aligned}$$

Réciproquement, posons $M = PV$; P étant linéaire et continu, M est un sous-espace vectoriel de V. Montrons ceci :

$$u \in M \Leftrightarrow u = Pu\,; \tag{2.6}$$

en effet, dans le sens $\Rightarrow$ si $u \in M$ par définition, il existe $v \in V$ tel que $u = Pv$ et avec (2.5) il vient

$$u = Pv = PPv = Pu\,. \tag{2.7}$$

si $v_m \in V$ et si $Pv_m \to w$ quand $m \to \infty$ on a, puisque P est continu :

$$PPv_m \to Pw \quad \text{quand } m \to \infty$$

ou encore

$$Pv_m \to Pw \quad \text{quand } m \to \infty\,.$$

Donc M est fermé soit $\tilde{P}$ la projection de V sur M et $\tilde{Q}$ la projection de V sur $M^\perp$, montrons que $P = \tilde{P}$.

Si $v \in M$ on a $v = Pv$ d'après (2.7) et $v = \tilde{P}v$, donc $Pv = \tilde{P}v$.

Si $v \in M^\perp$ on a $Pv = 0$; de plus, d'après (2.5) :

$$(Pv, Pv) = (v, PPv) = (v, Pv) = 0$$

car $v \in M^\perp$, $Pv \in M$, donc $Pv = 0$ et $\tilde{P}v = Pv$.

Si $v \in V$ on décompose v en $v = \tilde{P}v + \tilde{Q}v$ et on utilise les deux cas précédents.

On obtiendrait un théorème analogue en remplaçant (2.5) par

$$\begin{cases} P = P^2 \\ \|P\| \leqslant 1. \end{cases} \tag{2.5}'$$

3. Familles orthogonales dans un espace de Hilbert

3.1 *Orthonormalisation de Schmidt*

DÉFINITION 3.1. Une famille d'éléments u_λ, $\lambda \in I$, d'un espace de Hilbert V est orthonormale si

$$(u_\lambda, u_{\lambda'}) = \delta_{\lambda, \lambda'} = \begin{cases} 0 & \text{si } \lambda \neq \lambda' \\ 1 & \text{si } \lambda = \lambda'. \end{cases}$$

I désigne un ensemble d'indices; remarquons que les u_λ sont linéairement indépendants : en effet si

$$\sum_{i=1}^{n} \alpha_i f_{\lambda_i} = 0\,,$$

alors

$$\left(\sum_{i=1}^{n} \alpha_i f_{\lambda_i}, f_{\lambda_j}\right) = 0 = \alpha_j \quad j = 1, \ldots, n .$$

PROPOSITION 3.1. A toute suite $u_1, \ldots, u_n, \ldots$ d'éléments linéairement indépendants de V on peut associer une suite orthonormale d'éléments $w_1, \ldots, w_n, \ldots$

Démonstration. Posons

$$\begin{cases} v_1 = u_1 \\ v_{n+1} = u_{n+1} - \displaystyle\sum_{i=1}^{n} \frac{(u_{n+1}, v_i)}{\|v_i\|^2} v_i . \end{cases} \tag{3.1}$$

On va montrer que les $v_1, \ldots, v_n, \ldots$ existent et qu'ils sont orthogonaux. Supposons les v_i ; $i = 1, \ldots, n$ orthogonaux et non nuls ce qui est le cas lorsque $n = 1$ alors v_{n+1} existe; de plus

$$(v_{n+1}, v_j) = (u_{n+1}, v_j) - \frac{(u_{n+1}, v_j)}{\|v_j\|^2} \|v_j\|^2 = 0 \quad j = 1, \ldots, n ,$$

donc les v_i, $i = 1, \ldots, n+1$, sont orthogonaux; de plus supposons que $v_{n+1} = 0$. Alors

$$u_{n+1} = \sum_{i=1}^{n} \frac{(u_{n+1}, v_i)}{\|v_i\|^2} v_i = \sum_{i=1}^{n} \alpha_i u_i ,$$

Ce qui est en contradiction avec l'indépendance linéaire des u_i, donc $v_{n+1} \neq 0$.
Il ne reste plus qu'à poser

$$w_n = \frac{v_n}{\|v_n\|} .$$

3.2 *Génération d'un espace de Hilbert*

DÉFINITION 3.2. Une famille u_λ, $\lambda \in I$, d'un espace de Hilbert V est totale (ou complète) dans V si

$$\left.\begin{matrix} (v, u_\lambda) = 0 \\ \forall \lambda \in I \end{matrix}\right\} \Rightarrow v = 0 .$$

Soit W le sous-espace vectoriel engendré par les u_λ, soit $\overline{W}$ sa fermeture dans V et soient P et Q les projections de V sur $\overline{W}$ et sur $\overline{W}^\perp$; on a $\forall v \in V$,

$$v = Pv + Qv$$

et, par construction,

$$(Qv, u_\lambda) = 0 \quad \forall \lambda \in I ;$$

donc $Qv = 0$ et donc

$$v = Pv \quad \forall v \in V,$$

c'est-à-dire $V = \overline{W}$ ou encore : le sous-espace engendré par une famille totale est dense dans V. Avec cette terminologie nous pouvons dire qu'un espace est séparable lorsqu'il contient une famille totale et dénombrable.

PROPOSITION 3.2. Si dans un espace de Hilbert V il y a une famille u_n, $n = 1, 2, \ldots$ totale et dénombrable, alors il y a aussi une famille w_n, $n = 1, 2, \ldots$ totale orthonormale et dénombrable.

Démonstration. On peut supposer que les u_n, $n = 1, 2, \ldots$ sont linéairement indépendants. On construit alors les w_n avec le procédé du 3.1. On va montrer que

$$(v, w_n) = 0 \quad \forall n \Rightarrow y = 0 .$$

Si $(v, w_n) = 0$ on a $(v, v_n) = 0$, $n = 1, 2, \ldots$; la relation (3.1) entraîne alors

$$(v, u_n) = 0 \quad n = 1, 2, \ldots, \quad \text{d'où } v = 0 . \quad \blacksquare$$

À l'aide du théorème de Zorn, on démontre que tout espace de Hilbert (contenant au moins un élément non nul) *contient une famille orthonormale totale.*

3.3 *Relation de Parseval*

Supposons que V soit séparable; il existe donc une famille w_n, $n = 1, 2, \ldots$ totale et orthonormale. Soit $u \in V$, comme l'espace engendré par les w_n est dense dans V, on peut approcher u par une suite $u_m = \sum_n a_m^n w_n$ où au plus un nombre fini de coefficients a_m^n est non nul. Cela entraîne a fortiori ceci : la projection $P_m u$ de u sur le sous-espace engendré par $w_1, \ldots, w_m$ converge vers u quand $m \to \infty$. Posons

$$P_m u = \sum_{n=1}^{m} \alpha_m^n w_n ;$$

d'après la caractérisation (II)' de la projection on a :

$$(u - P_m u, w_j) = 0 \quad j = 1, \ldots, m ,$$

d'où

$$(u - \sum_{n=1}^{m} \alpha_m^n w_n, w_j) = 0 \quad j = 1, \ldots, m ,$$

c'est-à-dire

$$\alpha_m^j = (u, w_j) \quad j = 1, \ldots, m$$

et donc

$$P_m u = \sum_{n=1}^{m} (u, w_n) w_n . \tag{3.2}$$

On a de plus

$$\|P_m u\|^2 = \sum_{n=1}^{m} |(u, w_n)|^2 \tag{3.3}$$

et puisque $P_m u \to u$ quand $m \to \infty$ il vient

$$\lim \|P_m u\|^2 = \|u\|^2 ,$$

ou encore :

$$\sum_{n=1}^{\infty} |(u, w_n)|^2 = \|u\|^2 \tag{3.4}$$

(c'est la relation de Parseval). On a démontré le :

THÉORÈME 3.1. Si la suite $w_1, \ldots, w_n, \ldots$ est totale dans l'espace de Hilbert V, si $u \in V$, en posant

$$P_m u = \sum_{n=1}^{m} (u, w_n) w_n ,$$

on a :

$$\lim_{m \to \infty} \|P_m u - u\|^2 = 0$$

et

$$\|u\|^2 = \sum_{n=1}^{\infty} |(u, w_n)|^2 .$$

4. Le théorème de représentation de Riesz. Réflexivité

THÉORÈME 4.1. Soit V un espace de Hilbert; soit L une forme linéaire et continue sur V ($L \in V'$); il existe un élément unique $u_L \in V$ tel que

$$\begin{cases} L(v) = (v, u_L) & \forall v \in V \\ \|L\|_{V'} = \|u_L\|_V . \end{cases} \tag{4.1}$$

Réciproquement, tout élément $u \in V$ définit une forme linéaire et continue L_u par

$$L_u(v) = (v, u) \quad \forall v \in V$$

et de plus

$$\|L_u\|_{V'} = \|u\|_V .$$

Démonstration :

Unicité de u_L. Si

$$L(v) = (v, u_1) = (v, u_2) \quad \forall v ,$$

il viendrait

$$(v, u_1 - u_2) = 0 \quad \forall v$$

et donc

$$u_1 - u_2 = 0 .$$

Existence de u_L. On peut supposer que $L \neq 0$. Désignons par N le noyau de $L : N = \{v \mid v \in V, L(v) = 0\}$. C'est un hyperplan fermé et la dimension de $N^\perp$ est 1. Soit $w \in N^\perp$; posons

$$u_L = \frac{\overline{L(w)}}{\|w\|^2} \, . \, w \, .$$

Nous avons :

si $v \in N$: $L(v) = (v, u_L) = 0$;
si $v \in N^\perp$ ou si $v = \lambda w$:

$$L(v) = \lambda L(w) \, ,$$

$$(v, u_L) = \lambda \left(w, \frac{\overline{L(w)}}{\|w\|^2} \, . \, w \right) = \lambda L(w) \, ,$$

d'où

$$L(v) = (v, u_L) \, ;$$

si v $\in V$ il suffit de décomposer v en $v_N + v_{N^\perp}$ pour obtenir

$$L(v) = (v, u_L) \, .$$

De plus

$$\|L\|_{V'} = \operatorname*{Sup}_{\|v\| \leqslant 1} |L(v)| = \operatorname*{Sup}_{\|v\| \leqslant 1} |(v, u_L)| \leqslant \operatorname*{Sup}_{\|v\| \leqslant 1} \|v\| \, . \, \|u_L\| \leqslant \|u_L\| \, ,$$

$$\|L\|_{V'} = \operatorname*{Sup}_{\|v\| \leqslant 1} |L(v)| \geqslant \left| L\left(\frac{u_L}{\|u_L\|} \right) \right| = \left(\frac{u_L}{\|u_L\|}, u_L \right) = \|u_L\| \, ,$$

donc

$$\|L\|_{V'} = \|u_L\|_V \, .$$

La réciproque est évidente. ▮

Soit V' le dual de V; le théorème de Riesz met en évidence une correspondance biunivoque de V sur V' qui conserve les normes; on peut alors identifier V et V' comme espaces abstraits mais pas comme espaces vectoriels car la correspondance $u \to L_u$ est anti-linéaire; en effet

$$L_{\lambda u} = \bar{\lambda} L_u$$

puisque

$$L_{\lambda u}(v) = (v, \lambda u) = \bar{\lambda}(v, u) = \bar{\lambda} L_u(v) \quad \forall v \in V \, .$$

Par contre *on peut identifier V et V''* et le théorème de Riesz montre que :

TOUT ESPACE DE HILBERT EST RÉFLEXIF.

La notion de convergence faible est, dans le cas des espaces de Hilbert, la suivante :

$$u_n \rightharpoonup u \quad \text{quand } n \to \infty \Leftrightarrow (u_n, v) \to (u, v) \quad \forall v \in V \quad \text{quand } n \to \infty\,;$$

un espace de Hilbert étant réflexif, on peut utiliser le théorème de compacité faible (Théorème 4.2, § 1).

Si $\|u_n\| \leqslant c < +\infty$, $n = 1, 2, \ldots$
alors il existe $u \in V$ et une sous-suite $u_{n'}$ telle que

$$u_{n'} \rightharpoonup u \quad \text{quand } n' \to +\infty\,.$$

5. Formes sesquilinéaires

DÉFINITION 5.1. i) Une forme sesquilinéaire sur un espace de Hilbert V est une application $u, v \to a(u, v)$ de $V \times V$ dans Λ ($\Lambda = \mathbb{R}$ ou $\mathbb{C}$); cette application est linéaire en u et anti-linéaire en v.

ii) Une forme sesquilinéaire et continue sur V est une forme sesquilinéaire qui vérifie

$$|a(u, v)| \leqslant M \|u\| \,.\, \|v\| \quad \forall u, v\,; \tag{5.1}$$

la constante M est indépendante de u et de v.

Un exemple de forme sesquilinéaire, continue est donné par le produit scalaire.

À toute forme sesquilinéaire, continue, on peut associer un opérateur $A \in \mathscr{L}(V, V)$ et réciproquement. En effet soit $a(u, v)$ une forme sesquilinéaire : l'application $v \to a(u, v)$ étant anti-linéaire et continue il existe, d'après le théorème de Riesz, un élément $Au \in V$ tel que

$$a(u, v) = (Au, v) \quad \forall v\,. \tag{5.2}$$

La correspondance $u \to a(u, v)$ étant linéaire, il en est de même pour $u \to Au$; même chose pour la continuité; donc $A \in \mathscr{L}(V, V)$. Si, réciproquement, A est donné dans $\mathscr{L}(V, V)$ il est clair que $u, v \to (Au, v)$ est une forme sesquilinéaire et continue.

Si $u, v \to a(u, v)$ est une forme sesquilinéaire et continue, on peut définir un second opérateur par

$$a(u, v) = (u, A^* v) \quad \forall u\,. \tag{5.3}$$

En effet $u \to a(u, v)$ étant linéaire et continue, il existe $A^* v \in V$ tel que (5.3) ait lieu. On vérifierait que $A^* \in \mathscr{L}(V, V)$. On a donc le résultat suivant : si $A \in \mathscr{L}(V, V)$, A définit la forme (Au, v) qui définit l'opérateur $A^* \in \mathscr{L}(V, V)$

par

$$(Au, v) = (u, A^* v) \quad \forall u, v \,. \tag{5.4}$$

DÉFINITION 5.2. i) $A \in \mathscr{L}(V, V)$, l'opérateur A^* défini par (5.4) est dit opérateur adjoint de A;

ii) si $A \in \mathscr{L}(V, V)$, si $A^* = A$, A est dit auto-adjoint;
iii) si $A \in \mathscr{L}(V, V)$, si $AA^* = A^*A$, A est dit normal.

DÉFINITION 5.3. Une forme sesquilinéaire $a(u, v)$ sur V est dite coercive (coercitive ou elliptique) sur V si

$$\operatorname{Re} a(v, v) \geqslant \alpha \|v\|^2 \quad \forall v \in V \,. \tag{5.5}$$

La constante α est indépendante de v et de plus $\alpha > 0$.

THÉORÈME 5.1 (Lax-Milgram). Soit V un espace de Hilbert sur Λ ($\Lambda = \mathbb{R}$ ou $\mathbb{C}$), soit $u, v \to a(u, v)$ une forme sesquilinéaire continue et coercive sur V.

Cette forme définit un opérateur $A \in \mathscr{L}(V, V)$ admettant un inverse $A^{-1} \in \mathscr{L}(V, V)$.

Démonstration. Nous faisons la démonstration dans le cas réel.

Nous traduisons les hypothèses de continuité et de coercivité par

$$|a(u, v)| \leqslant M \|u\| \,.\, \|v\| \quad \forall u, v \in V \tag{5.6}$$

$$a(v, v) \geqslant \alpha \|v\|^2 \quad \forall v \in V; \; \alpha > 0 \,. \tag{5.7}$$

A est défini par

$$(Au, v) = a(u, v) \quad \forall v \in V \,. \tag{5.8}$$

En choisissant $v = Au$ dans (5.8), il vient

$$\|Au\|^2 = a(u, Au) \leqslant M \|u\| \, \|Au\| \,,$$

d'où

$$\|Au\| \leqslant M \|u\|$$

$$\|A\| \leqslant M \,. \tag{5.9}$$

En choisissant $v = u$ dans (5.8), il vient

$$(Au, u) = a(u, u) \,,$$

d'où

$$\|Au\| \,.\, \|u\| \geqslant \alpha \|u\|^2$$

et

$$\|Au\| \geqslant \alpha \|u\| \quad \forall u \in V \,. \tag{5.10}$$

Montrons, maintenant, que l'opérateur A agit de V sur V: soit $f \in V$; il faut montrer que l'équation

$$Au = f$$

a au moins une solution. Soit $\gamma \in \mathbb{R}$ et posons

$$T_\gamma u = u - \gamma(Au - f) .$$

Montrons que T_γ est une contraction pour certaines valeurs de γ :

$$\|T_\gamma u - T_\gamma v\|^2 = \|u - v - \gamma A(u - v)\|^2 .$$

Posons $u - v = w$

$$\|T_\gamma u - T_\gamma v\|^2 = \|w - \gamma Aw\|^2 = \|w\|^2 - \gamma(Aw, w) - \gamma(w, Aw) + \gamma^2 \|Aw\|^2.$$

Compte tenu de (5.7) et de (5.9) il vient :

$$\|T_\gamma u - T_\gamma v\|^2 \leqslant \|w\|^2 \quad (1 - 2\gamma\alpha + M^2\gamma^2) .$$

Si $\gamma \in \left]0, \dfrac{2\alpha}{M^2}\right[$ alors

$$\|T_\gamma u - T_\gamma v\|^2 \leqslant c_\gamma \|u - v\|^2 \quad \forall u, v \in V$$

et $c_\gamma < 1$; c_γ est minimum pour $\gamma = \alpha/M^2$; donc, *avec le choix* $\gamma = \alpha/M^2$, *on a la meilleure contraction possible.*

Choisissons $\gamma \in \left]0, \dfrac{2\alpha}{M^2}\right[$; T_γ est alors une contraction et d'après le théorème du point fixe il existe $u \in V$ tel que

$$u = T_\gamma u ,$$

c'est-à-dire

$$u = u - \gamma(Au - f) ,$$

ou encore

$$Au = f .$$

Comme, d'après (5.10), cette équation n'admet qu'une solution, A admet un inverse A^{-1}. Toujours avec (5.10), en choisissant $u = A^{-1}v$, il vient

$$\|A^{-1}v\| \leqslant \frac{1}{\alpha} \|v\| \quad \forall v \in V ,$$

d'où

$$\|A^{-1}\| \leqslant \frac{1}{\alpha} . \tag{5.11}$$

Remarquons ceci : soit $f \in V$ et soit à résoudre

$$Au = f ;$$

on a ia méthode itérative convergente suivante :

$$(5.12)\qquad \begin{cases} u^0 \text{ donné arbitrairement dans } V, \\ u^{m+1} = T_\gamma u^m = u^m - \gamma(Au^m - f), \\ \gamma \in \left]0, \dfrac{2\alpha}{M^2}\right[. \end{cases}$$

On peut montrer que $u^m \to u$ quand $m \to \infty$

Donnons maintenant une application du théorème de Lax-Milgram et du théorème de Riesz :

COROLLAIRE 5.1. Soit V un espace de Hilbert; soit $u, v \to a(u, v)$ une forme sesquilinéaire continue et coercive; soit $v \to L(v)$ une forme anti-linéaire et continue sur V. Il existe u, unique dans V, satisfaisant à :

$$(5.13)\qquad a(u, v) = L(v) \quad \forall v \in V.$$

Démonstration. La relation (5.13) peut s'écrire :

$$(Au, v) = (f, v) \quad \forall v \in V$$

grâce au théorème de Riesz, ou encore

$$Au = f.$$

D'après le théorème de Lax-Milgram cette équation a une solution u et une seule.

6. Une famille d'espaces de Hilbert : les espaces de Sobolev

On donne une ouvert Ω dans $\mathbb{R}^n$ de frontière Γ; le point générique de $\mathbb{R}^n$ est désigné par $x = (x_1, \ldots, x_n)$. Si φ est une fonction définie dans Ω à valeurs dans $\mathbb{R}$, la fermeture K_φ de l'ensemble $\{x \mid x \in \Omega, \varphi(x) \neq 0\}$ est le support de φ [c'est donc le plus petit ensemble fermé contenant les points où φ est non nulle]. Rappelons que dans $\mathbb{R}^n$ un ensemble est dit compact s'il est borné et fermé.

DÉFINITION 6.1. $\mathscr{D}(\Omega)$ est l'espace des fonctions $\varphi : \Omega \to \mathbb{R}$ (ou $\mathbb{C}$) indéfiniment différentiables et à supports compacts contenus dans Ω.

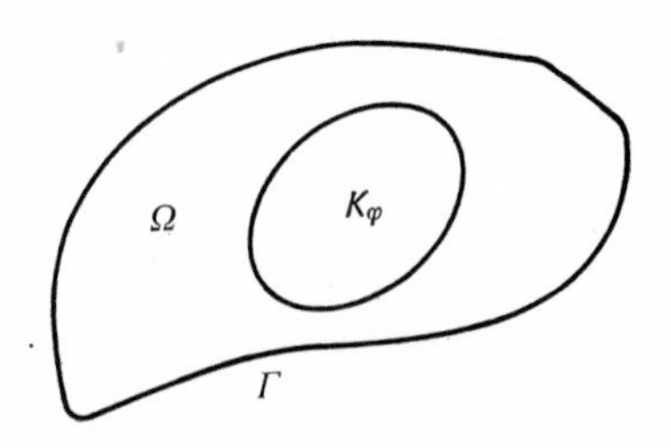

On ne décrira pas la topologie de $\mathscr{D}(\Omega)$; notons que si $\varphi \in \mathscr{D}(\Omega)$, φ est identiquement nulle dans un voisinage de Γ. Donnons un exemple. On a $\psi \in \mathscr{D}(\mathbb{R}^n)$, où :

$$\psi(x) = \begin{cases} 0 \quad \text{si} \quad |x| \geqslant 1 \\ e^{-1/(1-|x|^2)} \quad \text{si} \quad |x| < 1, \end{cases}$$

on démontre l'important

LEMME 6.1. $\mathscr{D}(\Omega)$ est dense dans $L^2(\Omega)$ (évidemment $\mathscr{D}(\Omega)$ est contenu dans $L^2(\Omega)$).

Soit maintenant $f \in C^1(\bar{\Omega})$; posons $x_1' = (x_2, \dots, x_n)$, $dx_1' = dx_2 \dots dx_n$. On a :

$$\int_\Omega \frac{\partial f}{\partial x_1}(x)\varphi(x)dx = \underbrace{\int \dots \int}_{n \text{ fois}} \frac{\partial f}{\partial x_1}(x)\varphi(x)dx_1 dx_1'$$

$$= \underbrace{\int \dots \int}_{(n-1) \text{ fois}} dx_1' \int_{\theta_-(x_1')}^{\theta_+(x_1')} \frac{\partial f}{\partial x_1}(x)\varphi(x)dx_1 \quad \forall \varphi \in \mathscr{D}(\Omega).$$

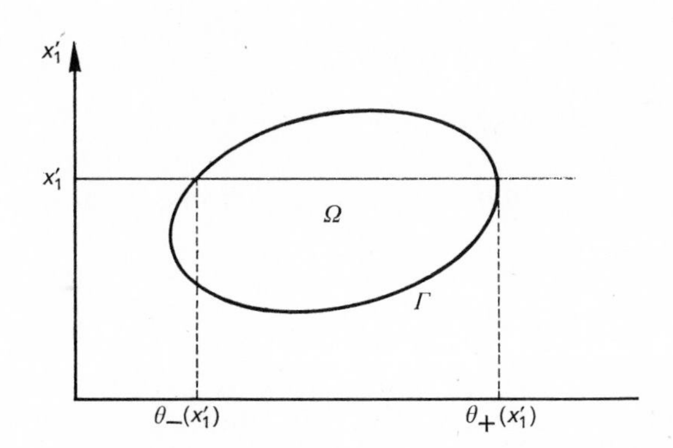

Par une intégration par parties, on a :

$$\int_{\theta_-(x_1')}^{\theta_+(x_1')} \frac{\partial f}{\partial x_1}\varphi dx_1 = -\left[\int_{\theta_-(x_1')}^{\theta_+(x_1')} f\frac{\partial \varphi}{\partial x_1}dx_1 + f\varphi\right]_{\theta_-(x_1')}^{\theta_+(x_1')}$$

et comme φ est nulle sur Γ, on a :

$$\int_{\theta_-(x_1')}^{\theta_+(x_1')} \frac{\partial f}{\partial x_1}\varphi dx_1 = -\int_{\theta_-(x_1')}^{\theta_+(x_1')} f\frac{\partial \varphi}{\partial x_1}dx_1 \quad \forall \varphi \in \mathscr{D}(\Omega),$$

d'où finalement

$$\int_\Omega \frac{\partial f}{\partial x_1} \varphi \, dx = - \int_\Omega f \frac{\partial \varphi}{\partial x_1} \, dx \quad \forall \varphi \in \mathscr{D}(\Omega) . \tag{6.1}$$

Supposons maintenant que $f \in C^1(\bar{\Omega})$, $g \in C^0(\bar{\Omega})$ et que

$$\int_\Omega g \varphi \, dx = - \int_\Omega f \frac{\partial \varphi}{\partial x_1} \, dx \quad \forall \varphi \in \mathscr{D}(\Omega) ; \tag{6.2}$$

alors, avec (6.1), il vient :

$$\int_\Omega \left(\frac{\partial f}{\partial x_1} - g \right) \varphi \, dx = 0 \quad \forall \varphi \in \mathscr{D}(\Omega) ,$$

ce qui entraîne

$$\frac{\partial f}{\partial x_1} = g .$$

En conclusion si les fonctions régulières f et g vérifient (6.2) alors g est la dérivée $\partial f / \partial x_1$.

Généralisons ce résultat : si $p = (p_1, \ldots, p_n)$, $p_i =$ entier $\geqslant 0$ pour $i = 1, \ldots, n$; on pose

$$D^p = \frac{\partial^{|p|}}{\partial x_1^{p_1} \ldots \partial x_n^{p_n}} , \quad |p| = p_1 + \ldots + p_n .$$

On vérifierait que si f et g sont « assez régulières » et que si

$$\int_\Omega g \varphi \, dx = (-1)^{|p|} \int_\Omega f . D^p \varphi \, dx \quad \forall \varphi \in \mathscr{D}(\Omega) , \tag{6.3}$$

alors

$$g = D^p f . \tag{6.4}$$

Les relations (6.2) et (6.3), qui caractérisent la dérivation au sens ordinaire, permettent une extension de la notion de dérivée; supposons que f et g soient dans $L^2(\Omega)$, alors $\int_\Omega g \varphi \, dx$ et $\int_\Omega f . D^p \varphi \, dx$ existent. Lorsque (6.3) aura lieu, on dira que *g est la dérivée $D^p f$ de f au sens des distributions* (on dit aussi dérivée faible). Il est bon de remarquer que lorsque les fonctions sont « assez » régulières les dérivées au sens des distributions sont confondues avec les dérivées usuelles.

DÉFINITION 6.2. L'espace de Sobolev $H^m(\Omega)$, $m =$ entier $\geqslant 0$, est défini par

$$u \in H^m(\Omega) \Leftrightarrow u \in L^2(\Omega), \quad D^p u \in L^2(\Omega) \quad \forall p, \quad |p| \leqslant m . \quad \blacksquare$$

En d'autres termes $u \in H^m(\Omega)$ si $u \in L^2(\Omega)$ et si il existe des fonctions $g_p \in L^2(\Omega)$, $|p| \leqslant m$, telles que

$$\int_\Omega g_p \,.\, \varphi \, dx = (-1)^{|p|} \int_\Omega f \,.\, D^p \varphi \, dx \quad \forall \varphi \in \mathscr{D}(\Omega),$$

les g_p étant désignées par $D^p f$.

Lorsque $m = 0$, $H^0(\Omega) = L^2(\Omega)$.

THÉORÈME 6.1. Muni du produit scalaire

$$((u, v))_{H^m(\Omega)} = \sum_{0 \leqslant |p| \leqslant m} (D^p u, D^p v)_{L^2(\Omega)}, \tag{6.5}$$

l'espace $H^m(\Omega)$ est un espace de Hilbert.

Démonstration. Il n'y a aucune difficulté à vérifier que (6.5) est un produit scalaire. Vérifions que l'espace est complet pour la norme induite par le produit scalaire. Soit u_s une suite de Cauchy, alors

$$\lim_{s, t \to +\infty} \|u_s - u_t\|^2_{H^m(\Omega)} = 0,$$

ou encore

$$\lim_{s, t \to \infty} \sum_{|p| \leqslant m} \|D^p u_s - D^p u_t\|^2_{L_2(\Omega)} = 0;$$

et donc les suites $D^p u_s$ sont de Cauchy dans $L^2(\Omega)$, p étant fixé; $L^2(\Omega)$ est complet, par suite pour p, $|p| \leqslant m$, il existe $u^p \in L^2(\Omega)$ tel que

$$\begin{cases} u^p = \lim_{s \to \infty} D^p u_s & \text{dans } L^2(\Omega) \\ u \;= \lim_{s \to \infty} u_s & \text{dans } L^2(\Omega) \quad (\text{cas } p = (0, \dots, 0)) \end{cases} \tag{6.6}$$

Il suffit de montrer que $u^p = D^p u$; alors (6.6) entraînera que $u \in H^m(\Omega)$ et que $\lim_{s \to \infty} u_s = u$ dans $H^m(\Omega)$. On a :

$$\int D^p u_s \,.\, \varphi \, dx = (-1)^{|p|} \int u_s \,.\, D^p \varphi \, dx \quad \forall \varphi \in \mathscr{D}(\Omega).$$

Par passage à la limite, compte tenu de (6.6), il vient

$$\int u^p \,.\, \varphi \, dx = (-1)^{|p|} \int u \,.\, D^p \varphi \, dx \quad \forall \varphi \in \mathscr{D}(\Omega),$$

ce qui veut dire que $u^p = D^p u$. ∎

DÉFINITION 6.3. $H_0^m(\Omega)$ est l'adhérence de $\mathscr{D}(\Omega)$ dans $H^m(\Omega)$. ∎

Notons ceci : si $u \in \mathscr{C}^m(\bar{\Omega})$ alors, en identifiant u avec sa restriction à Ω, on a

$u \in H^m(\Omega)$. Pour $u \in \mathscr{C}^m(\bar{\Omega})$, on définit *la trace* γu de u par

$$\gamma u = (\gamma_0 u, \ldots, \gamma_{m-1} u)$$

où

$$\gamma_i u(x) = \frac{\partial^i u(x)}{\partial n^i} \quad x \in \Gamma ;$$

$\gamma_i u$ est la dérivée d'ordre i de u dans la direction de la normale n à Γ. $\gamma_0 u$ est la restriction de u à Γ. Lorsque $u \in H^m(\Omega)$ il est possible de définir une trace γu; on prolonge, en fait, par continuité la définition « intuitive » de la trace.

Nous ne dirons pas dans quel espace se trouve γu car cela nous mènerait trop loin.

Un exemple d'application (dans le cas réel).

Soit $V = H^1(\Omega)$, f donnée dans $L^2(\Omega)$; posons

$$a(u, v) = ((u, v))_{H^1(\Omega)} = \sum_{i=1}^n \int_\Omega \mathrm{D}_i u \,.\, \mathrm{D}_i v \,\mathrm{d}x + \int_\Omega u \,.\, v \,\mathrm{d}x$$

$$L(v) = \int_\Omega f \,.\, v \,\mathrm{d}x$$

$$\mathrm{D}_i u = \frac{\partial u}{\partial x_i}$$

les éléments donnés vérifient toutes les hypothèses du corollaire 5.1. Donc il existe u, unique dans $H^1(\Omega)$, tel que

$$\sum_{i=1}^n \int_\Omega \mathrm{D}_i u \,.\, \mathrm{D}_i v \,\mathrm{d}x + \int_\Omega u \,.\, v \,\mathrm{d}x = \int_\Omega f \,.\, v \,\mathrm{d}x \quad \forall v \in H^1(\Omega) . \tag{6.7}$$

Faisons une interprétation (formelle car nous supposerons que tous les éléments sont réguliers!). Par une intégration par parties il viendrait :

$$\int_\Omega (-\Delta u + u) v \,\mathrm{d}x + \int_\Gamma \frac{\partial u}{\partial n} \cdot \gamma_0 v \,\mathrm{d}\sigma = \int_\Omega f \,.\, v \,\mathrm{d}x \quad \forall v \in H^1(\Omega) .$$

si dans un premier temps on considère $v \in \mathscr{D}(\Omega)$ alors

$$\int_\Omega (-\Delta u + u) \varphi \,\mathrm{d}x = \int_\Omega f \,.\, \varphi \,\mathrm{d}x \quad \forall \varphi \in \mathscr{D}(\Omega)$$

et donc

$$-\Delta u + u = f \quad \text{dans } \Omega . \tag{6.8}$$

Si maintenant v est quelconque dans $H^1(\Omega)$, compte tenu de (6.8), on a :

$$\int_\Gamma \frac{\partial u}{\partial n} \gamma_0 v \, d\sigma = 0 \quad \forall v \in H^1(\Omega) ,$$

d'où

$$\frac{\partial u}{\partial u} = 0 \quad \text{sur } \Gamma . \tag{6.9}$$

Ainsi lorsque les éléments sont réguliers (6.7), (6.8) et (6.9) sont équivalents. Il s'agit ici du *problème de Neumann*. En considérant le même problème (6.7) dans $H_0^1(\Omega)$ on obtiendrait le *problème de Dirichlet*.

CHAPITRE 2

COMPLÉMENTS SUR LA DÉRIVATION

1. LA DÉRIVATION AU SENS DE GATEAUX

1.1. Définitions: On donne deux espaces de Banach V et H; un opérateur A linéaire ou non; A opère de V dans H.

DÉFINITION 1.1

i) Si pour $u \in V$, $\varphi \in V$, le quotient suivant a une limite finie

$$\frac{A(u+\theta\varphi) - A(u)}{\theta}.$$

lorsque $\theta \to 0$, on note $A'(u, \varphi)$ cette limite et on dit que $A'(u, \varphi)$ est la G-différentielle de A au point u dans la direction φ [ou différentielle au sens de Gateaux].

ii) Si $A'(u, \varphi)$ existe pour tout $\varphi \in V$, on dit que A est G-différentiable au point u;

iii) Si $A'(u, \varphi)$ existe pour tout $\varphi \in V$ et si l'opérateur $\varphi \to A'(u, \varphi)$ est linéaire et continu, alors cet opérateur est appelé la G-dérivée de A au point u.

On pourra employer la notation :

$$A'(u, \varphi) = A'(u).\varphi ,$$

où

$$A'(u) \in \mathscr{L}(V, H).$$

Notons ceci : $u \in V$, $\varphi \in V$, $\theta \in \mathbf{R}$, $A'(u, \varphi) \in H$ et donc A' est un opérateur de $V \times V$ dans H.

Exemple 1.1. On prend $V = L^p(\Omega)$, $p > 1$, où Ω désigne un ouvert de $\mathbf{R}^n$. Soit $t \to g(t)$ une fonction de classe C^1 telle que :

$$|g(t)| \leqslant C.|t|^p \quad \forall t \in \mathbf{R},$$
$$|g'(t)| \leqslant C.|t|^{p-1}.$$

On pose :

$$J(u) = \int_\Omega g(u(x))\mathrm{d}x \quad \forall u \in L^p(\Omega).$$

Cela a un sens car :

$$\begin{cases} \left|\int_\Omega g(u(x))\mathrm{d}x\right| \leqslant \int_\Omega |g(u(x))|\,\mathrm{d}x \leqslant C\int_\Omega |u(x)|^p\mathrm{d}x < +\infty \\ \forall u \in L^p(\Omega) \end{cases}$$

On a :

$$\begin{aligned} J(u+\theta\varphi) &= \int_\Omega g(u(x)+\theta\varphi(x))\mathrm{d}x \\ &= \int_\Omega g(u(x))\mathrm{d}x + \theta\int_\Omega g'(u(x)+\theta(x)\varphi(x))\varphi(x)\mathrm{d}x \end{aligned}$$

$0 < \theta(x) < \theta$ si par exemple θ est positif,
d'où

$$\begin{cases} \dfrac{J(u+\theta\varphi)-J(u)}{\theta} = \displaystyle\int_\Omega g'(u(x)+\theta(x)\varphi(x))\varphi(x)\mathrm{d}x \\ 0 < \theta(x) < \theta\,. \end{cases}$$

On vérifierait que :

$$\lim_{\theta\to 0}\int_\Omega g'(u(x)+\theta(x)\varphi(x))\varphi(x)\mathrm{d}x = \int_\Omega g'(u(x))\varphi(x)\mathrm{d}x\,;$$

par suite :

$$J'(u,\varphi) = \int_\Omega g'(u(x))\varphi(x)\mathrm{d}x\,.$$

DÉFINITION 1.2 :

i) Si pour $u, \varphi, \psi \in V$ le quotient suivant a une limite finie :

$$\frac{A'(u+\theta\psi,\varphi) - A'(u,\varphi)}{\theta}$$

lorsque $\theta\to 0$, on note par $A''(u,\varphi,\psi)$ cette limite et on dit que $A''(u,\varphi,\psi)$ est la G-différentielle seconde de A au point u dans les directions φ et ψ.

ii) Si $A''(u,\varphi,\psi)$ existe $\forall\varphi,\psi$ on dit que A est deux fois G-différentiable au point u. ▮

Remarquons ceci : dans la définition d'une G-différentielle on ne suppose pas que celle-ci est linéaire en φ et ψ. Cependant on vérifierait immédiatement que :

$$\begin{aligned} &A'(u,\lambda\varphi) = \lambda A'(u,\varphi) \quad \forall\lambda \\ &A''(u,\lambda\varphi,\mu\psi) = \lambda\mu A''(u,\varphi,\psi) \quad \forall\lambda,\mu\,. \end{aligned}$$

1.2. La formule des accroissements finis et la formule de Taylor

Étudions d'abord *le cas des fonctionnelles* : $J: V \to \mathbf{R}$.

PROPOSITION 1.1. Si la fonctionnelle $J: V \to \mathbf{R}$ est G-différentiable $\forall u+\theta\varphi$, $\theta \in [0,1]$ dans la direction φ, alors il existe $\theta \in]0,1[$ tel que :

$$J(u+\varphi) = J(u) + J'(u+\theta\varphi, \varphi) . \tag{1.1}$$

Démonstration. Posons $f(\theta) = J(u+\theta\varphi)$

f est une fonction définie sur $\mathbf{R}$ à valeurs dans $\mathbf{R}$; sa dérivée vaut : $f'(\theta) = J'(u+\theta\varphi, \varphi)$ car en effet :

$$f'(\theta) = \lim_{\delta\to 0} \frac{f(\theta+\delta) - f(\theta)}{\delta} = \lim_{\delta\to 0} \frac{J(u+\theta\varphi+\delta\varphi) - J(u+\theta\varphi)}{\delta}$$
$$= J'(u+\theta\varphi, \varphi) .$$

On a donc

$$f(1) = f(0) + 1f'(\theta) \quad \theta \in]0,1[,$$

c'est-à-dire (1.1). ▮

PROPOSITION 1.2. Si la fonctionnelle $J: V \to \mathbf{R}$ est deux fois G-différentiable $\forall u+\theta\varphi$, $\theta \in [0,1]$, dans les directions φ, φ, alors il existe $\theta \in]0,1[$ tel que :

$$J(u+\varphi) = J(u) + J'(u, \varphi) + \tfrac{1}{2} J''(u+\theta\varphi, \varphi, \varphi) . \tag{1.2}$$

Démonstration. Même procédé que précédemment en remarquant que :

$$f''(\theta) = J''(u+\theta\varphi, \varphi, \varphi) . \quad ▮$$

Étudions maintenant *le cas des opérateurs*. On suppose que A opère de l'espace de Banach V dans l'espace de Banach H. Soit g un élément quelconque du dual H' de H; alors à la fonctionnelle $u \to \langle g, Au \rangle$ on peut appliquer les résultats précédents (le symbole $\langle .,. \rangle$ dénote la dualité entre H et H').

PROPOSITION 1.3. Si l'opérateur $A: V \to H$ est G-différentiable $\forall u+\theta\varphi$, $\theta \in [0,1]$, dans la direction φ alors $\forall g \in H'$, il existe θ (qui dépend de g), $\theta \in]0,1,[$ tel que :

$$\langle g, A(u+\varphi) \rangle = \langle g, Au \rangle + \langle g, A'(u+\theta\varphi, \varphi) \rangle . \tag{1.3}$$

Démonstration. On pose

$$f(\theta) = \langle g, A(u+\theta\varphi) \rangle$$

et on remarque que :

$$f'(\theta) = \langle g, A'(u+\theta\varphi, \varphi) \rangle . \quad ▮$$

On obtiendrait de même la :

PROPOSITION 1.4. Si l'opérateur $A: V \to H$ est deux fois G-différentiable $\forall u+\theta\varphi$, $\theta \in [0,1]$ dans les directions φ, φ alors $\forall g \in H'$ il existe θ (qui dépend de g), $\theta \in]0,1[$ tel que

$$(1.4) \quad \langle g, A(u+\varphi)\rangle = \langle g, Au\rangle + \langle g, A'(u,\varphi)\rangle + \tfrac{1}{2}\langle g, A''(u+\theta\varphi, \varphi, \varphi)\rangle . \quad ▮$$

En général la formule :

$$A(u+\varphi) = A(u) + A'(u+\theta\varphi, \varphi) \quad \theta \in]0,1[$$

n'est pas correcte dans le cas des opérateurs. A partir de la proposition 1.3 on obtient la :

PROPOSITION 1.5. Si l'opérateur $A: V \to H$ est G-différentiable $\forall u+\theta\varphi$, $\theta \in [0,1]$ dans la direction φ, alors il existe $\theta \in]0,1[$ tel que :

$$(1.5) \qquad \|A(u+\varphi) - A(u)\|_H \leqslant \|A'(u+\theta\varphi, \varphi)\|_H .$$

Démonstration. On sait, grâce au théorème de Hahn-Banach, qu'il existe $g \in H'$, $\|g\|_{H'} = 1$, tel que :

$$\|A(u+\varphi) - A(u)\|_H = \langle g, A(u+\varphi) - A(u)\rangle .$$

Pour cet élément g, ainsi choisi, utilisant la formule (1.3) il vient :

$$\langle g, A(u+\varphi) - A(u)\rangle = \langle g, A'(u+\theta\varphi, \varphi)\rangle \quad \theta \in]0,1[,$$

d'où :

$$\|A(u+\varphi) - A(u)\|_H \leqslant \|A'(u+\theta\varphi, \varphi)\|_H . \quad ▮$$

On démontrerait de même l'existence de $\theta \in]0,1[$ tel que :

$$(1.6) \qquad \|A(u+\varphi) - A(u) - A'(u,\varphi)\|_H \leqslant \tfrac{1}{2}\|A''(u+\theta\varphi, \varphi, \varphi)\|_H .$$

DÉFINITION 1.3. Si J est une fonctionnelle, $J: V \to \mathbf{R}$, si la G-différentielle $J'(u,\varphi)$ est linéaire et continue par rapport à φ, on désigne par grad $J(u)$ [ou gradient de J au point u] l'élément de V' tel que :

$$(1.7) \qquad J'(u,\varphi) = \langle \operatorname{grad} J(u), \varphi\rangle \quad \forall \varphi \in V ,$$

où $\langle .,. \rangle$ exprime la dualité entre V et V'.

Dans le cas des espaces de Hilbert, on pourra identifier grad $J(u)$ avec l'élément encore noté grad $J(u) \in V$, tel que :

$$(1.7)' \qquad J'(u,\varphi) = (\operatorname{grad} J(u), \varphi) \quad \forall \varphi \in V ,$$

où $(.,.)$ exprime le produit scalaire dans V.

On emploiera aussi les notations :

$$\operatorname{grad} J(u) = J'(u) = G(u) . \quad ▮$$

DÉFINITION 1.4. Si J est une fonctionnelle, $J: V \to \mathbf{R}$, si la G-différentielle $J''(u, \varphi, \psi)$ est linéaire et continue en φ et ψ, on désigne par $H(u)$ l'opérateur agissant de V dans V' et tel que :

$$J''(u, \varphi, \psi) = \langle H(u)\varphi, \psi \rangle . \tag{1.8}$$

$H(u)$ est l'opérateur « Hessien » de J au point u. On pourra aussi employer la notation : $H(u) = J''(u)$. ∎

PROPOSITION 1.6. Si le gradient de la fonctionenlle $J: V \to \mathbf{R}$ existe et est uniformément borné dans un sous-ensemble convexe U de V alors :

$$|J(u) - J(v)| \leqslant M \|u - v\|_V \quad \forall u, v \in U . \tag{1.9}$$

Démonstration. D'après (1.1) on a :

$$\begin{aligned} |J(u) - J(v)| &= |J'(u + \theta(v-u), v-u)| \\ &= |\langle J'(u + \theta(v-u), v-u \rangle| \\ &\leqslant \|J'(u + \theta(v-u))\| \, \|v-u\| \\ &\leqslant M \|v-u\| . \end{aligned}$$ ∎

À l'aide de (1.5) on obtiendrait un résultat semblable dans le cas des opérateurs.

1.3. La convexité et la G-différentiabilité

PROPOSITION 1.7. Si la fonctionnelle $J: V \to \mathbf{R}$ est G-différentiable dans V, alors i) et ii) sont équivalents, iii) et iv) sont équivalents :

i) J est convexe dans V,

ii) $J(v) \geqslant J(u) + J'(u, v-u) \quad \forall u, v \in V$,

iii) J est strictement convexe dans V,

iv) $J(v) > J(u) + J'(u, v-u) \quad \forall u, v \in V, u \neq v$.

Démonstration :

i) ⇒ ii). On a par hypothèse :

$$J(u + \theta(v-u)) \leqslant J(u) + \theta(J(v) - J(u)) \quad \theta \in [0, 1],$$

d'où :

$$\frac{J(u + \theta(v-u)) - J(u)}{\theta} \leqslant J(v) - J(u)$$

et lorsque $\theta \to 0_+$ cela entraîne :

$$J'(u, v-u) \leqslant J(v) - J(u).$$

ii) $\Rightarrow$ i). On a, en appliquant deux fois le point ii) :

$$\begin{cases} J(u) \geqslant J(u+\theta(v-u)) + J'(u+\theta(v-u), u-[u+\theta(v-u)]) \\ J(v) \geqslant J(u+\theta(v-u)) + J'(u+\theta(v-u), v-[u+\theta(v-u)]) , \end{cases}$$

ou encore :

$$\begin{cases} J(u) \geqslant J(u+\theta(v-u)) - \theta J'(u+\theta(v-u), v-u) \\ J(v) \geqslant J(u+\theta(v-u)) + (1-\theta) J'(u+\theta(v-u), v-u) . \end{cases}$$

Après multiplication de ces inégalités par $(1-\theta)$ et par θ et après addition il vient :

$$(1-\theta)J(u) + \theta J(v) \geqslant J(u+\theta(v-u)) \quad \theta \in]0,1[.$$

iii) $\Rightarrow$ iv) : Si $u \neq v$, on a :

$$J(u+\theta(v-u)) < J(u) + \theta(J(v)-J(u)) \quad \theta \in]0,1[,$$

d'où :

$$J(v) - J(u) > \frac{J(u+\theta(v-u)) - J(u)}{\theta} .$$

Mais J est convexe et donc, d'après ii) :

$$\frac{J(u+\theta(v-u)) - J(u)}{\theta} \geqslant J'(u, v-u) ,$$

d'où :

$$J(v) - J(u) > J'(u, v-u) \quad \forall u, v \in V, \quad u \neq v ,$$

iv) $\Rightarrow$ iii). Dans le passage ii) $\Rightarrow$ i) on a des inégalités strictes lorsque $u \neq v$, d'où la stricte convexité. ∎

Proposition 1.8. Si la fonctionnelle $J : V \to \mathbf{R}$ est deux fois G-différentiable dans V si de plus :

$$J''(u, \varphi, \varphi) \geqslant 0 \quad \forall u, \varphi \in V , \tag{1.10}$$

alors J est convexe dans V; si $J''(u, \varphi, \varphi) > 0 \quad \forall \varphi \neq 0, \forall u$, alors J est strictement convexe.

Démonstration. On a, d'après la formule de Taylor :

$$\begin{cases} J(v) = J(u) + J'(u, v-u) + \frac{1}{2} J''(u+\theta(v-u), v-u, v-u) \\ \theta \in]0,1[\end{cases}$$

Avec (1.10) cela entraîne :

$$J(v) \geqslant J(u) + J'(u, v-u)$$

et, avec la proposition 1.7, on obtient le résultat cherché.

Démonstration analogue dans le cas de la convexité stricte. ∎

Exemple 1.2

Soit V un espace de Hilbert, $u, v \to a(u, v)$ une forme bilinéaire, symétrique continue et coercice.

La dernière propriété signifie que : $|a(v, v)| \geqslant \alpha \|v\|_V^2 \quad \forall v \in V, \alpha > 0$.

Soit $v \to L(v)$ une forme linéaire et continue sur V. Posons

$$J(u) = \tfrac{1}{2} a(u, u) - L(u) .$$

On a immédiatement :

$$J'(u, \varphi) = a(u, \varphi) - L(\varphi) ,$$
$$J''(u, \varphi, \psi) = a(\psi, \varphi) = a(\varphi, \psi) ,$$

d'où

$$J''(u, \varphi, \varphi) = a(\varphi, \varphi) \geqslant \alpha \|\varphi\|_V^2 \quad \forall u, \varphi \in V .$$

Ainsi $J(u)$ est strictement convexe. ▮

1.4. La semi-continuité inférieure faible et la G-différentiabilité

THÉORÈME 1.1. Si la fonctionnelle $J : V \to \mathbf{R}$ est convexe et si sa G-différentielle première $J'(u, \varphi)$ est linéaire et continue en φ, alors J est faiblement semi-continue inférieurement.

Démonstration. Supposons que $v_n \to u$ dans V faible lorsque $n \to +\infty$. On doit montrer que

$$\varliminf_{n \to \infty} J(v_n) \geqslant J(u) . \tag{1.11}$$

D'après la proposition 1.7 on a :

$$J(v_n) \geqslant J(u) + J'(u, v_n - u) = J(u) + \langle J'(u), v_n - u \rangle$$

et puisque $\varphi \to J'(u, \varphi) = \langle J'(u), \varphi \rangle$ est linéaire et continue, on a:

$$\lim_{n \to \infty} (J'(u), v_n - u) = 0$$

d'où : (1.11). ▮

Notons que d'après la proposition 1.8, J sera faiblement semi-continue inférieurement lorsque par exemple :

$$J''(u, \varphi, \varphi) \geqslant 0 \quad \forall u, \varphi \in V .$$

et que

$$\varphi \to J'(u, \varphi) \quad \text{est linéaire et continue}$$

1.5. Permutation des dérivations

Dans le cas très simple où $J : \mathbf{R}^2 \to \mathbf{R}$ nous savons que sous certaines hypothèses de régularité nous avons :

$$\frac{\delta^2 J}{\delta x \delta y} = \frac{\delta^2 J}{\delta y \delta x}$$

c'est-à-dire qu'on peut permuter les dérivations; nous allons voir une propriété analogue dans le cas de la dérivation au sens de Gateaux.

Soit la fonctionnelle $J: V \to \mathbf{R}$, où V est un espace de Banach. Nous allons démontrer le :

THÉORÈME 1.2. Si la G-différentielle $J''(u, \varphi, \psi)$ existe $\forall u \in U$, où U est un ouvert de $V, \forall \varphi, \varphi \in V$, si $J''(u, \varphi, \psi)$ est continue en u dans U $\forall \varphi, \psi \in V$, alors:

$$J''(u, \varphi, \psi) = J''(u, \psi, \varphi) \quad \forall u \in U . \tag{1.12}$$

Démonstration. Nous suivons pas à pas la démonstration dans le cas des fonctions. Soit :

$$Q_{\alpha,\beta} = [J(u+\alpha\varphi+\beta\psi) - J(u+\alpha\varphi) - J(u+\beta\psi) - J(u)]$$

et donnons deux autres expressions de $Q_{\alpha,\beta}$. Nous supposerons que $u, u+\alpha\varphi, u+\alpha\varphi+\beta\psi$ sont dans U. Nous avons : $Q_{\alpha,\beta} = f(u+\beta\psi) - f(u)$, où

$$f(v) = J(v+\alpha\varphi) - J(v) .$$

D'après la formule des accroissements finis :

$$Q_{\alpha,\beta} = f'(u+\theta_1\beta\psi, \beta\psi) \quad \theta_1 \in]0,1[,$$

ou encore :

$$Q_{\alpha,\beta} = J'(u+\alpha\varphi+\theta_1\beta\psi, \beta\psi) - J'(u+\theta_1\beta\psi, \beta\psi) .$$

Une nouvelle application de la formule des accroissements finis donne :

$$\begin{cases} Q_{\alpha,\beta} = J''(u+\theta_1\beta\psi+\theta_2\alpha\varphi, \beta\psi, \alpha\varphi) \\ \theta_1, \theta_2 \in]0,1[\end{cases}$$

ou encore :

$$\begin{cases} Q_{\alpha,\beta} = \alpha.\beta J''(u+\theta_1\beta\psi+\theta_2\alpha\varphi, \psi, \varphi) \\ \theta_1, \theta_2 \in]0,1[\end{cases}$$

On obtiendrait de façon analogue :

$$\begin{cases} Q_{\alpha,\beta} = \alpha\beta J''(u+\theta_3\beta\psi+\theta_4\alpha\varphi, \varphi, \psi) \\ \theta_3, \theta_4 \in]0,1[, \end{cases}$$

d'où

$$\begin{cases} J''(u+\theta_1\beta\psi+\theta_2\alpha\varphi, \psi, \varphi) = J''(u+\theta_3\beta\psi+\theta_4\alpha\varphi, \varphi, \psi) \\ \theta_1, \theta_2, \theta_3, \theta_4 \in]0,1[. \end{cases}$$

Lorsque $\alpha \to 0$, $\beta \to 0$, par la continuité de $J''(v, \varphi, \psi)$ en v, il vient :

$$J''(u, \varphi, \psi) = J''(u, \psi, \varphi) . \quad \blacksquare$$

COROLLAIRE 1.1. Si la G-différentielle $J''(u, \varphi, \psi)$ existe $\forall u \in U$, $\forall \varphi, \psi \in V$, où U est un ouvert de V, si cette différentielle est continue en u, φ, ψ linéaire en φ, ψ, alors l'opérateur Hessien $H(u)$ est symétrique.

Démonstration. Par définition

$$J''(u, \varphi, \psi) = \langle H(u)\varphi, \psi$$

mais, avec (1.11), il vient :

$$\langle H(u)\varphi, \psi\rangle = \langle H(u)\psi, \varphi\rangle \quad \forall \varphi, \psi \in V .$$

Remarque 1.1. Le théorème précédent fournit une condition nécessaire pour qu'un opérateur $A : V \to V'$ soit le gradient d'une fonctionnelle $J : V \to \mathbf{R}$. On sait que :

$$\langle \text{grad } J(u), \varphi\rangle = \langle G(u), \varphi\rangle = J'(u, \varphi) \quad \forall \varphi \in V .$$

Par dérivation on a :

$$\langle G'(u, \psi), \varphi\rangle = J''(u, \varphi, \psi) .$$

Si (1.12) a lieu, compte tenu de (1.10), il vient :

$$\langle G'(u, \psi), \varphi\rangle = \langle G'(u, \varphi), \psi\rangle$$

et en particulier si $G'(u, \psi)$ est linéaire en ψ, alors :

$$\langle G'(u)\psi, \varphi\rangle = \langle G'(u)\varphi, \psi\rangle \quad \forall \varphi, \psi \in V . \tag{1.13}$$

Donc nécessairement, tout opérateur G qui est le gradient d'une fonctionnelle assez régulière vérifie (1.13). Réciproquement, on peut montrer ceci : si G est un opérateur de V dans V' si $G'(u, \varphi)$ existe $\forall u \in U$, $\forall \varphi \in V$ l'opérateur $\varphi \to G'(u, \varphi)$ étant linéaire, si $\langle G'(u, \varphi), \psi\rangle$ est continue en u dans U $\forall \varphi, \psi \in V$, si $\langle G'(u, \psi), \varphi\rangle = \langle G'(u, \varphi), \psi\rangle$ $\forall \varphi, \psi \in V$, alors G est le gradient d'une fonctionnelle $J : V \to \mathbf{R}$, cette fonctionnelle est à une constante additive près,

$$J(u) = \int_0^1 \langle A(u_0 + t(u - u_0), u - u_0\rangle \mathrm{d}t \tag{1.14}$$

où $\langle .,. \rangle$ exprime la dualité entre V et V'. ∎

1.6. Linéarité de l'opérateur $\varphi \to A'(u, \varphi)$

Il est possible de démontrer le résultat suivant (cf. Vainberg [2]) si $\forall \varphi \in V$, la différentielle $A'(u, \varphi)$ existe dans un voisinage de u_0, si $u \to A'(u, \varphi)$ est continue au point u_0, si $\varphi \to A'(u_0, \varphi)$ est continu au point $\varphi = 0$, alors l'opérateur $\varphi \to A'(u_0, \varphi)$ est linéaire (et continu).

2. LA DÉRIVATION AU SENS DE FRÉCHET

2.1. Définitions

On désigne toujours par V et H deux espaces de Banach et par A un opérateur de V dans H.

DÉFINITION 2.1. Si pour $u \in V$, il existe un opérateur linéaire et continu de V dans H, noté $\varphi \to A'(u, \varphi)$ et tel que :

$$\lim_{\varphi \to 0} \frac{\|A(u+\varphi) - A(u) - A'(u, \varphi)\|_H}{\|\varphi\|_V} = 0 , \tag{2.1}$$

on dit alors que $A'(u, \varphi)$ est la F-différentielle de A au point u. ∎

On pourra aussi employer la notation :

$$A'(u, \varphi) = A'(u).\varphi ,$$

où :

$$A'(u) \in \mathscr{L}(V, H);$$

$A'(u)$ est la F-dérivée de A au point u.

Remarquons que (2.1) peut se mettre sous la forme :

$$(2.1)' \quad \begin{cases} A(u+\varphi) = A(u) + A'(u)\varphi + \|\varphi\|_V \, . \, \varepsilon(u, \varphi) , \\ \lim\limits_{\varphi \to 0} \varepsilon(u, \varphi) = 0 . \end{cases}$$

Exemple 2.1

f est une fonction définie sur $\mathbf{R}^n$ à valeurs dans $\mathbf{R}$. Si $x, y \in \mathbf{R}^n$ et si f est dérivable au sens ordinaire, alors :

$$f'(x, y) = \sum_{i=1}^{n} \frac{\delta f}{\delta x_i}(x) \, . \, y_i \, .$$

Exemple 2.2

Si A est un opérateur linéaire et continu de V dans H, alors :

$$A'(u, \varphi) = A\varphi ,$$
$$A''(u, \varphi, \psi) = 0 .$$

Exemple 2.3

Comme dans l'exemple 1.2, V est un espace de Hilbert $u, v \to a(u, v)$ est une forme bilinéaire, symétrique et continue, $v \to L(v)$ est une forme linéaire et continue; on pose :

$$J(v) = \tfrac{1}{2} a(v, v) - L(v) .$$

On a :

$$J(u+\varphi) = J(u) + \{a(u, \varphi) - L(\varphi)\} + \tfrac{1}{2}a(\varphi, \varphi),$$

d'où :

$$\frac{|J(u+\varphi) - J(u) - \{a(u, \varphi) - L(\varphi)\}|}{\|\varphi\|} = \frac{1}{2}\frac{|a(\varphi, \varphi)|}{\|\varphi\|} \leqslant \frac{1}{2} M \,.\, \|\varphi\|$$

[si $|a(u, v)| \leqslant M . \|u\| . \|v\| \quad \forall u, v \in V$].

Par suite :

$$\begin{cases} J'(u, \varphi) = a(u, \varphi) - L(\varphi), \\ J''(u, \varphi, \psi) = a(\psi, \varphi). \end{cases}$$

Remarque 2.1. Il n'y aurait aucune difficulté à étendre au cas des F-dérivées les théorèmes classiques sur la dérivation d'une somme, d'un produit, d'une fonction de fonction.

2.2. Relation entre la F-différentielle et la G-différentielle

Soit φ un élément fixé dans V, $\varphi \neq 0$; dans (2.1), remplaçons φ par $\theta\varphi$, il vient :

$$\lim_{\theta \to 0} \frac{\|A(u+\theta\varphi) - A(u) - \theta A'(u, \varphi)\|_H}{\theta \|\varphi\|_V} = 0,$$

ou encore

$$\lim_{\theta \to 0} \frac{\|A(u+\theta\varphi) - A(u) - A'(u, \varphi)\|_H}{\theta} = 0.$$

Par suite on a le :

Lemme 2.1. Lorsque la F-différentielle existe, alors la G-différentielle existe et de plus ces deux différentielles sont confondues.

Disons de suite que la réciproque n'est pas vraie. Cependant on peut démontrer le :

Théorème 2.1. Si la G-différentielle $A'(u, \varphi)$ existe $\forall \varphi \in V$ et pour tout u appartenant à un voisinage $\mathscr{V}(u_0)$ de u_0, si $\forall u \in \mathscr{V}(u_0)$ l'opérateur $\varphi \to A'(u, \varphi)$ est linéaire et continu, si $\forall \varphi \in V$ l'opérateur $u \to A'(u, \varphi)$ est continu de $\mathscr{V}(u_0)$ dans H, alors la F-différentielle existe. ▮

Compte tenu de la définition 1.1, point iii) on peut dire que lorsque la G-dérivée existe et est continue alors la F-dérivée existe (et est, bien entendu, confondue avec la G-dérivée d'après le lemme 2.1).

CHAPITRE 3

RECHERCHE DU MINIMUM D'UNE FONCTIONNELLE

Introduction

Ce chapitre est essentiellement consacré à l'approximation de la solution d'un problème de minimisation sans contrainte. Cela se fera en construisant une suite d'itérés; pour le passage d'un itéré à l'itéré suivant on sera amené à minimiser une fonction numérique d'une variable : en effet si u_m est le $m^{\text{ième}}$ itéré, on déterminera d'abord une « direction » w_m et on choisira u_{m+1} dans l'ensemble des éléments de la forme $u_m - \rho w_m$; on aura $u_{m+1} = u_m - \rho_m w_m$. Il y aura toujours les deux étapes : choix de w_m et choix de ρ_m. La recherche de w_m et peut être de ρ_m fera appel ou non au calcul de certaines dérivées si bien qu'on peut distinguer plusieurs familles de méthodes :

Première famille. On n'utilise pas des dérivées. Ces méthodes sont appelées parfois *les méthodes directes*. En fait, dans cette famille on travaillera toujours dans un *espace de dimension finie*; les axes joueront un rôle important.

Deuxième famille. On utilise des dérivées premières. En général, lorsqu'on se déplace sur la « droite » $\rho \to u_m - \rho w_m$ dans le sens $\rho \geqslant 0$, la fonction coût décroit, aussi la direction $-w_m$ est appelée une direction de descente, et d'une façon générale ces méthodes sont appelées *méthodes de descente*. (Notons que la première famille entre aussi dans le cadre des méthodes de descente, cependant on utilise la terminologie précédente dans le cas où des dérivées sont utilisées).

Troisième famille. On utilise des dérivées secondes. En fait il s'agira essentiellement de la *méthode de Newton.* ▌

TOUS LES ÉLÉMENTS INTRODUITS DANS LA SUITE SONT RÉELS

1. MINIMUM D'UNE FONCTIONNELLE

On se propose dans ce numéro de donner des critères d'existence, d'unicité du minimum d'une fonctionnelle, ainsi que des exemples.

On considère une fonctionnelle $J : V \to \mathbf{R}$, où V désigne un espace de Banach; on désigne par U un sous-ensemble de V.

DÉFINITION 1.1

i) On dit que $J(\bar{u})$ est un minimum relatif de J dans U si $\bar{u} \in U$ et si il existe un voisinage $\mathscr{V}(\bar{u})$ de $\bar{u}$ tel que :

$$J(\bar{u}) \leqslant J(u) \quad \forall u \in U \cap \mathscr{V}(\bar{u}) .$$

ii) On dit que $J(\bar{u})$ est un minimum absolu de J dans U si $\bar{u} \in U$ et si :

$$J(\bar{u}) \leqslant J(u) \quad \forall u \in U . \quad \blacksquare$$

THÉORÈME 1.1. Si V est un espace de Banach réflexif, si J est faiblement semi-continue inférieurement, si U est sous-ensemble borné et faiblement fermé dans V alors il existe au moins un minimum absolu dans U.

Démonstration. Soit l la borne inférieure de l'ensemble des $J(u)$, $u \in U$; l peut être égal à $-\infty$; soit u_n une suite minimisante, i.e.,

$$\lim_{n \to \infty} J(u_n) = l, \quad u_n \in U .$$

Puisque $u_n \in U$ et que U est borné, la suite u_n est bornée. V étant réflexif on peut donc extraire une sous-suite $u_{n'}$, telle que :

$$u_{n'} \to \bar{u} \quad \text{quand } n' \to +\infty .$$

Mais U est faiblement fermé, donc $\bar{u} \in U$; J étant faiblement semi-continue inférieurement on a :

$$J(\bar{u}) \leqslant \underline{\lim}\, J(u_{n'}) ,$$

donc $J(\bar{u}) \leqslant l$.

Mais l étant la borne inférieure des $J(u)$, $u \in U$, il vient :

$$J(\bar{u}) = l .$$

Ce qui prouve que l est fini et que $J(\bar{u})$ est un minimum absolu de $J(u)$ sur U.

Remarque 1.1. Dans le cas où V est un espace de dimension finie ce théorème signifie que toute fonction continue sur un ensemble fermé, borné atteint au moins une fois son minimum.

THÉORÈME 1.2. Si V est un espace de Banach réflexif, si J est faiblement semi-continue inférieurement, si :

$$\lim_{\|u\| \to +\infty} J(u) = +\infty , \tag{1.1}$$

alors il existe au moins un minimum absolu.

Démonstration. Soit l la borne inférieure de $J(u)$, naturellement $l < +\infty$; soit u_n une suite minimisante :

$$l = \lim_{n \to \infty} J(u_n) \; .$$

Montrons que la suite $\|u_n\|$ est bornée. Dans le cas contraire, il existerait une sous-suite $u_{n'}$ telle que $\lim\limits_{u' \to \infty} \|u_{n'}\| = +\infty$; alors l'hypothèse (1.1) entraînerait $\lim J(u_{n'}) = +\infty$, d'où $l = +\infty$! On a donc :

$$\|u_n\| \leqslant M < +\infty \quad \forall n$$

Il revient donc au même de montrer que $J(u)$ a un minimum absolu dans la boule $U = \{u \mid u \in V, \; \|u\| \leqslant M\}$. Ce minimum absolu existe grâce au théorème 1.1. ∎

THÉORÈME 1.3. Soit U un ouvert de V

i) Si $\bar{u} \in U$, si $\bar{u}$ est un minimum relatif de J dans U, si J est G-différentiable, alors :

$$J'(\bar{u}, \varphi) = 0 \quad \forall \varphi \in V \, . \tag{1.2}$$

ii) Si J est convexe et une fois différentiable, alors :

j) tout minimum local est un minimum global,

jj) les relations (1.3) et (1.3)' sont équivalentes

$$J(\bar{u}) \leqslant J(u) \quad \forall u \in V; \; \bar{u} \in V, \tag{1.3}$$

$$J'(\bar{u}, \varphi) = 0 \quad \forall \varphi \in V; \; \bar{u} \in V \, . \tag{1.3)'}$$

jjj) Si de plus J est strictement convexe alors (1.3) et (1.3)' admettent au plus une solution $\bar{u}$ dans V.

Démonstration

i) Par hypothèse

$$J(\bar{u}) \leqslant J(\bar{u} + \theta\varphi) \quad \forall \varphi \in V, \quad \theta \text{ « assez petit », } \theta \geqslant 0 \, ,$$

d'où

$$\frac{J(\bar{u} + \theta\varphi) - J(\bar{u})}{\theta} \geqslant 0, \quad \theta > 0$$

et par passage à la limite :

$$J'(\bar{u}, \varphi) \geqslant 0 \quad \forall \varphi \in V \, .$$

En particulier :

$$J'(\bar{u}, -\varphi) \geqslant 0 \, ,$$

d'où

$$J'(\bar{u}, \varphi) = 0 \quad \forall \varphi \in V \, .$$

ii) Soit u tel que $J(\bar{u})$ soit un minimum local. D'après i) on a (1.2), mais la convexité entraîne :

$$J(v) \geqslant J(\bar{u}) + J'(\bar{u}, v-\bar{u}) \quad \forall v \in V ,$$

d'où, si $\varphi = v - \bar{u}$ dans (1.2) :

$$J(v) \geqslant J(\bar{u}) \quad \forall v \in V .$$

jj) Il suffit de vérifier que (1.3)′ entraîne (1.3). Démonstration identique à celle du point j.

jjj) Si $J(u_1) = J(u_2) \leqslant J(u) \quad \forall u \in U$ et si $u_1 \neq u_2$, la convexité stricte entraîne :

$$J(u_2) > J(u_1) + J'(u_1, u_2 - u_1)$$

mais $J'(u_1, u_2-u_1) = 0$, puisque $J(u_1)$ est un minimum; d'où $J(u_2) > J(u_1)$! ▮

Remarque 1.2. Dans le cas où $\varphi \to J'(u, \varphi)$ est linéaire et continue (1.2) devient :

(1.2)′
$$\operatorname{grad} J(\bar{u}) = 0 .$$

THÉORÈME 1.4. Si

i) V est un espace de Banach réflexif;

ii) $J'(u, \varphi)$ est linéaire et continue par rapport à φ pour tout u,

iii) $J''(u, \varphi, \psi)$ vérifie

(1.4)
$$J''(u, \varphi, \varphi) \geqslant \|\varphi\| \chi(\|\varphi\|) \quad \forall u \in V, \quad \forall \varphi \in V ,$$

où la fonction positive $t \to \chi(t)$ vérifie

(1.5)
$$\lim_{t \to +\infty} \chi(t) = +\infty ,$$

alors la fonctionnelle J a au moins un minimum absolu dans V.

iv) Si de plus $\chi(t) > 0 \quad \forall t > 0$ alors le minimum absolu est atteint en un seul point de V [et il n'y a pas d'autre minimum relatif].

Démonstration :

Premier point. Les hypothèses iii) entraînent la convexité de J (prop. 1.8, chap. 2); alors l'hypothèse ii) et le théorème 1.1 chap. 2 montrent que $J(u)$ est faiblement semi-continue inférieurement.

Deuxième point. D'après la formule de Taylor, on a :

$$J(u) = J(0) + J'(0, u) + \tfrac{1}{2} J''(\theta u, u, u) .$$

D'après l'hypothèse ii) il existe M tel que :

$$|J'(0, u)| \leqslant M \|u\| .$$

D'après l'hypothèse iii) :

$$J''(\theta u, u, u) \geqslant \|u\| . \chi(\|u\|) .$$

D'où :

$$J(u) \geqslant J(0) - M . \|u\| + \tfrac{1}{2} \|u\| . \chi(\|u\|)$$

et avec (1.5) cela entraîne

$$\lim_{\|u\| \to \infty} J(u) = +\infty .$$

Troisième point. Les hypothèses du théorème 1.2 sont alors satisfaites, d'où l'existence d'un minimum absolu.

Quatrième point. Établissons l'unicité de ce minimum. L'hypothèse $\chi(t) > 0$ $\forall t > 0$ prouve que J est strictement convexe d'où l'unicité du minimum. ▮

Remarque 1.3. Dans de nombreuses applications on aura :

$$\chi(t) = \alpha . t ,$$

où α est un nombre fixe strictement positif, c'est-à-dire que (1.4) s'écrit :

(1.4) $$J''(u, \varphi, \varphi) \geqslant \alpha \|\varphi\|^2 \quad \forall \varphi \in V .$$

Exemple 1.1

Soit Ω un ouvert de $\mathbf{R}^n$ de frontière Γ ; on rappelle que $H^1(\Omega)$ est défini par :

$$u \in H^1(\Omega) \Leftrightarrow u \in L^2(\Omega), \quad \mathrm{D}_i u = \frac{\delta u}{\delta x_i} \in L^2(\Omega) \quad i = 1, \ldots, n$$

(il s'agit de dérivées au sens des distributions).

$H^1(\Omega)$ est un espace de Hilbert muni du produit scalaire :

$$((u, v)) = (u, v)_{L^2(\Omega)} + \sum_{i=1}^{n} (\mathrm{D}_i u, \mathrm{D}_i v)_{L^2(\Omega)} .$$

Soit f un élément donné dans $L^2(\Omega)$. On pose :

(1.6) $$J(v) = \tfrac{1}{2} \|v\|^2_{H^1(\Omega)} - (f, v)_{L^2(\Omega)} .$$

On vérifie immédiatement que :

$$J'(u, \varphi) = ((u, \varphi)) - (f, \varphi) ,$$
$$J''(u, \varphi, \psi) = ((\psi, \varphi)) .$$

Les hypothèses du théorème 1.4 sont évidemment vérifiées, donc il existe un élément unique $\bar{u} \in H^1(\Omega)$, tel que :

(1.7) $$J(\bar{u}) \leqslant J(u) \quad \forall u \in H^1(\Omega) .$$

D'après le théorème 1.3, $\bar{u}$ vérifie :

$$J'(\bar{u}, \varphi) = 0 \quad \forall \varphi \in H^1(\Omega) ,$$

c'est-à-dir

(1.8) $$((\bar{u}, \varphi)) = (f, \varphi) \quad \forall \varphi \in H^1(\Omega)$$

et de plus les problèmes (1.7) et (1.8) sont équivalents [donc (1.8) a une solution et une seule.] La relation (1.8), s'écrit :

(1.8)′ $$\begin{cases} \sum_{i=1}^{n} \int_\Omega \frac{\partial \bar{u}}{\partial x_i} \frac{\partial \varphi}{\partial x_i} \mathrm{d}x + \int_\Omega \bar{u} \,.\, \varphi \mathrm{d}x = \int_\Omega f \,.\, \varphi \mathrm{d}x \\ \forall \varphi \in H^1(\Omega) \,. \end{cases}$$

En supposant que les fonctions utilisées sont « assez » régulières, une intégration par parties dans (1.8)′ conduit à la formule de Green :

(1.8)″ $$\begin{cases} \int_\Omega (-\Delta \bar{u} + \bar{u}) \varphi \mathrm{d}x + \int_\Gamma \frac{\partial \bar{u}}{\partial n} \varphi \mathrm{d}\sigma = \int_\Omega f \,.\, \varphi \mathrm{d}x \\ \forall \varphi \in H^1(\Omega) \end{cases}$$

ou $\frac{\partial \bar{u}}{\partial n}$ designe la dérivée de $\bar{u}$ dans le sens de la normale extérieure à Γ, $\mathrm{d}\sigma$ désigne la mesure superficielle sur Γ. Finalement (1.8)″ conduit à :

$$\begin{cases} -\Delta \bar{u} + \bar{u} = f \quad \text{dans } \Omega, \\ \frac{\partial \bar{u}}{\partial n} = 0 \quad \text{sur } \Gamma. \end{cases}$$

Ce problème est le problème de Neumann.

Exemple 1.2

Soit A un opérateur différentiel linéaire, on définit l'espace de Banach réflexif V par :

$$u \in V \Leftrightarrow u \in L^2(\Omega), \ Au \in L^p(\Omega) \,,$$

où Ω est un ouvert de $\mathbf{R}^n$ et où $p > 1$; on pose

$$\|u\|_V = \|u\|_{L^2(\Omega)} + \|Au\|_{L^p(\Omega)} \,.$$

On introduit une fonction numérique $t \to g(t)$ définie sur $\mathbf{R}$ et ayant les propriétés suivantes :

(1.9) $$g(t) \geqslant \alpha |t|^p \quad \forall t, \alpha > 0$$

(1.10) $$\begin{cases} |g'(t)| \leqslant \beta |t|^{p-1}, \quad g(0) = 0, \\ t \to g'(t) \text{ est croissante.} \end{cases}$$

De (1.10) il découle immédiatement :

$$|g(t)| \leqslant \gamma |t|^p, \quad \gamma = \frac{\beta}{p-1}. \tag{1.11}$$

On pose :

$$J(u) = \int_\Omega g(Au(x))\mathrm{d}x + \tfrac{1}{2}\int_\Omega |u(x)|^2\mathrm{d}x - \int_\Omega f(x)u(x)\mathrm{d}x, \tag{1.12}$$

où f est donné dans $L^2(\Omega)$.

Lorsque $u \in V$, $J(u)$ a bien un sens; en effet, on a :

$$|J(u)| \leqslant \gamma \int_\Omega |Au(x)|^p\mathrm{d}x + \tfrac{1}{2}\int_\Omega |u(x)|^2\mathrm{d}x + \int_\Omega |f(x)u(x)|\mathrm{d}x,$$

ou encore :

$$|J(u)| \leqslant \gamma \|Au\|^p_{L^p(\Omega)} + \tfrac{1}{2}\|u\|^2_{L^2(\Omega)} + \|f\|_{L^2(\Omega)} \cdot \|u\|_{L^2(\Omega)}.$$

Nous allons montrer qu'on peut appliquer le théorème 1.2 et que par conséquent il existe $\bar{u} \in V$ tel que :

$$J(\bar{u}) \leqslant J(u) \quad \forall u \in V. \tag{1.13}$$

Premier point. Montrons que J est strictement convexe et que sa G-différentielle $\varphi \to J'(u, \varphi)$ est linéaire et continue (d'après le théorème 1.1, chap. 2, il découle que J est faiblement semi-continue inférieurement). Comme dans l'exemple 1.1, chap. 2 en tenant compte de l'hypothèse (1.10), il viendrait :

(1.14)
$$J'(u, \varphi) = \int_\Omega g'(Au(x)) \,.\, A\varphi(x)\mathrm{d}x + \int_\Omega u(x) \,.\, \varphi(x)\mathrm{d}x - \int_\Omega f(x)\varphi(x)\mathrm{d}x.$$

De plus on a :

(1.15)
$$\begin{cases} J(v) = J(u) + \displaystyle\int_\Omega g'(Au(x) + \theta(x)(Av(x) - Au(x))(Av(x) - Au(x))\mathrm{d}x \\ \qquad\qquad + \displaystyle\int_\Omega u(v-u)\mathrm{d}x + \tfrac{1}{2}\int_\Omega (v-u)^2\mathrm{d}x - \int_\Omega f\,.\,(v-u)\mathrm{d}x, \\ 0 < \theta(x) < 1. \end{cases}$$

La fonction $t \to g'(t)$ étant croissante on a, pour $\theta(x) \geqslant 0$:

$$\begin{aligned} g'(Au(x) + \theta(x)(Av(x) - Au(x)))(Av(x) - Au(x)) &\geqslant \\ \geqslant g'(Au(x)).(Av(x) - Au(x)); \end{aligned} \tag{1.16}$$

par suite dans (1.15), il vient :

$$\begin{cases} J(v) \geqslant J(u) + \int_\Omega g'(Au(x))(Av(x) - Au(x))\mathrm{d}x + \int_\Omega u(v-u)\mathrm{d}x + \\ + \frac{1}{2}\int_\Omega (v-u)^2 \mathrm{d}x - \int_\Omega f(v-u)\mathrm{d}x \end{cases}$$

ou

$$(1.17)' \quad J(v) \geqslant J(u) + J'(u, v-u) + \tfrac{1}{2}\|v-u\|^2_{L^2(\Omega)} \geqslant J(u) + J'(u, v-u)\,.$$

Deuxième point. Montrons que

$$\lim_{\|u\| \to \infty} J(u) = +\infty.$$

Grâce à (1.9), il vient :

$$J(u) \geqslant \alpha \int_\Omega |Au|^p \mathrm{d}x + \tfrac{1}{2}\int_\Omega |u|^2 \mathrm{d}x - \int_\Omega f\,.\,u\,\mathrm{d}x\,,$$

d'où :

$$J(u) \geqslant \alpha\|Au\|^2_{L^p(\Omega)} + \tfrac{1}{2}\|u\|^2_{L^2(\Omega)} - \|f\|_{L^2(\Omega)}\,.\,\|u\|_{L^2(\Omega)}\,,$$

d'où le résultat cherché. ▮

On peut donc appliquer le théorème 1.2; il vient (1.13).

En utilisant maintenant le théorème 1.3, on sait que les problèmes suivants sont équivalents et qu'ils admettent une solution et une seule :

$$(1.13) \qquad J(\bar{u}) \leqslant J(u) \quad \forall u \in V\,,$$

$$(1.18) \qquad J'(\bar{u}, \varphi) = 0 \quad \forall \varphi \in V\,.$$

Notons que (1.18), s'écrit :

$$(1.18)' \qquad \int_\Omega g'(A\bar{u})\,.\,A\varphi\,\mathrm{d}x + \int_\Omega \bar{u}\varphi\,\mathrm{d}x = \int_\Omega f\,.\,\varphi\,\mathrm{d}x \quad \forall \varphi \in V\,.$$

Remarque 1.4. Si l'on pose :

$$a(u, \varphi) = \int_\Omega g'(Au)\,A\varphi\,\mathrm{d}x + \int_\Omega u\varphi\,\mathrm{d}x\,.$$

L'opérateur $\varphi \to a(u, \varphi)$ est continu et linéaire de V dans **R**, donc il existe un opérateur A de V dans V', tel que :

$$a(u, \varphi) = \langle Au, \varphi\rangle \quad \forall u, \varphi\,.$$

On vérifierait avec (1.17)' que cet opérateur *A est strictement monotone.*

Exemple 1.3

C'est une extension de l'exemple précédent :

On donne m opérateurs différentiels A_i $i = 1, \ldots, m$. On définit V par :

$$u \in V \Leftrightarrow A_i u \in L^{p_i}(\Omega), \qquad i=1, \ldots, m;\ u \in L^2(\Omega),$$

$$\|u\|_V = \sum_{i=1}^{m} \|A_i u\|_{L^{p_i}(\Omega)} + \|u\|_{L^2(\Omega)}$$

où $p_i > 1 \quad \forall i$.

On donne des fonctions $t \to g_i(t)$, $i = 1, \ldots, m$ en vérifiant des relations analogues à (1.9), (1.10) et on pose :

$$J(u) = \sum_{i=1}^{m} \int_\Omega g_i(A_i u)\,\mathrm{d}x + \tfrac{1}{2}\int_\Omega |u|^2\,\mathrm{d}x - \int_\Omega f\,.\,u\,\mathrm{d}x\,. \tag{1.19}$$

On vérifierait qu'il existe un élément u, unique dans V, tel que :

$$J(\bar{u}) \leqslant J(v) \quad \forall v \in V\,. \tag{1.20}$$

et tel que :

$$\sum_{i=1}^{m} \int_\Omega g_i'(A_i\bar{u})\,.\,A_i\varphi\,\mathrm{d}x + \int_\Omega \bar{u}\varphi\,\mathrm{d}x = \int_\Omega f\,.\,\varphi\,\mathrm{d}x \quad \forall\varphi \in V\,. \tag{1.21}$$

Quelques cas particuliers

Les exemples 1.1 et 1.2 sont des cas particuliers de l'exemple 1.3.

Exemple 1.3.1

On prend V, défini par :

$$u \in V \Leftrightarrow D_i u \in L^2(\Omega), \quad i=1, \ldots, n, \quad u \in L^2(\Omega), \quad u \in L^4(\Omega);$$

donc $V = H^1(\Omega) \cap L^4(\Omega)$. On choisit :

$$g_i(t) = \tfrac{1}{2}t^2, \quad i = 1, \ldots, n\,,$$
$$g_{n+1}(t) = \tfrac{1}{4}t^4\,;$$

d'où

$$J(u) = \tfrac{1}{2}\sum_{i=1}^{n} \int_\Omega (\mathrm{D}_i u(x))^2\,\mathrm{d}x + \tfrac{1}{2}\int_\Omega (u(x))^2\,\mathrm{d}x + \tfrac{1}{4}\int_\Omega (u(x))^4\,\mathrm{d}x - \int_\Omega f\,.\,u\,\mathrm{d}x\,.$$

On sait qu'il existe $\bar{u}$ solution unique de $J(\bar{u}) \leqslant J(u) \quad \forall u \in V$.

Ou encore tel que :

$$\sum_{i=1}^{n} \int_\Omega \mathrm{D}_i\bar{u}\,.\,\mathrm{D}_i\varphi\,\mathrm{d}x + \int_\Omega u\varphi\,\mathrm{d}x + \int_\Omega u^3\varphi\,\mathrm{d}x = \int_\Omega f\,.\,\varphi\,\mathrm{d}x \quad \forall\varphi \in V\,,$$

ou encore (formellement)

$$\begin{cases} -\Delta\bar{u} + \bar{u} + \bar{u}^3 = f & \text{dans } \Omega, \\ \dfrac{\partial\bar{u}}{\partial n} = 0 & \text{sur } \Gamma. \end{cases}$$

Exemple 1.3.2

$$u \in V \Leftrightarrow \mathrm{D}_i u \in L^{2p}(\Omega), \quad i=1, \ldots, n; \quad u \in L^2(\Omega); \quad p \geqslant 1 .$$

On choisit :

$$g_i(t) = \frac{1}{2p} |t|^{2p} \quad \forall i$$

et

$$J(u) = \frac{1}{2p} \sum_{i=1}^{n} \int_\Omega |\mathrm{D}_i u|^{2p} \mathrm{d}x + \tfrac{1}{2} \int_\Omega |u|^2 \mathrm{d}x - \int_\Omega f . u \,\mathrm{d}x .$$

On sait qu'il existe $\bar{u}$ solution unique de $J(\bar{u}) \leqslant J(u) \quad \forall u$, ou encore de :

$$\sum_{i=1}^{n} \int_\Omega |\mathrm{D}_i u|^{2p-2} \mathrm{D}_i u . \mathrm{D}_i \varphi \,\mathrm{d}x + \int_\Omega u\varphi \,\mathrm{d}x = \int_\Omega f . \varphi \,\mathrm{d}x \quad \forall \varphi \in V .$$

2. MÉTHODES GÉNÉRALES DE RECHERCHE D'UN MINIMUM (avec utilisation de dérivées).

ORIENTATION. Le problème est le suivant : on donne une fonctionnelle $J: V \to \mathbf{R}$, où V désigne un espace de Banach. On cherche $u \in V$ tel que :

$$J(u) \leqslant J(v) \quad \forall v \in V .$$

En général on donne $u_0 \in V$ et on construit une suite u_m, $m = 1, 2, \ldots$, qui, sous certaines hypothèses, convergera vers u. Dans tous les cas on aura :

$$J(u_{m+1}) \leqslant J(u_m) \quad \forall m . \tag{2.1}$$

Évidemment, on supposera que $J(v)$ est bornée inférieurement; par suite (2.1) entraînera :

$$\lim_{m \to +\infty} J(u_m) - J(u_{m+1}) = 0 . \tag{2.2}$$

La recherche de u_{m+1} est un problème de minimisation à une variable. En effet on donne une direction w_m et on cherche à minimiser J sur l'ensemble des points $u_m - \rho w_m$ [ou, ce qui est équivalent, $u_m + \rho w_m$] on trouvera donc un nombre ρ_m et on aura :

$$u_{m+1} = u_m - \rho_m w_m .$$

Avec la formule de Taylor, il vient

$$J(u_{m+1}) = J(u_m) - \rho_m J'(u_m, w_m) + \ldots .$$

Si l'on veut que $J(u_{m+1}) < J(u_m)$ il faudra que $\rho_m J'(u_m, w_m) > 0$; quitte à changer w_m en $-w_m$, on peut s'astreindre à prendre $\rho \geqslant 0$ dans notre problème de minimisation a une variable : par suite nous devons avoir $\rho_m > 0$, $J'(u_m, w_m)$

>0. S'il n'est pas possible de trouver w_m tel que $J'(u_m, w_m) > 0$ c'est que $J'(u_m, \varphi) = 0 \quad \forall \varphi$ et alors u_m sera en général le point cherché. Retenons donc que w_m sera tel que

$$J'(u_m, w_m) > 0 ,$$

c'est-à-dire que pour ρ « assez petit » positif $J(u_m - \rho w_m) < J(u_m)$: *la direction* $-w_m$ *est une direction de descente* ».

La relation (2.2) entraîne, en général :

$$\lim \rho_m J'(u_m, w_m) = 0 . \tag{2.3}$$

Par un choix judicieux de ρ_m cela entraînera

$$\lim J'(u_m, w_m) = 0 . \tag{2.4}$$

En général w_m sera choisi de façon que (2.4) entraîne :

$$\lim J'(u_m, v_m) = 0 \quad \forall v_m , \quad \|v_m\| \leqslant c < +\infty . \tag{2.5}$$

Comme u_m sera borné, on pourra extraire une sous-suite faiblement convergente vers $\bar{u}$ et sous certaines hypothèses (2.5) entraînera :

$$J'(\bar{u}, \varphi) = 0 \quad \forall \varphi \in V . \tag{2.6}$$

Il viendra, sous des hypothèses convenables :

$$J(\bar{u}) \leqslant J(v) \quad \forall v \in V . \tag{2.7}$$

Ainsi, pour obtenir un théorème de convergence il y a quatre étapes :

Première étape. Choix d'une direction w_m, $\|w_m\| = 1$, telle que:

$$\begin{cases} J'(u_m, w_m) > 0, \\ \lim J'(u_m, w_m) = 0 \Rightarrow \lim J'(u_m, v_m) = 0 \quad \forall v_m \in V, \ \|v_m\| = 1. \end{cases} \tag{2.8}$$

DÉFINITION 2.1

Lorsque (2.8) aura lieu nous dirons que le choix de w est convergent.

Deuxième étape. Choix de ρ_m [ou choix du point u_{m+1} sur la droite $u_m - \rho w_m$] tel que

$$\begin{cases} \rho_m > 0, \quad J(u_m) - J(u_{m+1}) > 0, \\ \lim J(u_m) - J(u_{m+1}) = 0 \Rightarrow \lim J'(u_m, w_m) = 0 . \end{cases} \tag{2.9}$$

DÉFINITION 2.2. Lorsque (2.9) aura lieu, nous dirons que le choix de ρ est convergent.

Après des choix convergents de w et de ρ, nous aurons (2.5).

Troisième étape. Il s'agit de savoir si J est assez régulière pour pouvoir passer de (2.5) à (2.6).

Quatrième étape. Même chose au sujet du passage de (2.6) à (2.7).

3. CHOIX CONVERGENTS DE LA DIRECTION w

Rappelons ceci : étant donné u_m, *il s'agit de choisir* w_m *tel que :* $J'(u_m, w_m) > 0$ *et que*

$$\lim J'(u_m, w_m) = 0 \Rightarrow \lim J'(u_m, v_m) = 0 \quad \forall v_m, \quad \|v_m\| = 1 .$$

Lorsqu'il n'y aura pas d'ambiguité nous supprimerons l'indice m.

Nous allons donner plusieurs algorithmes, désignés par wALG1, wALG2, ...

wALG1 : *La méthode du gradient.*

On suppose que $\varphi \to J'(u, \varphi)$ est linéaire et continue; par suite il existe un élément noté grad $J(u)$ ou $J'(u)$ ou $G(u)$, tel que :

$$J'(u, \varphi) = \langle G(u), \varphi \rangle \quad \forall \varphi \in V, \tag{3.1}$$

où $\langle .,. \rangle$ désigne la dualité entre V et V'. On suppose que V est reflexif; alors, d'après le théorème de Hahn-Banach, nous savons qu'il existe $w \in V'' \equiv V$, $\|w\| = 1$ tel que :

$$\|G(u)\|_{V'} = \langle G(u), w \rangle; \tag{3.2}$$

ce qui signifie que :

$$\langle G(u), w \rangle \geqslant |\langle G(u), \varphi \rangle| \quad \forall \varphi \in V, \quad \|\varphi\| = 1 \tag{3.2)'}$$

ou

$$J'(u, w) \geqslant |J'(u, \varphi)| \quad \forall \varphi \in V, \quad \|\varphi\| = 1 . \tag{3.2)''}$$

Dans la méthode du gradient, on choisit w vérifiant (3.2). Grâce à (3.2)″ le choix de w est convergent.

Remarque 3.1. Si V est un espace de Hilbert, on peut alors identifier grad $J(u)$ avec un élément de V :

$$J'(u, \varphi) = (\text{grad } J(u), \varphi)_V = (G(u), \varphi)_V \quad \forall \varphi \in V$$

et dans ce cas

$$w = \frac{G(u)}{\|G(u)\|} . \tag{3.3}$$

Ainsi la direction de descente est la direction opposée au gradient.

Remarque 3.2. Si V est un espace de Banach, le choix précédent est plus théorique que pratique, car en effet la recherche de w est alors un problème non linéaire.

Remarque 3.3. On a, dans le cas où J est assez régulière :

$$J(u-\rho w) = J(u) - \rho J'(u, w) + \tfrac{1}{2}\rho^2 J''(u, w, w) + \dots .$$

En choisissant w vérifiant (3.2)'', on a choisi la direction selon laquelle la variation première est maximum, pour ρ infiniment petit. Il s'agit donc du meilleur choix local, ou de la meilleure politique à courte vue. En général ce choix est assez mauvais surtout près du minimum; cependant ce choix à l'avantage d'être simple.

wALG2. Nous donnons ici l'idée générale du gradient conjugué. Nous verrons, plus loin avec plus de détails l'utilisation la plus intéressante de cette méthode. On suppose construit : $u_m = u_{m-1} + \rho_{m-1} w_{m-1}$; on suppose que J est assez régulière pour que :

$$J(u+\varphi) = J(u) + \langle G(u), \varphi \rangle + \tfrac{1}{2}\langle H(u)\varphi, \varphi \rangle + \dots .$$

On définit $w_{m-1/2}$, $\|w_{m-1/2}\| = 1$ comme dans la méthode du gradient et on choisit w_m de la forme :

$$w_m = w_{m-1/2} + \lambda . w_{m-1} .$$

λ sera choisi tel que :

$$\langle H(u_m) w_m, w_{m-1} \rangle = 0 .$$

Cela signifie que deux directions consécutives sont conjuguées par rapport à la « quadrique » :

$$\langle H(u_m)\varphi, \varphi \rangle = 1 .$$

wALG3 : *La méthode de l'opérateur auxiliaire.*

À chaque itération on introduit *un opérateur B_m qui peut dépendre de l'indice de l'itération*; nous supposerons que *cet opérateur a un inverse* et nous supposerons une certaine *uniforme* régularité des opérateurs B_m.

$$\left\{ \begin{array}{l} \|B_m\| \leqslant d = \text{constante fixe} \quad \forall m, \\ \langle B_m \varphi, \varphi \rangle \geqslant \alpha \|\varphi\|^2 \quad \forall \varphi \in V; \alpha > 0 \end{array} \right. \tag{3.4}$$

On suppose que :

$$J'(u_m, \varphi) = \langle G(u_m), \varphi \rangle \quad \forall \varphi \in V .$$

Soit u_m (le $m^{\text{ième}}$ itéré) construit; on introduit z_m par :

$$\langle B_m z_m, \varphi \rangle = \langle G(u_m), \varphi \rangle \quad \forall \varphi \in V , \tag{3.5}$$

ou encore :

$$(3.5)' \qquad \begin{cases} B_m z_m = G(u_m), \\ z_m = B_m^{-1} G(u_m). \end{cases}$$

On pose :

$$(3.6) \qquad w_m = \frac{z_m}{\|z_m\|}.$$

Montrons que *ce choix w_m est convergent.*

D'après (3.5), on a :

$$J'(u_m, w_m) = \langle B_m z_m, w_m \rangle = \left\langle B_m z_m, \frac{z_m}{\|z_m\|} \right\rangle$$

et, en tenant compte de (3.4), il vient :

$$J'(u_m, w_m) \leqslant \alpha \|z_m\| .$$

Si $\lim J'(u_m, w_m) = 0$, alors l'inégalité précédente entraîne

$$(3.7) \qquad \lim \|z_m\| = 0 .$$

Dans (3.5), on a :

$$|J'(u_m, v_m)| = \langle B_m z_m, v_m \rangle ,$$

ce qui, avec (3.4), entraîne :

$$J'(u_m, v_m) \leq d . \|z_m\| . \|v_m\| ;$$

d'où, avec (3.7) :

$\lim J'(u_m, v_m) = 0 \quad \forall v_m, \|v_m\| = 1 .$

Remarque 3.4. Plaçons-nous dans le cas où V est un espace de Hilbert. On identifie alors $G(u_m)$ avec un élément de V. Soit w_m vérifiant :

$$(3.8) \qquad \begin{cases} \|w_m\| = 1, \\ \left(\dfrac{G(u_m)}{\|G(u_m)\|}, w_m \right) \geqslant \alpha > 0 \quad \forall m. \end{cases}$$

On a supposé que $G(u_m) \neq 0$, sinon les étapes des choix de ρ et de w sont terminées. Nous pouvons, bien entendu, supposer que

$$\|G(u_m)\| \leqslant c < +\infty \quad \forall m .$$

Alors il est toujours possible de définir les éléments B_m, z_m de wALG3 de façon que w_m soit confondue avec la direction donnée par wALG3: en d'autres termes *tout choix de w_m vérifiant* (3.8) *est convergent*. Définissons z_m : on prend

$$z_m = w_m . \|G(u_m)\| .$$

On désigne par P_m le sous-espace de V engendré par les éléments de la forme $\mu G(u_m) + \lambda z_m$ et par Q_m le complément orthogonal de P_m dans V. On peut identifier P_m et $\mathbf{R}^2$ et les éléments $G(u_m)$ et z_m à deux vecteurs de $\mathbf{R}^2$; si θ_m est l'angle de ces deux vecteurs, d'après (3.8), on aura $\cos \theta_m \geqslant \alpha > 0 \quad \forall m$. On désigne par R_m la rotation qui transforme z_m en $G(u_m)$ (à une identification pris). On a :

$$R_m z_m = G(u_m) ,$$
$$\|z_m\| = \|G(u_m)\| ,$$
$$(R_m p, p) = \|p\|^2 \cdot \left(\frac{R_m z_m}{\|R_m z_m\|}, \frac{z_m}{\|z_m\|}\right) = \|p\|^2 \left(\frac{G(u_m)}{\|G(u_m)\|}, \frac{z_m}{\|z_m\|}\right),$$

c'est-à-dire

$$(R_m p, p) \geqslant \alpha \|p\|^2 \quad \forall p \in P_m .$$

Soit v quelconque dans V: on décompose v en

$$v = p_m + q_m , \quad p_m \in P_m, \quad q_m \in Q_m ,$$

et on définit B_m par

$$B_m = R_m p_m + q_m .$$

On a :

$$\begin{aligned}(B_m v, v) &= (R_m p_m + q_m, p_m + q_m) \\ &= (R_m p_m, p_m) + (q_m, q_m) \\ &\geqslant \alpha \|p_m\|^2 + \|q_m\|^2 ;\end{aligned}$$

d'où

$$\begin{cases}(B_m v, v) \geqslant \beta \|v\|^2 \\ \beta = \min\{\alpha, 1\} .\end{cases}$$

D'autre part

$$\|B_m v\|^2 = \|R_m p_m + q_m\|^2 = \|R_m p_m\|^2 + \|q_m\|^2 = \|p_m\|^2 + \|q_m\|^2 = \|v\|^2 ,$$

d'où

$$\|B_m\| = 1 .$$

Enfin, on a :

$$B_m z_m = R_m z_m = G(u_m) .$$

On a donc vérifié (3.4) et (3.5)'; le choix de w indiqué par (3.6) est donc convergent; il s'agit précisément du w_m donné vérifiant (3.8). ▮

En conclusion, on peut dire que toute direction non « presque orthogonale » au gradient (voir (3.8)) constitue un choix convergent.

Remarque 3.4'. Soit w_m vérifiant (3.8); montrons *directement* que ce choix est convergent. On a :

$$(G(u_m), w_m) \geqslant \alpha \|G(u_m)\|$$

et donc

$$\lim_{m\to\infty} J'(u_m, w_m) = 0 \Rightarrow \lim_{m\to\infty} \|G(u_m)\| = 0$$

et par suite

$$\lim_{m\to\infty} J'(u_m, v_m) = 0 \quad \forall v_m, \|v_m\| = 1 .$$

Remarque 3.5. Dans le cas où $V = \mathbf{R}^n$, B_m est alors une matrice définie positive. *Dans le cas ou, de plus, B_m est symétrique*, nous allons montrer que l'introduction de B_m consiste :

1) à faire un changement de variables,
2) à choisir comme direction le gradient (par rapport aux nouvelles variables),
3) à revenir aux anciennes variables.

Supprimons l'indice m pour simplifier. Dans le cas où B est symétrique définie positive, il existe une matrice régulière C telle que :

$$B^{-1} = C.C^* .$$

Effectuons le changement :

$$u = Cv .$$

La fonctionnelle à minimiser devient $J(Cv)$; on vérifierait que :

$$\text{(3.9)} \qquad \begin{cases} \text{grad}_v J(Cv) = C^* \text{grad}_u J(u), \\ u = Cv. \end{cases}$$

Ainsi dans l'espace des v, le gradient de la fonctionnelle est $C^* \text{grad}_u J(u)$. Dans l'espace des u cette direction devient $CC^* \text{grad}_u J(u)$, ou encore B^{-1} grad $J(u)$ ce qui est bien le choix indiqué par (3.5)'; en fait, la méthode précédente est aussi appelé *la méthode de la métrique variable* [ce qui est naturel après l'interprétation précédente].

Un choix judicieux de B permet d'accélerer la convergence. Mais en pratique ce choix est difficile à faire. Donnons un cas extrême pour illustrer cette méthode. Soit à minimiser :

$$J(x_1, x_2) = \frac{x_1^2}{a^2} + \frac{x_2^2}{b^2} .$$

Dans l'espace des x le gradient est :

$$G(x_1, x_2) = \begin{cases} \dfrac{2x_1}{a^2} \\[2ex] \dfrac{2x_2}{b^2} \end{cases} .$$

La droite $\rho \to x^0 - \rho G(x^0)$ ne passe en général pas par l'origine, et donc on ne peut pas atteindre l'origine après une itération. Faisons le changement de variables.

$$x_1 = ay_1,$$
$$x_2 = by_2.$$

On a :

$$J(y_1, y_2) = y_1^2 + y_2^2.$$

En suivant le gradient par rapport aux variables y_i, on arrivera à l'origine en 1 itération.∎

wALG4. Il s'agit d'un cas particulier important de wALG3. On choisit comme direction w celle qui sera utilisée dans la méthode de Newton.

Supposons que $\varphi, \psi \to J''(u, \varphi, \psi)$ soit une forme bilinéaire, continue et coercive dans l'ensemble $\{u \mid u \in V, J(u) \leqslant J(u^0)\}$. Cela signifie qu'on peut écrire :

$$J''(u, \varphi, \psi) = \langle H(u)\varphi, \psi\rangle \quad \forall \varphi, \psi \in V,$$

où $H(u) \in \mathscr{L}(V, V')$, et que de plus :

$$\langle H(u)\varphi, \varphi\rangle \geqslant \alpha \|\varphi\|^2 \quad \forall \varphi \in V.$$

Dans l'algorithme wALG3, nous choisissons:

(3.10) $$B_m = H(u_m).$$

En d'autres termes, z_m est définie par (voir (3.5)).

(3.11) $$J''(u_m, z_m, \varphi) = J'(u_m, \varphi) \quad \forall \varphi \in V$$

et on a :

(3.12) $$w_m = \frac{z_m}{\|z_m\|}.$$

Grâce aux hypothèses faites sur J'', le choix de w_m est convergent.

Remarque 3.6. Si on ne sait pas de façon certaine que $\langle H(u)\varphi, \psi\rangle$ est coercive, il faudra s'assurer que la direction w_m n'est pas « presque » orthogonale au gradient [voir (3.8)].

4. CHOIX CONVERGENTS DE ρ (ou choix du point dans la descente)

Nous serons amenés dans ce numéro à faire successivement les hypothèses suivantes :

(H1) $J'(u, v)$ est uniformément continue par rapport à u, $\forall v \in V$, $\|v\| = 1$;

(H2) $\lim_{\|v\| \to \infty} J(v) = +\infty$;

(H3) J est convexe.

Nous préciserons quelles seront les hypothèses utilisées selon les algorithmes donnés.

Nous traduirons (H1) de la façon suivante : $\forall \varepsilon > 0$, $\exists \delta(\varepsilon) > 0$ tel que

$$\|u-v\| \leqslant \delta(\varepsilon) \Rightarrow |J'(u, \varphi) - J'(v, \varphi)| \leqslant \varepsilon \quad \forall \varphi, \quad \|\varphi\| = 1 . \tag{4.1}$$

DÉFINITION 4.1. Soit $t \in \mathbf{R}_+ \to \gamma(t) \in \mathbf{R}_+$ une fonction donnée; nous dirons que γ *est convergente* lorsque :

$$t_m \to 0 \Leftrightarrow \gamma(t_m) \to 0 \quad (\text{lorsque } m \to +\infty) .$$

Notons que dans (4.1) on peut choisir δ convergente : il suffit de poser

$$\tilde{\delta}(\varepsilon) = \sup \delta, \quad \|u-v\| \leqslant \delta \Rightarrow |J'(u, \varphi) - J'(v, \varphi)| \leqslant \varepsilon \quad \forall \varphi, \ \|\varphi\| = 1$$

et

$$\delta(\varepsilon) = \min \{\tilde{\delta}(\varepsilon), \varepsilon\} .$$

Nous supposerons dans toute la suite que δ *est convergente.*

LEMME 4.1. Si γ est convergente, la fonction $t \to t\gamma(t)$ est convergente.

Démonstration. On a, trivialement, lorsque $m \to \infty$:

$$t_m \to 0 \Rightarrow t_m \cdot \gamma(t_m) \to 0 .$$

En sens contraire : supposons que $t_m \gamma(t_m) \to 0$. Si t_m ne tend pas vers 0 quand $m \to \infty$, alors par extraction d'une sous-suite ou aurait :

$$\begin{cases} t_{m'} \geqslant \alpha > 0 \\ t_{m'} \gamma(t_{m'}) \to 0 , \end{cases}$$

ce qui entraînerait

$$\left.\begin{matrix} t_{m'} \geqslant \alpha > 0 \\ \alpha\gamma(t_{m'}) \to 0 \end{matrix}\right\}$$

et comme γ est convergente il viendrait $t_{m'} \geqslant \alpha > 0$ et $t_{m'} \to 0$! ∎

Notations :

$$\begin{cases} J_\rho = J(u_m - \rho w_m) \\ J'_\rho = J'(u_m - \rho w_m, w_m) \\ \Delta J_\rho = J(u_m) - J(u_m - \rho w_m). \end{cases} \tag{4.2}$$

Nous supposons que

$$J'(u_m, w_m) > 0 \tag{4.3}$$

et nous devrons choisir ρ_m de façon que $J(u_m) - J(u_{m+1}) > 0$ et que

$$\lim J(u_m) - J(u_{m+1}) = 0 \Rightarrow \lim_{m \to \infty} J'(u_m, w_m) = 0 ,$$

où

$$u_{m+1} = u_m - \rho_m w_m$$

En supprimant l'indice m, et avec les notations précédentes, le choix de ρ sera dit convergent lorsque :

$$\begin{cases} J_0' > 0, \ \Delta J_\rho > 0 \\ \lim \Delta J_\rho = 0 \Rightarrow \lim J_0' = 0. \end{cases}$$

THÉORÈME 4.1. Sous l'hypothèse H1 :

i) Tout choîx de ρ tel que

$$\Delta J_\rho \geqslant \gamma(J_0'), \tag{4.4}$$

où γ est une fonction convergente, est convergent.

ii) Soit $\tilde{\rho}$ un choix convergent : tout autre choix ρ tel que

$$\Delta J_\rho \geqslant c_0 . \Delta J_{\tilde{\rho}} \tag{4.5}$$

est convergent. c_0 est une constante fixe, $c_0 > 0$.

iii) Tout choîx de ρ tel que

$$\gamma(J_0') \leqslant \rho \leqslant \delta(cJ_0') \tag{4.6}$$

est convergent; γ étant une fonction convergente; la constante fixe c vérifie $0 < c < 1$.

Démonstration :

i), ii) On a trivialement :

$$\Delta J_\rho \to 0 \Rightarrow \gamma(J_0') \to 0 \Rightarrow (J_0') \to 0,$$

$$\Delta J_\rho \to 0 \Rightarrow \Delta J_{\tilde{\rho}} \to 0 \Rightarrow J_0' \to 0.$$

iii) *Premier point :* Grâce à la formule des accroissements finis, on a :

$$\begin{cases} \Delta J_\rho = J(u) - J(u - \rho w) = \rho J'(u - \bar{\rho} w) = \rho J_{\bar{\rho}}', \\ 0 < \bar{\rho} < \rho, \end{cases} \tag{4.7}$$

et puisque $\|w\| = 1$, $\rho \leqslant \delta(cJ_0')$, on a : $\bar{\rho} \leqslant \delta(cJ_0')$, d'où

$$|J_{\bar{\rho}}' - J_0'| \leqslant cJ_0';$$

d'où il vient, en particulier :

$$J_{\bar{\rho}}' \geqslant (1-c) J_0',$$

c'est-à-dire

$$\Delta J_\rho \geqslant (1-c) \rho J_0'. \tag{4.8}$$

Deuxième point : En utilisant l'inégalité de gauche de (4.6), il vient :

(4.9) $$\Delta J_\rho \geqslant (1-c) J'_0 \, . \, \gamma(J'_0) \, ;$$

mais γ étant convergente, $t \to t\gamma(t)$ est convergente et par suite, d'après le point i), le choix de ρ est convergent. ▮

Notons que dans (4.6), on suppose que $\gamma(t) \leqslant \delta(ct) \quad \forall t$; on pourrait d'ailleurs choisir $\gamma(t) = c_1 \delta(ct)$, avec $c < c_1 \leqslant 1$:

(4.5)′ $$c_1 \, . \, \delta(cJ'_0) \leqslant \rho \leqslant \delta(cJ'_0) \, .$$

Remarque 4.1. En général la fonction $t \to \delta(t)$ n'est pas connue explicitement; par suite, à première vue, il semble que le théorème précédent soit de peu d'utilité pratique. En fait, *on va donner des procédés qui permettent de trouver des choix de ρ vérifiant* (4.6) *sans connaître explicitement δ.*

Utilisation pratique du théorème

Nous allons donner plusieurs algorithmes qui seront notés ρALG1, ...
Nous ferons toujours les hypothèses (H1) et (H2).

ρALG1 : Soit $\hat{\rho}$ tel que

(4.10) $$\begin{cases} \hat{\rho} > 0 \\ J'_{\hat{\rho}} = 0 \\ J(u - \hat{\rho} w) \leqslant J(u - \rho w) \quad \forall \rho \in [0, \hat{\rho}]. \end{cases}$$

Nous allons montrer qu'un tel choix est convergent. Remarquons tout de suite que ce choix contient en particulier *le premier minimum relatif*, *la première inflexion horizontale* (si elle est placée avant le premier minimum relatif) et enfin *le minimum absolu :*

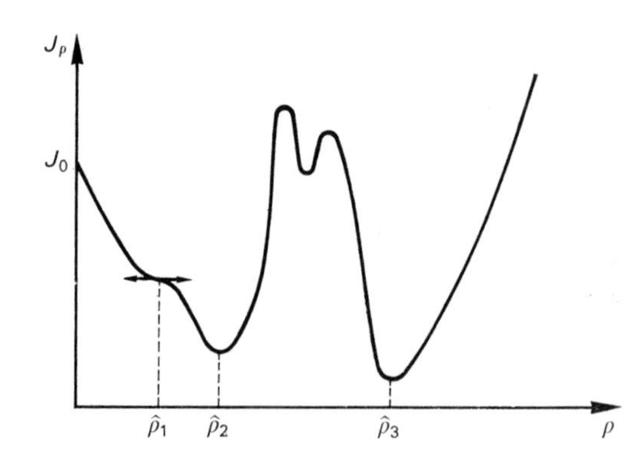

on peut choisir l'un quelconque des trois points $\hat{\rho}_1$, $\hat{\rho}_2$, $\hat{\rho}_3$.

Montrons que :

$$\hat{\rho} > \delta(cJ'_0) \quad \forall c \in]0,1[. \tag{4.11}$$

En effet, dans le cas contraire, on aurait

$$|J'_{\hat{\rho}} - J'_0| \leqslant cJ'_0 ,$$

ou encore

$$|J'_0| \leqslant cJ'_0$$

ou finalement

$$1 \leqslant c !$$

Grâce à $(4.10)_3$, il vient :

$$\Delta J_\rho \leqslant \Delta J_{\hat{\rho}} \quad \forall \rho \in [0, \hat{\rho}] .$$

En particulier, on peut choisir $\rho = \tilde{\rho} = \delta(cJ'_0) \in [0, \hat{\rho}]$ et on a donc :

$$\Delta J_0 \leqslant \Delta J_{\hat{\rho}} .$$

D'après le théorème 4.1, point iii), le choix $\tilde{\rho}$ est convergent; d'après le point ii) le choix $\hat{\rho}$ est convergent.

ρALG2 : On connait une fonction δ de façon explicite.

Nous supposons que J vérifie une *condition de Lipschitz*

$$\begin{cases} |J'(u, \varphi) - J'(v, \varphi)| \leqslant M \|u - v\| , \\ \forall \varphi \in V, \ \|\varphi\| = 1 . \end{cases} \tag{4.12}$$

Dans ce cas on a :

$$\|u - v\| \leqslant \frac{\varepsilon}{M} \Rightarrow |J'(u, \varphi) - J'(v, \varphi)| \leqslant \varepsilon \quad \forall \varphi, \ \|\varphi\| = 1 .$$

On peut donc choisir

$$\delta(t) = \frac{t}{M} \tag{4.13}$$

et, d'après le théorème 4.1, point i), tout choix de ρ vérifiant

$$\begin{cases} c_3 \dfrac{c_1}{M} J'_0 \leqslant \rho \leqslant \dfrac{c_1}{M} J'_0 \\ \\ 0 < c_1, c_3 < 1 \end{cases} \tag{4.14}$$

est convergent.

ρALG3 : Il s'agit d'un raffinement de l'algorithme précédent. Nous supposons qu'il existe une constante $M > 0$ telle que

$$\text{(4.15)} \qquad \begin{cases} J(u-\rho w) \leqslant J(u) - \rho J'(u, w) + \frac{1}{2}\rho^2 M \|w\|^2 \\ \forall u,\ w \in V,\ \rho \in \mathbf{R} \end{cases}$$

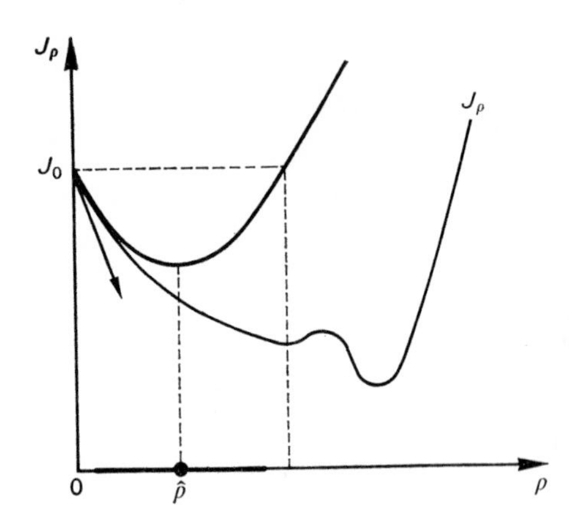

Remarquons que cela a lieu si, par exemple,

$$\text{(4.16)} \qquad |J''(u, \varphi, \varphi)| \leqslant M \|\varphi\|^2 \quad \forall u, \quad \varphi \in \forall\ .$$

On a, puisque $\|w\| = 1$:

$$\Delta J_\rho \leqslant \rho J'_0 - \tfrac{1}{2}\rho^2 M\ .$$

Premier choix: On prend $\rho = \hat{\rho} = \dfrac{J'_0}{M}$; c'est la valeur pour laquelle le trinôme $\rho \to J(u) - \rho J'(u, w) + \frac{1}{2}\rho^2 M$ est minimum. On a alors

$$\Delta J_{\hat{\rho}} \geqslant \hat{\rho} J'_0 - \frac{M}{2}\hat{\rho}^2 = \frac{1}{2}\left(\frac{J'_0}{M}\right)^2,$$

ce qui prouve que le choix $\hat{\rho}$ est convergent.

Deuxième choix : Soit $c \in]0, 1[$ et soit ρ vérifiant

$$\text{(4.17)} \qquad c \leqslant \frac{\rho}{\hat{\rho}} \leqslant 2 - c\ .$$

Il viendrait facilement

$$\Delta J_\rho \geqslant \frac{c}{2}\left(\frac{J'_0}{M}\right)^2,$$

donc tout choix ρ vérifiant (4.17) et convergent. ▮

L'algorithme précédent peut être généralisé au cas où :

$$J(u-\rho w) \leqslant J(u) - \rho J'(u, w) + \tfrac{1}{2}\rho^2 T(u, w, \rho),$$

la fonctionnelle T étant suffisamment régulière.

ρALG4 : Il s'agit d'une (petite) modification d'un algorithme proposé par Goldstein [3].

On donne un nombre fixe c tel que $0 < c < 1$. Soit $h \in \mathbb{R}$ tel que

$$\left\{\begin{aligned} & h > 0 \\ & \frac{\Delta J_h}{h} \geqslant (1-c) J'_0 \\ & \frac{\Delta J_{2h}}{2h} < (1-c) J'_0 . \end{aligned}\right. \tag{4.18}$$

Nous allons montrer que *le choix $\rho = h$ est convergent*. Montrons que

$$2h > \delta(cJ'_0) \tag{4.19}$$

sinon

$$2h \leqslant \delta(cJ'_0) \Rightarrow \Delta J_{2h} \geqslant (1-c) 2h \,.\, J'_0 \quad \text{(voir (4.8))},$$

c'est-à-dire

$$\frac{\Delta J_{2h}}{2h} \geqslant (1-c) J'_0,$$

ce qui contredit $(4.18)_3$.

Alors, avec $(4.18)_2$ et (4.19), il vient

$$\Delta J_h \geqslant \frac{1-c}{2} \,.\, J'_0 \,\delta(cJ'_0)$$

et le choix h est convergent d'après le théorème 4.1, point i. ▮

Remarquons ceci : si on a

$$\left\{\begin{aligned} & h > 0 \\ & \frac{\Delta J_h}{h} \geqslant (1-c) J'_0 \\ & h \geqslant \gamma(J'_0) \quad [\gamma \text{ est une fonction convergente}] \end{aligned}\right. \tag{4.20}$$

alors le choix h est convergent car on a :

$$\Delta J_h \geqslant (1-c) J'_0 \,.\, \gamma(J'_0)$$

(Théorème 4.1 point i). ▌

Comment utiliser ces résultats? Nous allons montrer que nous pouvons utiliser l'algorithme suivant, où *le nombre* τ *est donné,* $\tau > 0$; τ *peut varier d'une itération a une autre :*

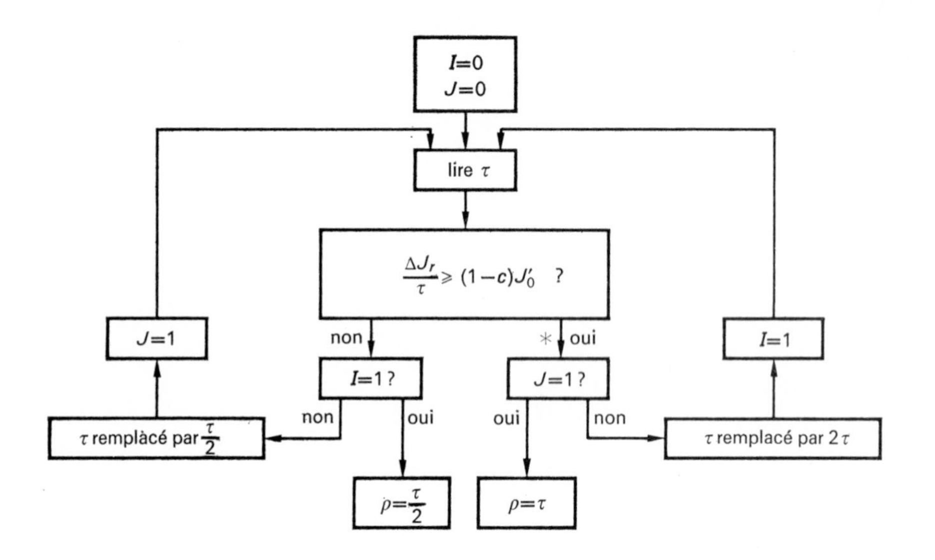

Après un nombre *fini* d'itérations, l'algorithme nous place dans la situation (4.18). En effet, si au départ $\dfrac{\Delta J_\tau}{\tau} \geqslant (1-c)J'_0$, l'algorithme introduit les nombres $\tau_j = 2^j \tau$, $j = 1, 2, \ldots$ et on a $\lim\limits_{j\to\infty} \tau_j = +\infty$; par suite $\lim\limits_{j\to\infty} J(u-\tau_j w) = +\infty$ et donc, pour une certaine valeur de j, on a :

$$\frac{\Delta J_{\tau_j}}{\tau_j} \leqslant 0, \text{ donc } \frac{\Delta J_{\tau_j}}{\tau_j} < (1-c)J'_0\,;$$

si k est la première valeur pour laquelle

$$\frac{\Delta J_{\tau_k}}{\tau_k} < (1-c)J'_0$$

l'algorithme choisit $\rho=\tau_k/2$. Si au départ on a

$$\frac{\Delta J_\tau}{\tau} < (1-c)J'_0 ,$$

l'algorithme introduit les nombres $\tau_j = \frac{1}{2^j}\tau$, $j=1, 2, \ldots$ et on a $\lim\limits_{j\to\infty} \tau_j = 0$, par suite

$$\lim_{j\to\infty} \frac{\Delta J_{\tau_j}}{\tau_j} = J'_0 ,$$

donc pour j « assez grand » on a

$$\frac{\Delta J_{\tau_j}}{\tau_j} \geqslant (1-c)J'_0 ;$$

soit k la première valeur de j pour laquelle $\Delta J_k/\tau_k \geqslant (1-c)J'_0$; l'algorithme choisit $\rho=\tau_k$. Dans les deux cas, on est dans la situation (4.18).

On peut modifier cet algorithme afin d'utiliser une éventuelle situation (4.20) : pour cela, dans la partie marquée du signe * on intercale la modification suivante

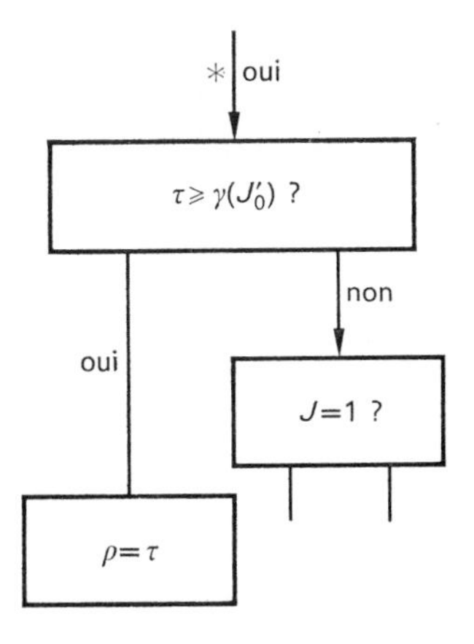

Goldstein a proposé l'algorithme avec la variante précédente et en posant au départ $\tau = J'_0$; de plus il prend $\gamma(t) = t$.

Remarque 4.2. Les algorithmes ρALG1 sont plus théoriques que pratiques car la recherche du $\hat{\rho}$ indiqué ne sera pas aisée en pratique. Nous allons donner maintenant quelques situations qui nous permettrons de remplacer le choix $\hat{\rho}$ donné par ρALG1 par un choix ρ aisément calculable.

Pour cela nous serons amenés à faire une hypothèse de convexité.

Notons que dans les algorithmes ρALG2, ρALG3, ρALG4 il est nécessaire de calculer des dérivées $J_0'(u, w)$, ... ▮

Examinons tout d'abord quelques situations assez générales. Nous supposerons que J *est convexe* (c'est-à-dire que nous supposons que (H3) a lieu).

Situation 4.1. On connaît $h > 0$ tel que

$$\begin{cases} J_h \leqslant J_0 , \\ J_h \leqslant J_{2h} \leqslant J_0 . \end{cases} \tag{4.21}$$

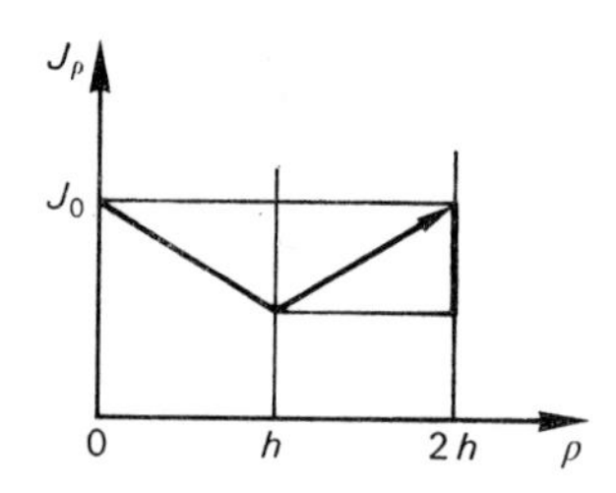

Dans ce cas, on posera $\rho = h$ et nous allons montrer que ce choix est convergent. Soit $\hat{\rho} > 0$ tel que :

$$J(u - \hat{\rho}w) \leqslant J(u - \rho w) \quad \forall \rho \geqslant 0 .$$

D'après (4.21) on a les deux possibilités :

$$(4.22)_1 \qquad 0 \leqslant \hat{\rho} \leqslant h ,$$

$$(4.22)_2 \qquad h \leqslant \hat{\rho} \leqslant 2h .$$

Considérons le cas $(4.22)_2$; la fonction $\rho \to J(u - \rho w)$ étant convexe pour $\rho \notin]h, 2h[$ la courbe $\rho \to J(u - \rho w)$ est au-dessus de la droite

$$\rho \to J(u) - \rho \frac{\Delta J}{h},$$

d'où

$$J(u - \rho w) \geqslant J(u) - \rho \frac{\Delta J_h}{h} \quad \forall \rho \in [h, 2h] ,$$

$$\frac{\rho \Delta J_h}{h} \geqslant \Delta J_\rho \quad \forall \rho \in [h, 2h] ,$$

$2\Delta J_h \geqslant \Delta J_\rho \quad \forall \rho \in]h, 2h[$.

En particulier pour $\rho = \hat{\rho}$, il vient :

$$\Delta J_h \geqslant \tfrac{1}{2} \Delta J_{\hat{\rho}} .$$

Le choix $\rho = \hat{\rho}$ étant convergent, le choix $\rho = h$ est convergent.

On utiliserait un raisonnement analogue dans le cas $(4.22)_1$.

Situation 4.2. On connaît $h > 0$ et $k \geqslant 2$, $k =$ entier, tel que :

$$\begin{cases} J_0 > J_h > J_{2h} > \dots > J_{kh} \\ J_{(k+1)h} \geqslant J_{kh} \end{cases} \tag{4.23}$$

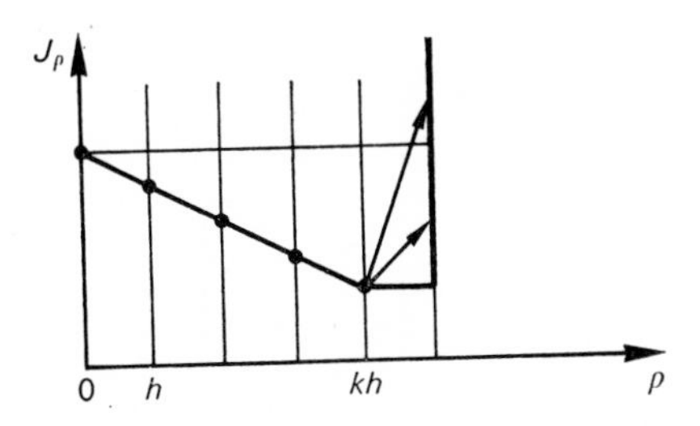

Nous allons montrer que les choix : $\rho = kh$ et $\rho = (k-1)h$ *sont convergents*; en effet $\hat{\rho}$ étant défini comme précédemment, on a :

$$(k-1)h \leqslant \hat{\rho} \leqslant (k+1)h\,;$$

mais d'après (4.11), on a :

$$\delta(cJ'_0) < \hat{\rho} \quad \forall c \in]0, 1[\,,$$

d'où

$$\delta(cJ'_0) < (k+1)h\,,$$

$$\frac{k-1}{k+1}\,\delta(cJ'_0) < (k-1)h\,,$$

et puisque $k \geqslant 2$:

$$\tfrac{1}{3}\delta(cJ'_0) < (k-1)h\,.$$

Posons

$$\tilde{\rho} = \tfrac{1}{3}\delta(cJ'_0)\,.$$

Puisque

$$\tilde{\rho} \leqslant (k-1)h \leqslant \hat{\rho}\,,$$

on a :

$$J\tilde{\rho} \geqslant J_{(k-1)h} \geqslant J\hat{\rho}$$

et

$$\Delta J\tilde{\rho} \leqslant \Delta J_{(k-1)h}\,.$$

Le choix $\rho = \tilde{\rho}$ étant convergent, le choix $\rho = (k-1)h$ est convergent.

De plus, grâce à (4.23), on a :

$$\Delta J_{(k-1)h} \leqslant \Delta J_{kh} ;$$

donc, le choix $\rho = kh$ est convergent.

Situation 4.3. Il existe h tel que :

$$\begin{cases} J_h \leqslant J_{h/2} \leqslant J_0 \\ J_{2h} \geqslant J_h . \end{cases} \tag{4.24}$$

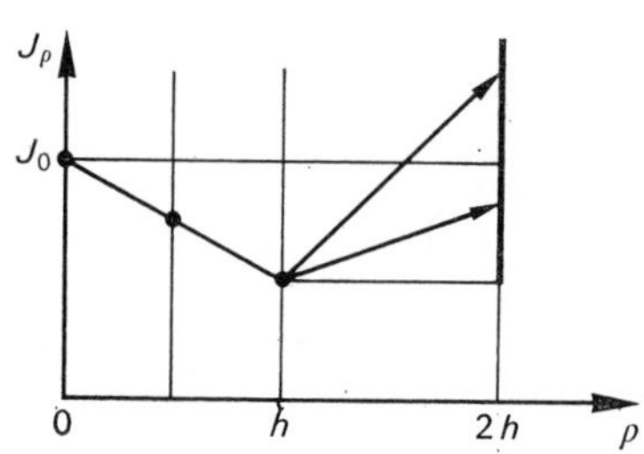

Organigramme associé à ρALG5

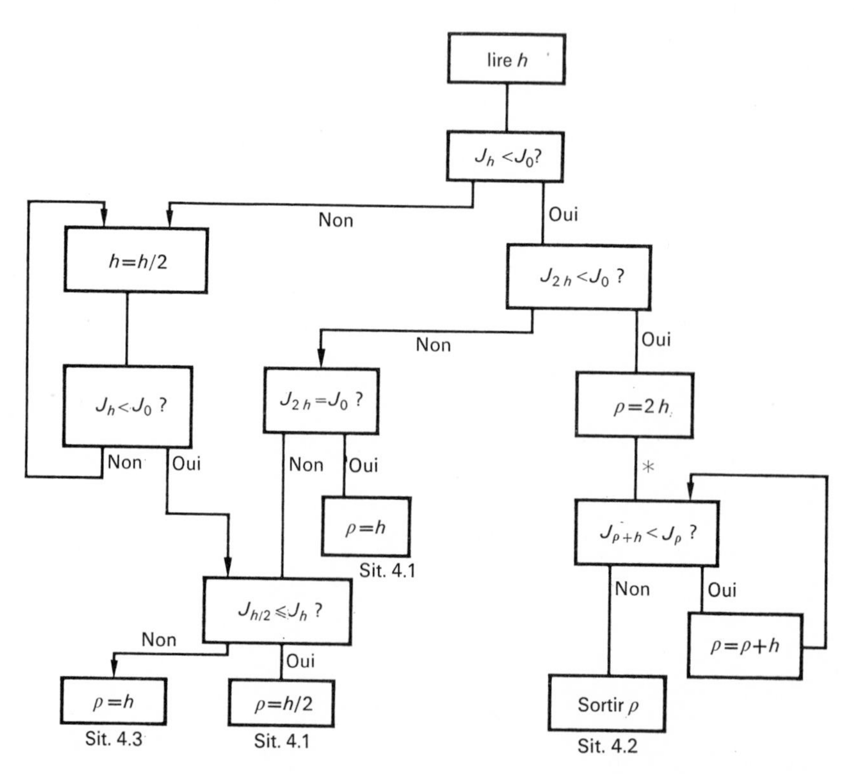

Nous allons montrer que le choix $\rho = h$ est convergent.

En effet si :

$$J_{3h/2} \leqslant J_h$$

on peut utiliser le raisonnement de la situation 4.2 avec un pas $h/2$ et $k = 3$; le choix $\rho > (k-1)h/2 = h$ est alors convergent si

$$J_{3h/2} > J_h .$$

On peut utiliser le raisonnement de la situation 4.2 avec un pas $h/2$ et $k = 2$; le choix $\rho = kh/2 = h$ est alors convergent.

ρALG5

La philosophie de cet algorithme est la suivante : on essaie $\rho = h$; si $J(u - \rho w)$ décroît on ajoute h à ρ et ainsi de suite. Dans le cas où $J(u - hw) \geqslant J(u)$, on divise le pas par deux et ainsi de suite.

ρALG6 : Il se peut que la recherche de ρ soit très coûteuse dans ρALG5 si $J_0 > J_h > \ldots > J_{kh}$ avec k assez grand. Il est peut être préférable de calculer $J_0, J_h, J_{2h}, J_{4h}, J_{8h}, \ldots$

Dans l'algorithme ρALG5 il suffit de changer la partie qui se trouve après le signe * par :

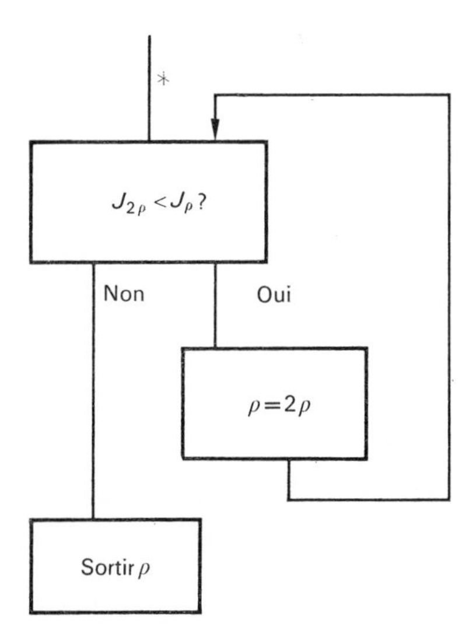

ρALG7 : Si le choix de $\tilde{\rho}$ est convergent, on peut essayer $\rho = \frac{1}{2^i}\tilde{\rho}$, $i \in [-N, +N]$, fixé a l'avance; si

$$J\left(u - \frac{1}{2^l}\tilde{\rho}\right) \leqslant J\left(u - \frac{1}{2^i}\tilde{\rho}\right) \quad \forall i$$

On choisira $\rho = \frac{1}{2^l}\tilde{\rho}$.

On peut trouver d'autres petites modifications d'un algorithme convergent qui donnent encore un algorithme convergent.

Remarque 4.3. Dans les situations précédentes, on connait un intervalle (a, b), tel que le « meilleur » ρ, $\rho = \hat{\rho}$ se trouve dans (a, b). Nous verrons plus loin comment réduire l'intervalle (a, b).

Remarque 4.4. Nous avons supposé $\|w\| = 1$; en fait une modification mineure de ces algorithmes permet leur utilisation dans le cas $\|w\| \neq 1$.

Remarque 4.5. Il est clair que la contrainte $\rho_m = \|u_{m+1} - u_m\| \leqslant r$, où r est un nombre fixé à l'avance $r > 0$, ne change rien à la convergence des algorithmes. Cela ne peut que faciliter la construction de u_{m+1}, et cette contrainte ne joue un rôle que lorsque u_m est « loin » du minimum; cependant, il semble qu'au point de vue pratique cette contrainte puisse accélérer la convergence dans certains cas.

Remarque 4.6. En fait les hypothèses sur J ne sont utilisées que dans l'ensemble :

$$\{v \mid v \in V,\ J(v) \leqslant J(u_0)\}\ .$$

5. CONVERGENCE

Soit à minimiser $J(v)$, $v \in V$; on donne $u_0 \in V$ et on construit une suite u_m, le passage de u_m à u_{m+1}, se fait de la manière suivante :

On choisit w_m à l'aide d'un algorithme wALGi, $i = 1, 2, \ldots$, puis on choisit ρ_m à l'aide d'un algorithme ρALGj, $j = 1, 2, \ldots$ Ce choix dépendra évidemment des propriétés de J.

THÉORÈME 5.1. Nous supposons que J vérifie les hypothèses des algorithmes ρALGj et wALGi. De plus :

i) Si J est bornée inférieurement, si $u \to J'(u, \varphi)$ est faiblement continue pour tout $\varphi \in V$ alors tout point u adhérent faible de la suite u_m vérifie:

$$J'(u, \varphi) = 0 \quad \forall \varphi \in V\ . \tag{5.1}$$

ii) Si J est bornée inférieurement, si $\lim_{\|v\| \to \infty} J(v) = +\infty$, si J est convexe et admet un gradient, si V est réflexif alors J est minimum en tout point adhérent faible de la suite u_m et il existe au moins un tel point.

iii) Si de plus J est strictement convexe alors il existe un seul point u en lequel J

est minimum et de plus :

(5.2) $$\lim_{m \to \infty} u_m = u \quad \text{dans } V \text{ faible}.$$

Démonstration :

i) Si $J(u)$ est bornée inférieurement, comme $J(u_m)$ est décroissante, il vient :

$$\lim_{m \to \infty} J(u_m) - J(u_{m+1}) = 0$$

et par suite les algorithmes wALGi et ρALGj conduisent à :

(5.3) $$\lim J'(u_m, v_m) = 0 \quad \forall v_m, \quad \|v\|_m = 1,$$

d'où

$$\lim J'(u_m, \varphi) = 0 \quad \forall \varphi \in V$$

et d'où (5.1) par passage à la limite.

ii) D'après le théorème 1.1, chap. 2, les hypothèses du point ii) entraînent ceci : J est faiblement semi-continue inférieurement; par suite, d'après la convexité et la différentiabilité :

$$J(v) \geqslant J(u_m) + J'(u_m, v - u_m),$$

(5.4) $$J(v) \geqslant J(u_m) + \|v - u_m\| \,.\, J'\left(u_m, \frac{v - u_m}{\|v - u_m\|}\right).$$

Mais u_m est borné [puisque $\lim_{\|v\| \to \infty} J(v) = +\infty$], donc (5.3) entraîne :

(5.5) $$\lim_{m \to \infty} \|v - u_m\| \,.\, J'\left(u_m, \frac{v - u_m}{\|v - u_m\|}\right) = 0.$$

Soit u un point adhérent faible, $u_{m'} \to u$ quand $m' \to \infty$.
Avec (5.4), (5.5), et la semi-continuité inférieure faible de J, il vient :

$$J(v) \geqslant \lim_{m' \to +\infty} J(u_{m'}) \geqslant J(u) \quad \forall v \in V.$$

Notons que V étant réflexif et u_m étant borné, il existe au moins un point adhérent faible.

iii) D'après le théorème 1.3, point jjj, chap. 3, il existe au plus un point u tel que $J(u) \leqslant J(v) \quad \forall v$.

6. LA MÉTHODE DE NEWTON

Nous allons exposer cette méthode dans le cadre d'un espace de Hilbert (l'extension au cas d'un espace de Banach réflexif est immédiate). Soit V un espace de Hilbert et soit $J: V \to \mathbf{R}$ une fonctionnelle, admettant un gradient G et un Hessien H. On donne $u_0 \in V$ et on pose

$$\mathscr{U}_0 = \{v \mid v \in V,\ J(v) \leqslant J(u_0)\}.$$

On suppose que

$$(H(v)\varphi, \varphi) \geqslant \alpha \|\varphi\|^2 \quad \forall \varphi \in V, \quad \forall v \in \mathscr{U}_0, \quad \alpha > 0 \tag{6.1}$$

et que

$$\|H(v)\| \leqslant M \quad \forall v \in \mathscr{U}_0. \tag{6.2}$$

Problème. On cherche $\bar{u} \in V$ tel que

$$J(\bar{u}) \leqslant J(v) \quad \forall v \in V. \tag{6.3}$$

Il est clair que cela équivaut à :

$$\begin{cases} \hat{u} \in \mathscr{U}_0 \\ J(\bar{u}) \leqslant J(v) \quad \forall v \in \mathscr{U}_0. \end{cases} \tag{6.3)'$$

Nous savons que, sous les hypothèses (6.1) et (6.2), *le problème* (6.3) *a une solution unique* $\bar{u}$, qui est aussi *la* solution de

$$G(\bar{u}) = 0. \tag{6.3)''$$

On se propose d'approcher $\bar{u}$. Pour cela supposons construit le $m^{\text{ième}}$ itéré u_m. On a, avec la formule des accroissements finis :

$$\begin{cases} (G(\bar{u}), \varphi) = (G(u_m), \varphi) + (\overline{H}_m . (\bar{u} - u_m), \varphi) \\ \overline{H}_m = H(u_m + \theta(\bar{u} - u_m)), \quad \theta \in]0, 1[\end{cases}$$

Supposons que u_m soit assez voisin de $\bar{u}$; alors, avec (6.3)'', il vient

$$\begin{cases} 0 \simeq H(u_m) + H_m . (\bar{u} - u_m), \\ H_m = H(u_m). \end{cases}$$

On est donc « tenté » de définir u_{m+1} par :
u_{m+1} est « la » solution de

$$\begin{cases} G_m + H_m(u_{m+1} - u_m) = 0 \\ H_m = H(u_m),\ G_m = G(u_m). \end{cases} \tag{6.4}$$

Notons ceci : grâce aux hypothèses (6.1) et (6.2), l'opérateur H_m est inversible. *La méthode de Newton* est :

$$\begin{cases} u_0 \text{ est donné; on construit la suite } u_m \text{ par} \\ u_{m+1} = u_m - H_m^{-1}\, G_m \end{cases} \tag{6.5}$$

Remarque 6.1. Il s'agit d'une méthode de descente : le choix de w se fait avec l'opérateur auxiliaire H_m ; le choix de ρ est : $\rho_m = \|H_m^{-1} G_m\|$. On n'a pas montré que ce choix de ρ est convergent; par contre on pourrait montrer que le choix

$\rho_m = c_0 \|H_m^{-1} G_m\|$ est convergent, ce qui conduirait à

$$u_{m+1} = u_m - c_0 H_m^{-1} G_m, \quad c_0 = \frac{\alpha}{M} \quad \text{(par exemple)} \tag{6.6}$$

au lieu de (6.5). ∎

Faisons une hypothèse supplémentaire:

$$\begin{cases} \|v-u\| \leqslant \dfrac{1}{\alpha} \|G(u)\| \Rightarrow \|H(v) - H(u)\| \leqslant \alpha \cdot c \\ \forall u \in \mathscr{U}_0, \forall v \in V; \end{cases} \tag{6.7}$$

la constante c est donnée dans $]0,1[$.

Remarque 5.2 sur l'hypothèse (6.7)). Donnons un critère simple pour que (6.7) soit vérifiée. Supposons que H soit uniformément continue: alors il existe δ telle que

$$\|u-v\| \leqslant \delta(\varepsilon) \Rightarrow \|H(v)-H(u)\| \leqslant \varepsilon .$$

En particulier:

$$\|u-v\| \leqslant \delta(\alpha c) \Rightarrow \|H(v)-H(u)\| \leqslant \alpha c .$$

Si donc $\frac{1}{\alpha} \|G(u)\| \leqslant \delta(\alpha c)$, alors (6.7) a lieu. Notons que si u est assez voisin de $\bar{u}$, alors $\|G(u)\|$ sera assez voisin de $\|G(\bar{u})\|$, c'est-à-dire de 0 et par suite:

$$u \text{ « assez voisin » de } \bar{u} \Rightarrow \|G(u)\| \leqslant \alpha\delta(\alpha c) \Rightarrow \|H(u)-H(v)\| \leqslant \alpha c .$$

L'hypothèse (6.7) *est donc satisfaite si le point initial* u_0 *est assez voisin de* $\bar{u}$: c'est là le principal inconvénient de la méthode de Newton; notons ceci: on peut commencer les itérations avec (6.6) et terminer avec (6.5).

THÉORÈME 6.1. Sous les hypothèses (6.1), (6.2) et (6.7):

i) il y a existence et unicité de $\bar{u}$ vérifiant (6.3);

ii) il y a existence et unicité de u_{m+1} vérifiant (6.5), $u_{m+1} \in \mathscr{U}_0$;

iii) de plus,

$$\lim \|u_m - \bar{u}\| = 0 \tag{6.8}$$

et

$$\frac{\alpha}{M} \|u_{m+1} - u_m\| \leqslant \|u_m - \bar{u}\| \leqslant \frac{M}{\alpha} \|u_{m+1} - u_m\| . \tag{6.9}$$

Démonstration. Montrons que $u_{m+1} \in \mathscr{U}_0$. Posons

$$\Delta J_m = J(u_m) - J(u_{m+1}) .$$

On a :

$$\begin{cases} J(u_{m+1}) = J(u_m) + (G_m, u_{m+1} - u_m) + \frac{1}{2}(\hat{H}_m(u_{m+1} - u_m), (u_{m+1} - u_m)) \\ G_m = G(u_m), \quad \hat{H}_m = H(u_m + \theta(u_{m+1} - u_m)), \quad \theta \in]0,1[\,, \end{cases}$$

ce qui donne, avec (6.4)

$$\Delta J_m = (H_m \cdot (u_{m+1} - u_m), u_{m+1} - u_m) - \tfrac{1}{2}(\hat{H}_m \cdot (u_{m+1} - u_m), u_{m+1} - u_m)$$

$$\Delta J_m = \tfrac{1}{2}(H_m \cdot (u_{m+1} - u_m), u_{m+1} - u_m) + \tfrac{1}{2}((H_m - \hat{H}_m)(u_{m+1} - u_m), u_{m+1} - u_m)$$

d'où, avec (6.1) :

$$\Delta J_m \geqslant \frac{\alpha}{2} \|u_{m+1} - u_m\|^2 - \frac{1}{2} \|H_m - \hat{H}_m\| \,.\, \|u_{m+1} - u_m\|^2 \,. \tag{6.10}$$

Mais :

$$\|[u_m + \theta(u_{m+1} - u_m)] - u_m\| = \theta \|u_{m+1} - u_m\|$$

$$= \theta \|H^{-m} G_m\| \leqslant \frac{\theta}{\alpha} \|G_m\| \leqslant \frac{1}{\alpha} \|G_m\| \,.$$

Par suite, avec (6.7), il vient:

$$\|H_m - \hat{H}_m\| \leqslant \alpha c;$$

d'où, avec (6.10) :

$$\Delta J_m \geqslant \frac{\alpha}{2}(1 - c) \|u_{m+1} - u_m\|^2 \,. \tag{6.11}$$

Cela montre que $J(u_m) \geqslant J(u_{m+1})$ et donc $J(u_0) \geqslant J(u_{m+1})$, c'est-à-dire $u_{m+1} \in \mathscr{U}_0$; de plus, comme $J(\bar{u}) \leqslant J(u_{m+1}) \leqslant J(u_m)$, on a

$$\lim \Delta J_m = 0 \tag{6.12}$$

et donc

$$\lim \|u_{m+1} - u_m\| = 0 \,. \tag{6.13}$$

Établissons (6.9) : On a :

$$\begin{cases} (G_m, \varphi) = (G(\bar{u}), \varphi) + (\bar{H}_m(u_m - \bar{u}), \varphi) \\ \bar{H}_m = H(\bar{u} + \theta(u_m - \bar{u})), \quad \theta \in]0,1[\,. \end{cases}$$

Avec (6.3)″ et (6.4), il vient :

$$-(H_m \cdot (u_{m+1} - u_m), \varphi) = (\bar{H}_m(u_m - \bar{u}), \varphi) \,. \tag{6.14}$$

Choisissons $\varphi = u_m - \bar{u}$; il vient, avec (6.1) et (6.2) :

$$\alpha \|u_m - \bar{u}\|^2 \leqslant M \|u_{m+1} - u_m\| \, \|u_m - \bar{u}\|^2 \,,$$

d'où

$$(6.9)_d \qquad \|u_m - \bar{u}\| \leqslant \frac{M}{\alpha} \|u_{m+1} - u_m\| .$$

Choisissons $\varphi = u_{m+1} - u_m$; il vient $(6.9)_g$. ∎

Nous allons préciser maintenant la nature de la convergence. Supposons qu'il existe une fonction croissante δ telle que

$$(6.15) \qquad \|H(u) - H(v)\| \leqslant \delta(\|u - v\|) .$$

Si par exemple $\|H(u) - H(v)\| \leqslant M\|u - v\|$, on prendra $\delta(t) = M.t$.

THÉORÈME 6.2. Si les hypothèses (6.1), (6.2), (6.7) et (6.15) sont vérifiées, alors

$$(6.16) \qquad \|u_{m+1} - \bar{u}\| \leqslant \frac{1}{\alpha} \|u_m - \bar{u}\| . \delta(\|u_m - \bar{u}\|) .$$

Démonstration. À partir de (6.14) il vient :

$$-(H_m.(u_{m+1} - \bar{u}), \varphi) = -(H_m.(u_m - \bar{u}), \varphi) + (\overline{H}_m.(u_m - \bar{u}), \varphi) .$$

On choisit $\varphi = u_{m+1} - \bar{u}$,
et il vient :

$$\alpha \|u_{m+1} - \bar{u}\|^2 \leqslant \|H_m - \overline{H}_m\| . \|u_m - \bar{u}\| . \|u_{m+1} - \bar{u}\| ,$$

soit

$$\|u_{m+1} - \bar{u}\| \leqslant \frac{1}{\alpha} \|u_m - \bar{u}\| . \|H_m - \overline{H}_m\| .$$

Avec (6.15) il vient

$$\|u_{m+1} - \bar{u}\| \leqslant \frac{1}{\alpha} \|u_m - \bar{u}\| . \delta(\|[\bar{u} + \theta(u_m - \bar{u})] - u_m\|) .$$

Mais la fonction δ est croissante, donc:

$$\|u_{m+1} - \bar{u}\| \leqslant \frac{1}{\alpha} \|u_m - \bar{u}\| . \delta(\|u_m - \bar{u}\|) .$$

Remarque 6.3. En général, $\lim_{t \to 0} \delta(t) = 0$; dans ce cas, une convergence du type (6.15) est dite superlinéaire.

Pour une étude plus complète de la méthode de Newton, cf. Kantorovitch [3].

7. MÉTHODE DE CONTRACTION (lorsque J est strictement convexe)

Nous supposons dans ce numéro que V est un espace de Hilbert. De plus pour une fonction deux fois F-différentiable à différentielles linéaires et contidues nous employons les notations suivantes :

$$J'(u, \varphi) = (G(u), \varphi) ,$$
$$J''(u, \varphi, \psi) = (H(u)\varphi, \psi) .$$

THÉORÈME 7.1. Si

$$(H(u)\varphi, \varphi) \geqslant \alpha \|\varphi\|^2 \quad \forall u, \varphi \in V; \quad \alpha > 0 \tag{7.1}$$

$$\|H(u)\| \leqslant M \quad \forall u \in V . \tag{7.2}$$

Alors l'opérateur T est une contraction pour tout $\gamma \in \left]0, \frac{2\alpha}{M^2}\right[$, avec :

$$T = 1 - \gamma G , \tag{7.3}$$

$$Tu = u - \gamma G(u) . \tag{7.3$'$}$$

Démonstration. On a :

$$\|Tu - Tv\|^2 = \|(u-v) - \gamma(G(u) - G(v))\|^2 ,$$

$$\|Tu - Tv\|^2 = \|u-v\|^2 - 2\gamma(G(u) - G(v))(u-v)) + \gamma^2 \|G(u) - G(v)\|^2 . \tag{7.4}$$

Mais la formule des accroissements finis donne :

$$(G(u) - G(v), \varphi) = (H(v + \theta(u-v))(u-v), \varphi) \quad \theta \in]0,1[.$$

D'où, si $\varphi = u - v$:

$$(G(u) - G(v), u-v) = (H(v + \theta(u-v))(u-v), u-v) \geqslant \alpha \|u-v\|^2 ,$$

grâce à (7.1). De même si $\varphi = G(u) - G(v)$, il vient : $\|G(u) - G(v)\| \leqslant M \|u-v\|$; en utilisant les deux dernières inégalités et (7.4), il vient :

$$\|Tu - Tv\|^2 \leqslant \|u-v\|^2 [1 - 2\gamma\alpha + \gamma^2 M^2] . \tag{7.5}$$

Pour $\gamma \in \left]\frac{0,2\alpha}{M^2}\right[$, on a $1 - 2\gamma\alpha + \gamma^2 M^2 < 1$ et par suite T est une contraction ; un choix raisonnable de γ est :

$$\gamma = \frac{\alpha}{M^2} , \tag{7.6}$$

d'où

$$\|Tu - Tv\| \leqslant \|u-v\| \sqrt{1 - \frac{\alpha^2}{M^2}} . \tag{7.8}$$

COROLLAIRE 7.1. Sous les hypothèses du théorème 7.1 :

i) Le problème : déterminer $\bar{u} \in V$ tel que $J(\bar{u}) \leqslant J(u)$, $\forall u \in V$, admet une solution et une seule.

ii) La suite u_m, construite selon (7.9), converge fortement vers $\bar{u}$ lorsque $m \to \infty$:

$$\text{(7.9)} \qquad \begin{cases} u_0 \text{ donné arbitrairement dans } V, \\ u_{m+1} = u_m - \gamma G(u_m) . \end{cases}$$

Démonstration. Le point i) est une conséquence immédiate du théorème 1.4; le ii) découle du théorème 7.1. ∎

Il est bon de remarquer qu'on utilise la méthode du gradient avec un choix constant pour ρ.

Nous allons rappeler maintenant la *méthode de relaxation* utilisée très fréquemment dans la résolution des problèmes aux dérivées partielles (après discrétisation). On donne dans $\mathbf{R}^n$ une matrice A symétrique et définie positive :

$$\text{(7.10)} \qquad \begin{cases} (A\varphi, \varphi)_{\mathbf{R}^n} \geqslant \alpha \|\varphi\|^2_{\mathbf{R}^n} \quad \forall \varphi \in A^n , \\ \|A\| \leqslant M, \alpha > 0 \end{cases}$$

Soit :

$$J(v) = \tfrac{1}{2}(Av, v) - (f, v) ,$$

où f est donné dans $\mathbf{R}^n$ et soit à résoudre le problème

$$J(u) \leqslant J(v) \quad \forall v \in V .$$

On sait qu'il est équivalent de résoudre :

$$\text{(7.11)} \qquad Au = f .$$

On pose :

$$A = D - E - E^* ,$$

où D est diagonale, E triangulaire inférieure stricte.

On rappelle maintenant les différentes méthodes.

Méthode de Jacobi

$$\text{(7.12)} \qquad Du_{m+1} = (E + E^*) u_m + f$$

ou

$$\text{(7.12)} \qquad \begin{cases} u_{m+1} = \mathrm{D}^{-1}[(E+E^*)u_m + f] . \\ u_{m+1} = u_m - \mathrm{D}^{-1}(Au_m - f) . \end{cases}$$

Méthode de Gauss-Seidel

$$\text{(7.13)} \qquad (D-E)u_{m+1} = E^* u_m + f$$

ou

$$\text{(7.13)}' \qquad u_{m+1} = u_m - (D-E)^{-1}(Au_m - f) .$$

Méthode de relaxation (avec un paramètre w; w est ici un nombre positif)

$$(7.14)\qquad \left(\frac{1}{w}\mathrm{D} - E\right) u_{m+1} = \left(\left(\frac{1}{w} - 1\right)\mathrm{D} + E^*\right) u_m + f$$

ou

$$(7.14)'\qquad u_{m+1} = u_m - \left(\frac{1}{w} D - E\right)^{-1} [Au_m - f] .$$

On trouvera dans R.S. Varga [11] la démonstration du :

THÉORÈME 7.2. Lorsque A est symétrique, définie positive, les méthodes de Jacobi, de Gauss-Seidel, et de relaxation avec $w \in]0,2[$ sont convergentes.

Notons que ces trois méthodes entrent dans *le cas des méthodes de descente avec opérateur auxiliaire* : en effet $Au_m - f$ est le gradient de la fonctionnelle J. Ces trois méthodes entrent aussi dans la catégorie des *méthodes de contraction* :

Posons :

$$B = I - D^{-1} A$$

$$B_1 = I - (D - E)^{-1} A$$

$$B_w = 1 - \left(\frac{1}{w} D - E\right)^{-1} A \quad w \in]0, 2[.$$

Il est possible de montrer que les normes de ces trois matrices sont strictement inférieures à 1. On a donc le :

THÉORÈME 7.3. Les matrices B, B_1, B_w sont des contractions (strictes) lorsque A est symétrique, définie positive. ∎

8. LES MÉTHODES DU TYPE GRADIENT CONJUGUÉ

La méthode du gradient conjugué a été introduite par Hestenes, M.R., et Stiefel, E., en 1952. Sous certaines hypothèses, on peut ramener, à l'aide de la méthode de Galerkin, la recherche de la solution u du problème « minimiser $J(v)$ dans V » à celle de la solution u_m du problème « minimiser $J(v)$ dans V_m », où V_m est un sous-espace, de dimension m, de V. [Nous verrons cette méthode dans l'introduction du prochain chapitre.] Ce dernier problème peut être considérablement simplifié si une base convenable a été choisie. La méthode du gradient conjugué permet justement d'engendrer une telle base. Regardons l'importance de la base sur un exemple.

Soit A une matrice n, n, symétrique et définie positive et soit $f \in \mathbf{R}^n$. Posons

$$J(v) = \tfrac{1}{2}(Av, v)_{\mathbf{R}^n} - (f, v)_{\mathbf{R}^n} ;$$

nous savons que minimiser $J(v)$ dans $\mathbf{R}^n$ est équivalent à résoudre

$$(*)\qquad Au = f \quad \text{dans } \mathbf{R}^n .$$

Soit une base $w_0, w_1, ..., w_{n-1}$ de $\mathbf{R}^n$ vérifiant la propriété suivante :

$$(^{**}) \qquad (Aw_i, w_j)_{\mathbf{R}^n} = \delta_{i,j} = \begin{cases} 1 & \text{si } i = j, \\ 0 & \text{si } i \neq j. \end{cases}$$

[Remarquons que dans $\mathbf{R}^2$ les vecteurs w_0 et w_1 sont dits CONJUGUÉS par rapport à la conique d'équation $(Aw, w)_{\mathbf{R}^2} = 1$.]

Posons

$$u = \sum_{i=0}^{n-1} u^i w_i .$$

On doit avoir

$$\sum_{i=0}^{n-1} u^i . Aw_i = f ,$$

d'où

$$(\sum_{i=0}^{n-1} u^i . Aw_i, w_j)_{\mathbf{R}^n} = (f, w_j)_{\mathbf{R}^n}$$

et compte tenu du choix de la base :

$$u^i = (f, w_i)_{\mathbf{R}^n} \quad i = 0, ..., n-1 ,$$

$$u = \sum_{j=0}^{n-1} (f, w_j)_{\mathbf{R}^n} w_j .$$

La résolution est donc triviale si les w_j sont connus.

Notons ceci : la matrice A représente le Hessien H de la fonctionnelle J si dans le cas quadratique ce Hessien est constant, en général il ne l'est pas. De plus le calcul explicite de $H(u)$ peut être très coûteux car il nécessite le calcul des dérivées secondes de J.

La méthode du gradient conjugué satisfait aux principes suivants :

1. Elle est utilisable, même si la fonctionnelle J n'est pas quadratique.

2. Lorsque la fonctionnelle est quadratique,
   — elle engendre des vecteurs $w_0, w_1, ...$ A-conjugués (c'est-à-dire qui vérifient (**));
   — elle n'utilise que le calcul de dérivées premières de J (et évite donc le calcul du Hessien);
   — la solution du problème est obtenue en n « itérations » pour un problème dans $\mathbf{R}^n$.

Dans tous les cas, on n'utilisera que des dérivées premières. ▌

Nous allons voir maintenant les deux cas particuliers les plus importants de la méthode. La fameuse (et excellente) méthode de Davidson-Fletcher-Powell et une variante de la méthode introduite récemment par Pschenichnii.

8.1. Calcul de l'inverse d'une matrice (I)

On désigne par A une matrice $(a_{i,j})$ $i, j = 1, \dots, n$, symétrique définie positive. On dit que *deux vecteurs u et v sont A-conjugués* (ou conjugués) *si* :

$$(Au, v)_{\mathbf{R}^n} = v^* Au = 0 .$$

LEMME 8.1. Si les vecteurs $w_0, \dots, w_{n-1}$ sont A conjugués et non nuls, ils sont linéairement indépendants.

Démonstration. En fait ces vecteurs sont non nuls et orthogonaux pour le produit scalaire

$$[u, v]_{\mathbf{R}^n} = (Au, v) = v^* Au . \quad \blacksquare$$

Introduisons maintenant les matrices C_k, D_k :

$$\text{(8.1)} \qquad \begin{cases} C_k = \displaystyle\sum_{i=0}^{k-1} \frac{w_i w_i^*}{w_i^* A w_i}, \\ D_k = I - C_k A . \end{cases}$$

Nous avons les relations :

$$\text{(8.2)} \qquad \begin{cases} C_{k+1} = C_k + \dfrac{w_k w_k^*}{w_k^* A w_k}; \quad C_1 = \dfrac{w_0 w_0^*}{w_0^* A w_0}; \\ D_{k+1} = D_k - \dfrac{w_k (A w_k)^*}{w_k^* A w_k} \quad D_1 = 1 - C_1 A \end{cases}$$

THÉORÈME 8.1

i) Si les vecteurs w_i, $i = 0, \dots, k-1$ sont A-conjugués et non nuls, alors :

$$\text{(8.3)} \qquad \begin{cases} C_k A w_j = w_j \quad j = 0, \dots, k-1 \\ D_k w_j = 0 . \end{cases}$$

ii) Lorsque $k = n$, on a :

$$\text{(8.4)} \qquad \begin{cases} C_n = A^{-1} \\ D_n = 0 . \end{cases}$$

Démonstration :

i) Par définition :

$$C_k A w_j = \sum_{i=0}^{k-1} \frac{w_i w_i^* A w_j}{w_i^* A w_i}$$

et comme les vecteurs sont A-conjugués :

$$C_k A w_j = \frac{w_j w_j^* A w_j}{w_j^* A w_j} = w_j .$$

ii) Si $k = n$ on a

$$D_n w_j = 0 \quad j = 0, \ldots, n-1 .$$

Mais les n vecteurs w_j sont A-conjugués et non nuls; d'après le lemme 8.1, ils sont linéairement indépendants : donc

$$D_n = 0$$

ou

$$1 - C_n A = 0$$

d'où

$$C_n = A^{-1} .$$

Remarque 8.1. Dans la construction précédente, on peut remplacer w_k par ρw_k. Cela ne change pas C_k ni D_k.

Construction de vecteurs A-conjugués : Algorithme 8.1

Soit w_0 donné; cela permet d'obtenir C_1 et D_1.

Soient $w_1, \ldots, w_{k-1}$ construits; cela permet d'obtenir C_k et D_k. Nous supposons que les $w_j, j = 0, \ldots, k-1$, sont A-conjugués et non nuls et que les matrices vérifient (8.3); construisons w_k, C_{k+1}, D_{k+1}; soit $v \in \mathbf{R}^n$ tel que $D_k v \neq 0$: posons :

(8.5)
$$w_k = D_k v$$

et vérifions que $w_0, \ldots, w_k$ sont A-conjugués et non nuls :

$$\begin{aligned}(D_k v)^* A w_j &= v^* D_k^* A w_j = v^* (1 - A C_k) A w_j \\ &= v^* A w_j - v^* A (C_k A w_j) \\ &= v^* A w_j - v^* A w_j = 0 .\end{aligned}$$

Si $D_k v = 0 \quad \forall v$, alors $D_k = 0$ et $1 - C_k A = 0$, $C_k = A^{-1}$.

Remarque 8.2. Désignons par D_k^j les vecteurs colonnes de D_k; si $v = e_j$ (le $j$ième élément de la base canonique de $\mathbf{R}^n$), alors :

$$D_k e_j = D_k^j .$$

Ainsi on peut prendre pour $D w_k$ un vecteur colonne non nul de D_k.

8.2. Minimisation d'une forme quadratique (I)

Soit à minimiser :

$$J(v) = \tfrac{1}{2}(Av, v)_{\mathbf{R}^n} - (f, v)_{\mathbf{R}^n} = \tfrac{1}{2} v^* A v - f^* v .$$

où la matrice A est symétrique, définie positive. On sait que les problèmes :

trouver $u \in \mathbf{R}^n$ tel que :

(8.6) $$J(u) \leqslant J(v) \quad \forall v \in \mathbf{R}^n$$

et

(8.6)′ $$Au = f$$

sont équivalents. De plus, il existe une solution et une seule.

Naturellement pour résoudre (8.6) il suffit de résoudre le système linéaire (8.6)′. Toutefois, nous avons en vue le cas où J n'est pas quadratique. *Nous allons étudier une méthode itérative, pour résoudre* (8.6) *telle que* :

— on n'utilise que les dérivées premières de J,

— *dans le cas quadratique, on obtient la solution après un nombre fini d'itérations.*

Description d'une itération. On donne u_m, il s'agit de construire u_{m+1} ; cela se fera en trois étapes.

1. Début : on pose $x_0 = u_m$, $D_0 = 1$, $C_0 = 0$.
2. Recherche d'une direction de descente : on va construire des suites x_k, D_k, C_k, $k = 1, \ldots, n$. Supposons construits x_k, D_k, C_k.
   Soit v_k tel que :
   $$w_k = D_k v_k \neq 0 \,.$$
   Soit λ_k quelconque, $\lambda_k \neq 0$. On pose :
   $$g^j = \operatorname{grad} J(x_j) \quad \forall j$$
   et

(8.7) $$\begin{cases} x_{k+1} = x_k - \lambda_k w_k \\ y_k = g^{k+1} - g^k = -\lambda_k A w_k \\ D_{k+1} = D_k - \dfrac{w_k \cdot y_k^*}{w_k \cdot y_k} \\ C_{k+1} = C_k - \lambda_k \dfrac{w_k \cdot w_k^*}{w_k^* \cdot y_k} \end{cases}$$

   Si $D_k = 0$, on pose $C_n = C_k$.
3. On pose :

(8.8) $$\begin{cases} u_{m+1} = u_m - \rho_m C_n \cdot g_m \\ g_m = \operatorname{grad} J(u_m) \,, \end{cases}$$

   où ρ_m est choisi « au mieux ».

THÉORÈME 8.2. Dans le cas où J est quadratique, si u est la solution de (8.5), si u_0 est donné arbitrairement et si $\rho_0 = 1$, on a :

$$u_1 = u .$$

Démonstration. Dans la deuxième étape on a simplement construit une base de vecteurs A-conjugués et non nuls selon l'algorithme 8.1.

D'après le théorème 8.1, on sait que :

$$C_n = A^{-1} .$$

D'où, dans la troisième étape :

$$u_1 - C_n G_1 = u_1 - A^{-1}(Au_1 - f) = A^{-1}f = u . \quad \blacksquare$$

Remarque 8.3. La deuxième étape est destinée à calculer A^{-1} sans calculer A; une fois A^{-1} calculée, on emploie la méthode de Newton.

Remarque 8.4. On peut éviter d'avoir à stocker les deux matrices D_k et C_k. Ainsi par exemple dans [6] Pshenichnii, B. N., construit une suite z_k telle que $z_n = C_n g_m$. Dans (8.8) il suffit de remplacer $C_n g_m$ par z_n.

8.3. Minimisation d'une fonctionnelle quelconque

On pourra construire une suite u_m de la façon suivante : soit u_0 donné; supposons construits $u_1, \ldots, u_{2m-1}$. Construisons u_{2m} et u_{2m+1}.

Construction de u_{2m}. À l'aide d'une méthode itérative convergente (voir les numéros précédents.)

Construction de u_{2m+1}. On détermine comme dans le numéro précédent la direction $C_n g_{2m}$ (ou z_n) et on pose :

$$\text{(8.9)} \qquad \begin{cases} u_{2m+1} = u_{2m} - \rho_{2m} C_n g_{2m} \\ J(u_{2m+1}) \leqslant J(u_{2m} - \rho C_n g_{2m}) \quad \forall \rho \in \mathbf{R}. \end{cases}$$

Le choix de u_{2m} nous assure la convergence, le choix de u_{2m+1} accélère la convergence et entraîne la convergence en un nombre fini d'itérations lorsque J est quadratique. Remarquons que si :

$$\left(\frac{C_n g_{2m}}{\|C_n g_{2m}\|}, \frac{g_{2m}}{\|g_{2m}\|} \right) \geqslant \alpha > 0 \quad \forall m$$

Il suffit de faire pour ρ_{2m} un choix convergent :

8.4. Calcul de l'inverse d'une matrice (II) (Fletcher-Powell [6])

Nous allons introduire une autre méthode d'inversion de A; de plus dans ce cas les matrices introduites seront symétriques et définies positives.

⇒ Supposons construits les vecteurs non nuls et conjugués $w_0, \ldots, w_{n-1}$.
Supposons construites les matrices *symétriques* $H_1, \ldots, H_k$, telles que :

(8.10) $$H_k A w_j = w_j \quad \forall j < k .$$

Par exemple $H_k = C_k$ et dans ce cas pour construire H_{k+1}, il suffit d'utiliser (8.2) :

$$H_{k+1} = H_k + \frac{w_k w_k^*}{w_k^* A w_k}$$

En fait on va introduire une construction plus générale en introduisant une matrice B_k, que l'on déterminera :

(8.11) $$H_{k+1} = H_k + \frac{w_k w_k^*}{w_k^* A w_k} + B_k$$

On veut que :

i) H_{k+1} soit symétrique,

ii) et de plus

(8.12) $$H_{k+1} A w_j = w_j \quad j < k+1 .$$

Lorsque $j = k$:

$$H_{k+1} A w_k = w_k = H_k A w_k + \frac{w_k w_k^* A w_k}{w_k^* A w_k} + B_k A w_k ,$$

ou encore :

$$B_k A w_k + H_k A w_k = 0 .$$

On peut choisir :

$$B_k = -\frac{H_k A w_k Z^*}{Z^* A w_k}$$

et alors (8.12) est vérifiée $\forall Z \in \mathbf{R}^n$ et pour $j = k$. Par raison de symétrie nous choisirons : $Z = H_k A w_k$, d'où :

(8.13) $$B_k = -\frac{H_k A w_k (H_k A w_k)^*}{(A w_k)^* H_k A w_k}.$$

Lorsque $j < k$, on a :

$$H_{k+1} A w_j = H_k A w_j + \frac{w_k (w_k^* A w_j)}{w_k^* A w_k} - \frac{H_k A w_k w_k^* A (H_k A w_j)}{(A w_k)^* H_k A w_k}.$$

Mais $w_k^* Aw_j = 0$ et $H_k Aw_j = w_j$; d'où

$$H_{k+1} Aw_j = w_j - \frac{H_k Aw_k(w_k^* Aw_j)}{(Aw_k)^* H_k Aw_k} = w_j .$$

En conclusion, avec le choix (8.11) et (8.13) la matrice H_{k+1} vérifie (8.12).

Début de la construction des H_k. Posons $H_0 = I$, et définissons H_1 par (8.11), avec $k = 0$:

$$H_1 = I + \frac{w_0 w_0^*}{w_0^* Aw_0} - \frac{Aw_0(Aw_0)^*}{(Aw_0)^* Aw_0} .$$

On vérifierait que H_1 est symétrique et vérifie (8.10), d'où le :

THÉORÈME 8.3. Les données $H_0 = I, w_0, \ldots, w_{n-1}$, vecteurs non nuls et conjugués, permettent de construire une suite de matrices $H_1, \ldots, H_n$, vérifiant (8.10) et symétriques; cela se fera avec (8.11) et (8.13); de plus :

(8.14) $$H_n = A^{-1} . \quad ▮$$

Notons que le dernier point résulte de $(H_n A - 1)w_j = 0, j = 0, \ldots, n-1$, et du fait que les n vecteurs w_j sont linéairement indépendants.

On va établir maintenant la :

PROPOSITION 8.1. Les matrices H_k sont définies positives.

Démonstration. Cela est vrai pour $H_0 = I$; supposons que cela soit vrai jusqu'à l'ordre k; montrons que H_{k+1} est définie positive.

$$v^* H_{k+1} v = v^* H_k v + \frac{v^* w_k w_k^* v}{w_k^* Aw_k} - \frac{v^* H_k Aw_k (H_k Aw_k)^* v}{(Aw_k)^* H_k (Aw_k)} .$$

Définissons deux produits scalaires équivalents dans $\mathbf{R}^n$:

$$\begin{cases} (u, v) = u^* v = \sum_{i=1}^{n} u_i v_i , \\ [u, v] = (H_k u, v) , \end{cases}$$

et les normes :

$$\|u\| = (u, u)^{1/2}$$
$$[\![u]\!] = [u, u]^{1/2} .$$

Il vient, en posant $y = Aw_k$:

$$v^* H_{k+1} v = [\![v]\!]^2 + \frac{(v, w_k)^2}{w_k^* Aw_k} - \frac{[v, y]^2}{[\![y]\!]^2}$$

ou encore

$$v^* H_{k+1} v = \frac{[\![v]\!]^2 [\![y]\!]^2 - [v, y]^2}{[\![y]\!]^2} + \frac{(v, w_k)^2}{(w_k^* A w_k)} .$$

D'après l'inégalité de Cauchy-Schwartz on a :

$$[\![v, y]\!] \leqslant [\![v]\!][\![y[\![,$$

d'où

$$v^* H_{k+1} v \geqslant 0 \quad \forall v .$$

De plus si $v^* H_{k+1} v = 0$, alors :

$$\text{(8.15)} \qquad \begin{cases} \|v\|^2 \|y\|^2 - [v, y]^2 = 0 \\ (v, w_k) = 0 \end{cases}$$

On sait que cela entraîne :

$$\begin{cases} v = \lambda y \quad \lambda \in \mathbf{R}, \\ (v, w_k) = 0 . \end{cases}$$

Ce qui, puisque $y = Aw_k$, entraîne

$$\begin{cases} v = \lambda A w_k \\ \lambda (A w_k, w_k) = 0 . \end{cases}$$

Mais $(Aw_k, w_k) > 0$, d'où $\lambda = 0$, d'où $v = 0$. ▌

Proposons-nous maintenant de construire la suite w_k. Dans l'exemple 8.1 on choisissait : $w_k = D^0 v$, $v \in \mathbf{R}^n$; essayons la même chose :

$$w_{k+1} = H_{k+1} v .$$

Supposons que $w_0, \ldots, w_k$ soient A-conjugués; on a :

$$w_j^* A(H_{k+1} v) = (w_j^* A H_k) v + \frac{w_j^* A w_k w_k^* v}{w_k^* A w_k} - \frac{(w_j^* A H_k) A w_k (H_k A w_k)^* v}{(A w_k)^* H_k (A w_k)} .$$

Compte tenu de $H_k A w_j = w_j$, $j < k$, de la relation adjointe, et de $w_j^* A w_k = 0$, $j \neq k$, il vient :

$$w_j^* A H_{k+1} v = w_j^* v \quad j < k ,$$

et on vérifierait que :

$$w_j^* A H_{k+1} v = w_j^* v \quad j = k ,$$

d'où la :

PROPOSITION 8.2. Soit w_0 donné arbitrairement dans $\mathbf{R}^n$; on peut construire une suite de vecteurs non nuls et A-conjugués de la façon suivante :

À partir de $w_0, \ldots, w_k$ et de $H_1, \ldots, H_{k+1}$ et de $v_{k+1} \in \mathbf{R}^n$, $v_{k+1} \neq 0$, tels que :

(8.16) $$w_j^* v_{k+1} = 0 \quad j \leqslant k, v \neq 0,$$

on définit :

(8.17) $$w_{k+1} = H_{k+1} v_{k+1}. \quad \blacksquare$$

8.5. Minimisation d'une forme quadratique

Soit à minimiser :

(8.18) $$J(v) = \tfrac{1}{2}(Av, v)_{\mathbf{R}^n} - (f, v)_{\mathbf{R}^n} = \tfrac{1}{2} v^* A v - v^* f,$$

ce qui revient à résoudre :

$$Au = f.$$

ALGORITHME 8.2 (de Fletcher-Powell). Au départ on a le triplet u_0, H_0, w_0, où

(8.19) $$\begin{cases} u_0 \text{ est arbitraire,} \\ H_0 = I, \\ w_0 = \text{grad } J(u_0) = Au_0 - f. \end{cases}$$

Supposons construits u_k, H_k, w_k; construisons u_{k+1}, H_{k+1}, w_{k+1}.
On construit u_{k+1} par :

(8.20) $$u_{k+1} = u_k - \rho_k w_k,$$

où ρ_k vérifie :

(8.21) $$J(u_k - \rho_k w_k) \leqslant J(u_k - \rho w_k) \quad \forall \rho.$$

Introduisons quelques notations afin de simplifier les écritures :

(8.22) $$\begin{cases} \tilde{w}_k = -\rho_k w_k, \\ g_k = \text{grad } J(u_k) = Au_k - f, \\ y_k = g_{k+1} - g_k = A\tilde{w}_k. \end{cases}$$

On construit H_{k+1}, par :

(8.23) $$H_{k+1} = H_k + \frac{\tilde{w}_k \tilde{w}_k^*}{\tilde{w}_k^* y_k} - \frac{H_k y_k (H_k y_k)^*}{y_k^* H_k y_k}.$$

On construit w_{k+1}, par :

(8.24) $$w_{k+1} = H_{k+1} g_{k+1}.$$

THÉORÈME 8.4. L'algorithme 8.1 a les propriétés suivantes lorsque $J(v)$ est de la forme (8.18) où A est symétrique définie positive :

i) la suite u_k est une suite minimisante;

ii) si u vérifie : $J(u) \leqslant J(v) \quad \forall v \in V$, il existe $k \leqslant n$, tel que :

$$u_{k+1} = u;$$

iii) les matrices H_k sont symétriques, définies positives et vérifient de plus :

$$H_k A \tilde{w}_j = \tilde{w}_j \quad j < k,\ H_n = A^{-1};$$

iv) les vecteurs $\tilde{w}_j$ sont A-conjugués et non nuls.

Démonstration. La construction des matrices est celle du 8.4.

Premier point : Si pour $m \leqslant n$ on a $g_m = 0$, alors $Au_m = f$ et $u_m = u$.

Deuxième point : Si $\forall m \leqslant n$, $g_m \neq 0$, montrons que les vecteurs $\tilde{w}_j$ sont non nuls et A-conjugués : supposons que cela soit vrai pour $\tilde{w}_0, \ldots, \tilde{w}_k$, montrons que cela est vrai pour $\tilde{w}_0, \ldots, \tilde{w}_{k+1}$. D'après la proposition 8.2, *il suffit de vérifier que :*

$$\tilde{w}_j^* g_{k+1} = 0 \quad j \leqslant k . \tag{8.25}$$

D'après le choix de ρ_j, on a :

$$\tilde{w}_j^* g_{j+1} = 0 \quad \forall j . \tag{8.26}$$

Mais

$$g_{k+1} = A(\tilde{w}_k + \ldots + \tilde{w}_{j+1}) + g_{j+1} ,$$

donc (8.25) est équivalent à :

$$\tilde{w}_j^* A(\tilde{w}_k + \ldots + \tilde{w}_{j+1}) + \tilde{w}_j^* g_{j+1} = 0 . \tag{8.25'}$$

Les vecteurs $\tilde{w}_0, \ldots, \tilde{w}_k$ sont A-conjugués, et avec (8.26), (8.25)′ est vérifiée. Notons que si $g_{k+1} \neq 0$, la matrice H_{k+1} étant définie positive, il vient $w_{k+1} \neq 0$.

De plus $\rho_{k+1} \neq 0$, sinon $g_{k+1}^* w_{k+1} = 0$ ou $g_{k+1}^* H_{k+1} g_{k+1} = 0$ ou $g_{k+1} = 0$! Par suite

$$\tilde{w}_{k+1} = \rho_{k+1} w_{k+1} \neq 0.$$

En conclusion, les $\tilde{w}_j$ sont A-conjugués et non nuls.

Troisième point. On peut maintenant utiliser tous les résultats du 8.4, en particulier : $H_n = A^{-1}$. Par suite :

$$w_n = A^{-1} g_n = A^{-1}(Au_n - f) = u_n - A^{-1} f = u_n - u ,$$
$$u_{n+1} = u_n - \rho_n(u_n - u) .$$

le meilleur choix de ρ_n sera $\rho_n = 1$, d'où

$$u_{n+1} = u . \quad \blacksquare$$

Remarque 8.5. La relation (8.23) est homogène en $\tilde{w}_k$ et donc en w_k.

Cela veut dire que pour le calcul de H_{k+1} on peut employer n'importe quel ρ_k; en fait le choix de ρ_k par la relation (8.21) n'est utilisé que pour vérifier la relation (8.25), analogue à (8.16); si ρ_k n'est pas calculé correctement, alors les vecteurs $\tilde{w}_k$ ne seront pas A-conjugués et non nuls et les conclusions du théorème précédent seront erronées. Il est possible d'éviter le calcul de ρ_k selon (8.21) en procédant de la manière suivante :

On suppose connus les $w_0, \dots, w_k$; on a choisi u_{k+1} sur la droite $u_k - \rho w_k$, $u_{k+1} \neq u_k$ (par un choix de ρ convergent).

Cela nous permet de construire H_{k+1}; choisissons v tel que :

$$w_j^* v = 0 \quad v \neq 0, \quad j \leqslant k .$$

Nous poserons

$$w_k + 1 = H_{k+1}\, v .$$

Grâce à la proposition 8.2, on vérifierait que le théorème précédent est encore valable [sauf peut-être pour le point i), mais il est possible de choisir v de façon que i) soit aussi vérifié].

8.6. Minimisation d'une fonctionnelle

On utilise la même construction que dans le cas quadratique si dans l'ensemble $J(v) \leqslant J(u_0)$ le Hessien de la fonctionnelle est défini positif, on peut montrer que les matrices H_k sont définies positives.

En fait il s'agit de la *méthode de l'opérateur auxiliaire*; nous savons que la méthode est convergente si les opérateurs sont uniformément coercifs. Cela aura lieu dans de nombreux cas.

Remarque 8.6. Dans la méthode de Fletcher-Powell on doit chercher le « meilleur ρ » à chaque itération; cela peut être assez coûteux dans les problèmes de contrôle. Dans la variante introduite par Pshenichnii dans l'étape intermédiaire pour la recherche de A^{-1}, on peut prendre λ_k arbitraire ce qui est avantageux. Cependant une étude approfondie de l'étude du problème de la détermination de ρ reste à faire.

9. MÉTHODES DIRECTES

Une méthode est dite directe quand elle ne nécessite pas le calcul de dérivées. Dans ce numéro on prendra :

$$V = \mathbf{R}^n ,$$
$$u \in V \Leftrightarrow u = (u_1, \dots, u_n)$$

pour éviter toute confusion on désignera les itérés consécutifs par :

$$u^m = (u_1^m, \dots, u_n^m) .$$

ALGORITHME 9.1 (méthode séquentielle)

Principe. On fixe toutes les composantes de u^m sauf une. On choisit cette dernière de façon à minimiser J. De façon plus précise: on donne u^0 arbitraire. On passe de u^m à u^{m+1} de la façon suivante: on détermine u_i^{m+1} pour $i = 1$, puis 2, ..., jusqu'à n par :

$$(9.1)\qquad \begin{cases} J(u_1^{m+1}, \dots, u_i^{m+1}, u_{i+1}^m, \dots, u_n^m) \leqslant J(u_1^{m+1}, \dots, u_{i-1}^{m+1}, v_i, u_{i+1}^m, \dots) \\ \forall v_i \in \mathbf{R}\,. \end{cases}$$

Hypothèse 9.1. On suppose que le gradient $G(u)$ et le Hessien $H(u)$ sont continus, donc, on a : $\forall u, \varphi \in \mathbf{R}^n$

$$(9.2)\qquad J(u+\varphi) = J(u) + (G(u), \varphi)_{\mathbf{R}^n} + \tfrac{1}{2}(H(u+\theta\varphi)\varphi, \varphi)$$

De plus on suppose que :

$$(9.3)\qquad \begin{cases} (H(u)\varphi, \varphi) \geqslant \alpha \|\varphi\|^2 \quad \forall \varphi \in \mathbf{R}^n \quad \forall u \in \mathbf{R}^n, \quad \alpha > 0 \\ \|G(u)\| \leqslant M \quad \forall u \in \mathbf{R}^n\,. \end{cases}$$

THÉORÈME 9.1. Sous l'hypothèse (9.1), le problème : déterminer $u \in \mathbf{R}^n$, tel que :

$$(9.4)\qquad J(u) \leqslant J(v) \quad \forall v \in \mathbf{R}^n$$

a une solution et une seule. De plus l'algorithme 8.1 fournit une suite u^m qui converge vers u lorsque $m \to \infty$.

Démonstration. Seule reste à démontrer la convergence de l'algorithme.

Premier point : L'hypothèse (9.3) entraîne ceci

$$\|u^m\| \leqslant C < +\infty \quad \forall m\,.$$

et de plus $J(v)$ est borné inférieurement par $J(u)$.

Deuxième point : Posons pour simplifier les écritures :

$$u^{m+1,i} = (u_1^{m+1}, \dots, u_i^{m+1}, u_{i+1}^m, \dots, u_n^m)$$

et notons que :

$$u^{m+1,i-1} = u^{m+1,i} + (\dots, 0, u_i^m - u_i^{m+1}, 0, \dots) = u^{m+1,i} + \varphi_i^m$$

avec une notation évidente.

D'après la formule de Taylor on a :

$$\begin{cases} J(u^{m+1,i-1}) = J(u^{m+1,i}) + (G(u^{m+1,i}), \varphi_i^m) + \tfrac{1}{2}(H(u^{m+1,i} + \theta_i^m \varphi_i^m)\varphi_i^m, \varphi_i^m) \\ 0 < \theta_i^m < 1\,. \end{cases}$$

Mais compte tenu de la forme de φ_i^m:

$$(G(u^{m+1,i}), \varphi_i^m) = \frac{\partial J}{\partial u_i}(u^{m+1,i})(u_i^m - u_i^{m+1}) = 0 .$$

Car d'après (9.1),

$$\frac{\partial J}{\partial u_i}(u^{m+1,i}) = 0 . \tag{9.5}$$

Par suite on a, compte tenu de (9.3),

$$J(u^{m+1,i-1}) - J(u^{m+1,i}) \geqslant \tfrac{1}{2}\alpha |u_i^m - u_i^{m+1}|^2 \quad \text{et} \quad \lim |u_i^m - u_i^{m+1}| = 0 . \tag{9.6}$$

Troisième point: La suite u^m étant bornée on peut extraire une sous-suite convergente:

$$u^{m'} \to w \quad \text{dans } \mathbf{R}^n \text{ quand } m' \to \infty .$$

Mais avec (9.6), il vient:

$$u^{m'+i} \to w \quad \text{dans } \mathbf{R}^n \text{ quand } m' \to +\infty, \; i = 1, \ldots, n .$$

En passant à la limite dans (9.5):

$$\frac{\partial J}{\partial u_i}(w) = 0 \quad i = 1, \ldots, n . \tag{9.7}$$

On sait que sous l'hypothèse (9.3) le problème (9.4) admet une solution unique et que cette solution est caractérisée par (9.7). Par suite $w = u$; w étant indépendant de la sous-suite u^m, dans ce cas la suite u^m converge vers u. ∎

Un cas particulier. Soit A une matrice symétrique, définie positive et f un élément de $\mathbf{R}^n$. Posons:

$$J(v) = \tfrac{1}{2}(Av, v) - (f, v) .$$

Alors la solution de (9.4) est aussi la solution de:

$$Au = f . \tag{9.8}$$

Écrire (9.1) revient à écrire (9.5) et dans ce cas particulier on a:

$$\sum_{j=1}^{i} a_{i,j} u_j^{m+1} + \sum_{j=i+1}^{n} a_{i,j} u_j^n - f_i = 0 ,$$

ou encore:

$$u_i^{m+1} = \frac{1}{a_{i,i}} [\sum_{j<i} a_{i,j} u_j^{m+1} + \sum_{j>i} a_{i,j} u_j^m - f_i] . \tag{9.9}$$

On reconnait là, la méthode de *Gauss-Seidel.*

Remarque 9.1. Les hypothèses (9.1) sont assez fortes et par suite cette méthode ne sera utilisable que dans des cas assez réguliers. Lorsque la fonction J n'est pas suffisamment régulière, l'algorithme 9.1 peut ne pas converger. Dans l'exemple ci-contre, on aura :

$$u^m = u^0 \quad \forall m$$

et donc un « blocage » au point u^0.

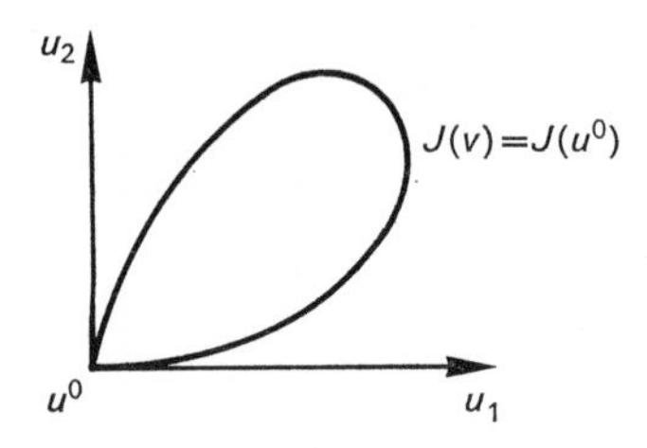

C'est afin de remédier à cet inconvénient que Rosenbrock a été amené à modifier la méthode précédente.

ALGORITHME 9.2 (Rotation des coordonnées. Méthode de Rosenbrock)

On suppose construits u^{m-1} et u^m. La recherche de u^{m+1} se fait en trois étapes :

1) On change les coordonnées en introduisant un nouveau système orthonormé de façon que le premier axe ait la direction du vecteur $u^m - u^{m-1}$.
2) On utilise l'algorithme 9.1 (avec les nouveaux axes) pour calculer u^{m+1}.
3) On revient au système initial de coordonnées.

ALGORITHME 9.3 (les variations locales ou la méthode de Hooke et Jeeves)

Le vecteur unitaire du *i-ième* axe de $\mathbf{R}^n$ sera désigné par e_i.

1. L'opérateur recherche locale

A partir de 3 éléments J, y, ρ, on va construire un élément RL y :

$$\begin{cases} J : V = \mathbf{R}^n \to \mathbf{R}, \\ y \in \mathbf{R}^n, \ \rho \in \mathrm{R}_+, \ \mathrm{RL}y \in \mathbf{R}^n . \end{cases}$$

On pose $y^0 = y$; l'élément y^1 sera l'un des trois points $y^0 - \rho e_1, y^0, y^0 + \rho e_1$ en lequel J est minimum. Si on a le choix entre y^0 et un autre point, on choisit y^0. De la même façon on construit $y^2, \dots, y^n$ (en introduisant successivement $e_2, \dots, e_n$). On pose

$$\mathrm{RL}\, y = y^n .$$

Notons ceci : on a

$$J(y^n) \leqslant J(y^{n-1}) \leqslant \ldots \leqslant J(y^1) \leqslant J(y^0)$$

et si

$$J(y^n) = J(y^0),$$

alors $y^n = y^0$ (grâce au choix du point médian lorsque cela est possible). En résumé l'opérateur RL est tel que

$$J(\mathrm{RL}\, y) = J(y) \Rightarrow \mathrm{RL}\, y = y. \tag{9.10}$$

En sens contraire

$$\mathrm{RL}\, y = y \Rightarrow J(y) \leqslant J(y \pm \rho e_i) \quad i = 1, \ldots, n. \tag{9.11}$$

2. Description d'un schéma

Un schéma est une suite de points construits à partir des :

Données : v^0 et ρ;

Construction de v^1 : $v^1 = RLv^0$;

si $v^1 = v^0$ le schéma est terminé; sinon :

Construction de $v^2, v^3, \ldots$: supposons construits v^{k-1}, v^k :

– si $J(RL(2\,v^k - v^{k-1})) < J(v^k)$ on pose

$$v^{k+1} = RL(2\,v^k - v^{k-1}),$$

– sinon on pose $v^{k+1} = RLv^k$

Fin d'un schéma : lorsque $v^{k+1} = v^k$; si k est fini, puisque $v^{k+1} = RLv^k = v^k$ on aura, d'après (9.11) :

$$J(v^k) \leqslant J(v^k \pm \rho e_i) \quad i = 1, \ldots, n \tag{9.12}$$

3. La méthode itérative

On donne $J : V = \mathbf{R}^n \to \mathbf{R}$; on veut minimiser J sur $\mathbf{R}^n$.

On donne u_0 et $\rho > 0$; on construit la suite $u_1, u_2, \ldots$ de la manière suivante :

u_1 est le dernier point du schéma qui démarre avec u_0, ρ;

u_2 est le dernier point du schéma qui démarre avec $u_1, \rho/2$;

et ainsi de suite;

u_m est le dernier point du schéma qui demarre avec $u_{m-1}, \dfrac{\rho}{2^{m-1}}$.

THÉORÈME 9.2. Sous les hypothèses suivantes :

i) J et $\partial J / \partial u_i$, $i = 1, ..., n$ sont des fonctions continues,

ii) J est strictement convexe,

iii) $J(u) \to +\infty$ quand $\|u\| \to +\infty$.

Le problème détermine $u \in \mathbf{R}^n$, tel que :

$$J(u) \leqslant J(v) \quad \forall v \in \mathbf{R}^n$$

a une solution et une seule. De plus la suite u^m, construite par l'algorithme 9.3, converge vers u quand $m \to +\infty$.

Démonstration. Seule reste à démontrer la convergence de l'algorithme.

Premier point : Compte tenu de iii) et de $J(u^m) \leqslant J(u^0)$ la suite u^m est bornée.

Deuxième point : Le point u^m étant un point final du schéma, la relation (9.12) appliquée à ce point donne :

$$J(u^m) \leqslant J\left(u^m \pm \frac{\rho}{2^{m-1}} e_i\right) \quad i = 1, ..., n \,. \tag{9.13}$$

De (9.13) on tire immédiatement : il existe $\theta_i^m \in [-1, +1]$ tel que :

$$\frac{\partial J}{\partial u_i}\left(u^m + \theta_i^m \frac{\rho}{2^{m-1}} e_i\right) = 0 \quad i = 1, ..., n \,. \tag{9.14}$$

Troisième point : La suite u^m étant bornée, il existe une sous-suite $u^{m'}$ convergente :

$$\lim_{m' \to \infty} u^{m'} = w \,,$$

et donc :

$$\lim \left(u^{m'} + \theta_i^{m'} \frac{\rho}{2^{m'-1}} \cdot e_i\right) = w \,.$$

Par suite, avec (9.14), il vient :

$$\frac{\partial J}{\partial u_i}(w) = 0 \quad i = 1, ..., n \,.$$

On en déduit que $w = u$ et que $\lim\limits_{m \to \infty} u^m = u$.

Remarque 9.2. Ici encore si la fonction J n'est pas assez régulière il y a possibilité de « blocage ». Voir remarque 9.1.

ALGORITHME 9.3′. Il diffère du précédent par l'étape d'accélération :

Soit un schéma et supposons construits v_k et une matrice A_k. Posons :

$$G(v) = \text{grad}\, J(v)$$

et soit l'équation :

$$A^k y^k = G(v^k) .$$

Si cette équation a une solution y_k calculable numériquement, on posera :

$$v^{k,0} = v^k - \sigma^k y^k ,$$

où σ_k est choisi de façon que :

$$J(v^{k,0}) \leqslant J(v^k) .$$

On pourra par exemple choisir σ_k « au mieux » :

$$J(v^k - \sigma^k y^k) \leqslant J(v^k - \sigma y^k) \quad \forall \sigma \in \mathbf{R} .$$

Ensuite on construit $v_k^1, \ldots, v_k^n$ comme dans l'algorithme 9.3. De plus on construit la matrice A^{k+1} de la façon suivante : le $i^{\text{ème}}$ vecteur colonne de A^{k+1} est désigné par A_i^{k+1}, on pose :

$$A_i^{k+1} = \frac{G(v^{k,i}) - G(v^{k,i-1})}{v_i^{k,i} - v_i^{k,i-1}} \qquad i = 1, \ldots, n$$

lorsque $v^{k,i} \neq v^{k,i-1}$
et

$$A_i^{k+1} = \frac{G(v^{k,i-1} + \rho e_i) - G(v^{k,i-1})}{\rho}$$

dans le cas contraire. ▮

Évidemment le théorème 9.2 est encore vrai; de plus lorsque $J(v)$ est une forme quadratique, on obtient la solution dès la première itération (avec $\sigma = 1$).

10. COMPLÉMENTS

10.1. Accélération de convergence (cf. [10])

10.1.1. *Par le choix de* ρ,

Désignons par $\hat{\rho}_m$ le nombre tel que :

$$J(u_m - \hat{\rho}_m w_m) \leqslant J(u_m - \rho w_m) .$$

En introduisant un nombre fixe k et en posant :

$$u_{m+1} = u_m - k \hat{\rho}_m w_m ,$$

Stein a obtenu de bien meilleurs résultats qu'en posant :

$$u_{m+1} = u_m - \hat{\rho}_m w_m$$

(dans le cas de la méthode du gradient).

De même dans la méthode de Gauss-Seidel (voir Algorithme 9.1 un cas particulier, et voir (9.9)) soit $\hat{u}_i^{m+1}$ défini par :

$$\hat{u}_i^{m+1} = \frac{1}{a_{i,i}} [\sum_{j<i} a_{i,j} u_j^{m+1} + \sum_{j>i} a_{i,j} u_j^m - f_i] .$$

Posons :

$$u_i^{m+1} = u_i^m + \rho(\hat{u}_i^{m+1} - u_i^m) .$$

Par un choix convenable du paramètre de relaxation ρ, on obtient un gain considérable dans la convergence de u^m vers u. Voir R.S. Varga [11].

10.1.2. *Par le choix de w.*

D'une part, l'introduction d'un opérateur auxiliaire convenable (avec le changement de métrique dans l'espace) peut accélérer la convergence.

D'autre part, l'étude de la méthode du gradient dans le cas des formes quadratiques a amené certains auteurs à introduire des modifications de cette méthode de façon que la solution soit obtenue après un nombre fini d'itérations : voir Méthode de Fletcher-Powell, Méthode du Partan, voir Forsythe-Motzkin [10].

10.2. Recherche du minimum d'une fonction d'une variable (cf. [9])

10.2.1. On suppose que $x \to f(x)$ est une fonction définie, continue et strictement convexe dans l'intervalle (a, b); il existe donc un point unique $\bar{x} \in [a, b]$, tel que :

$$f(\bar{x}) \leqslant f(x) \quad \forall x \in [a, b] .$$

Il s'agit, en calculant la valeur de f en un certain nombre de points de trouver un intervalle de longueur « assez » petite dans lequel se trouve x. Le principe de la méthode est le suivant :

On introduit c et d tels que $a < c < d < b$, on calcule $f(c)$ et $f(d)$:

si $f(c) < f(d)$ alors $\bar{x} \in (a, d)$,
si $f(c) = f(d)$ alors $\bar{x} \in (c, d)$,
si $f(c) > f(d)$ alors $\bar{x} \in (c, b)$.

À l'aide de deux mesures [le calcul de $f(c)$, $f(d)$] on a réduit la longueur de l'intervalle dans lequel se trouve $\bar{x}$; supposons que $\bar{x} \in (a, d)$, en introduisant le point c et un nouveau point, on réduira de nouveau l'intervalle, et ainsi de suite. De nombreux résultats ont été obtenus sur ce sujet; lorsque le nombre de points où f sera calculée est connu à l'avance la méthode « optimale » introduit les nombres de Fibonacci; dans les autres cas, on pourra utiliser la méthode dite de la section dorée. Wolfe a proposé la méthode suivante: au départ $\bar{x} \in [a, b]$; on introduit:

$$\begin{cases} c = a + r^2(b-a) \\ d = a + r(b-a) \end{cases} \tag{10.1}$$

où

$$r = \tfrac{1}{2}(\sqrt{5-1}); \tag{10.2}$$

si $f(c) \leqslant f(d)$, on pose $a_1 = a$, $b_1 = d$;
si $f(c) > f(d)$, on pose $a_1 = c$, $b_1 = b$;

et on recommence à partir de l'intervalle (a_1, b_1); le choix de r est tel que: dans le cas $a_1 = a$, $b_1 = d$ on aura $d_1 = c$; dans le cas $a_1 = c$, $b_1 = b$, on aura $c_1 = d$. Par suite, on a déjà calculé un des deux nombres $f(c_1)$, $f(d_1)$; à chaque réduction il suffit de calculer la valeur de f en un seul nouveau point.

10.2.2. On suppose que $f(x)$ est une fonction définie, continue et strictement convexe dans $[0, +\infty[$; en général, dans les méthodes du type gradient on connaîtra $f(0)$ et $f'(0)$. Il s'agit de trouver $\bar{x} \geqslant 0$, tel que:

$$f(\bar{x}) \leqslant f(x) \quad \forall x \geqslant 0\,.$$

En général, on calculera $f(x_1)$ pour $x_1 > 0$, x_1 donné et une interpolation parabolique à partir de $x_0 = 0$, $f(x_0)$, $f'(x_0)$ et $f(x_1)$ nous donnera une valeur approchée de $\bar{x}$. En introduisant deux points x_1 et x_2, on pourra faire une interpolation cubique, comme le suggère Davidon.

CHAPITRE 4

MINIMISATION AVEC CONTRAINTES

INTRODUCTION

Nous allons étudier le cas de la minimisation d'une fonctionnelle convexe lorsque la variable est soumise à des contraintes convexes. Dans le cas où il n'y a pas de convexité peu de résultats sont connus. Dans le paragraphe 1 nous allons voir comment approcher la solution du problème par une suite d'itérés respectant les contraintes; dans le paragraphe 2 les contraintes ne seront pas respectées et le problème sera remplacé par un problème sans contraintes; dans le paragraphe 3 on étudiera quelques cas de décomposition.

Rappelons quelques théorèmes déjà étudiés dans le chapitre 3.

THÉORÈME 0.1. Si V est un espace de Banach réflexif, si J est faiblement semi-continue inférieurement (f.s.c.i.), si U est un sous-ensemble borné et faiblement fermé dans V alors il existe au moins un minimum absolu de J dans U.

THÉORÈME 0.2. Dans le théorème 0.1 on peut remplacer l'hypothèse U est borné par l'hypothèse :

$$\lim_{\|v\| \to \infty} J(v) = +\infty .$$

THÉORÈME 0.3. Si en plus des hypothèses du théorème 0.1, on suppose que J est strictement convexe et que U est convexe alors il y a existence et unicité du minimum absolu.

Nous allons maintenant démontrer le :

THÉORÈME 0.4 :

i) Si J est G-différentiable dans U, si U est un sous-ensemble convexe de l'espace de Banach V, si $u \in U$ et si :

$$J(u) \leqslant J(v) \quad \forall v \in U , \tag{0.1}$$

alors

$$J'(u, v-u) \geqslant 0 \quad \forall v \in U . \tag{0.2}$$

ii) Si de plus J est convexe, alors (0.1) et (0.2) sont équivalents.

Démonstration :

i) On a en effet, d'après (0.1) :

$$J(u+\theta(v-u)) \geqslant J(u) \quad \forall \theta \in [0,1] \quad \forall v \in U\,,$$

d'où

$$\frac{J(u+\theta(v-u))-J(u)}{\theta} \geqslant 0 \quad \forall \theta \in]0,1] \qquad \forall v \in U\,,$$

et lorsque $\theta \to 0_+$ il vient (0.2).

ii) Si J est convexe, il suffit d'utiliser la relation :

$$J(v) \geqslant J(u) + J'(u, v-u) \qquad \forall v$$

pour établir ce point du théorème. ▮

Remarque 0.1. Si U n'est pas convexe on peut étendre le résultat précédent en introduisant la notion suivante : y est tangente à U en u s'il existe une suite $u_m \in U$ et une suite $\rho_m > 0$ telles que :

$$\text{(0.3)} \qquad \begin{cases} \lim \rho_m = 0\,, \\ \lim \dfrac{u_m - u}{\rho_m} = y\,. \end{cases}$$

Dans ce cas on établirait que :

$$J'(u, y) \geqslant 0$$

pour toute direction y tangente à U en u.

THÉORÈME 0.5. Si $J = J_1 + J_2$, si J_1 et J_2 sont convexes, J_2 étant G-différentiable, si U est convexe et si $u \in U$, alors i) et ii) sont équivalents :

i) $J(u) \leqslant J(v) \quad \forall v \in U,$

ii) $(J_1(v) - J_1(u)) + J_2'(u, v-u) \geqslant 0 \qquad \forall v \in U$

Démonstration. Démontrons par exemple le point i) ⇒ ii). Soit $v \in U$; on a, pour $\theta \in]0,1[$:

$$J_1(u) + J_2(u) \leqslant J_1(u+\theta(v-u)) + J_2(u+\theta(v-u))\,.$$

Mais J_1 étant strictement convexe, il vient

$$J_1(u+\theta(v-u)) \leqslant J_1(u) + \theta(J_1(v) - J_1(u))\,,$$

d'où

$$J_1(u) + J_2(u) \leqslant J_1(u) + \theta(J_1(v) - J_1(u)) + J_2(u+\theta(v-u))\,;$$

d'où, pour $\theta \in]0,1]$:

$$0 \leqslant (J_1(v) - J_1(u)) + \frac{J_2(u + \theta(v-u)) - J_2(u)}{\theta}$$

et en faisant tendre θ vers 0, on obtient ii). ▮

Nous allons donner ici une méthode générale qui permet d'*approcher la solution d'un problème en dimension infinie par la solution d'un problème en dimension finie.*

La méthode de Galerkin

Soit V un espace de Banach réflexif de type dénombrable; nous supposons qu'une base de V est donnée : e_i, $i = 1, 2, \ldots$; les e_i sont linéairement indépendants et pour tout $u \in V$ il existe des scalaires u_i^m tels que

$$\lim_{m \to +\infty} \sum_{i=0}^{m} u_i^m \, . \, e_i = u \quad \text{dans } V \text{ (fort).}$$

Nous désignons par V_m le sous-espace de V engendré par $e_1, \ldots, e_m$. V_m est donc de dimension m et, d'après ce qui vient d'être dit (en posant $u_m = \sum_{i=0}^{m} u_i^m e_i$):

$$\text{(0.4)} \qquad \begin{cases} \forall u \in V \quad \exists u_m \in V_m \text{ tel que} \\ \lim_{m \to \infty} \|u_m - u\|_V = 0 \, . \end{cases}$$

On donne ensuite un sous-ensemble convexe fermé $\mathscr{U}$ dans V et des sous-ensembles convexes fermés $\mathscr{U}_m$ dans V_m. On suppose que

$$\text{(0.5)} \qquad \begin{cases} \forall u \in \mathscr{U} \quad \exists u_m \in \mathscr{U}_m \text{ tel que} \\ \lim_{m \to \infty} \|u_m - u\|_V = 0 \end{cases}$$

et que

$$\text{(0.6)} \qquad \left. \begin{cases} u_m \in \mathscr{U}_m, \, u^* \in V \\ \lim u_m = u^* \text{ dans } V \text{ faible} \end{cases} \right\} \Rightarrow u^* \in \mathscr{U} \, .$$

Ces deux dernières hypothèses traduisent une notion de voisinage de $\mathscr{U}$ et de $\mathscr{U}_m$.

On donne enfin une fonctionnelle $v \in V \to J(v) \in \mathbf{R}$ admettant un gradient $G(v)$ et une Hessien $H(v)$; de plus on suppose que

$$\text{(0.7)} \qquad \begin{cases} |\langle H(u)\varphi, \psi \rangle| \leqslant M \|\varphi\| \, \|\psi\| & \forall \varphi, \psi, u \in V, \quad M < +\infty \, , \\ \langle H(u)\varphi, \varphi \rangle \geqslant \alpha \|\varphi\|^2 & \forall u, \varphi \in V, \qquad \alpha > 0 \, . \end{cases}$$

Problème P : Déterminer $u \in \mathscr{U}$ tel que

$$J(u) \leqslant J(v) \quad \forall v \in \mathscr{U} \, .$$

Problème P_m*:* Déterminer $u_m \in \mathcal{U}_m$ tel que

$$J(u_m) \leqslant J(v) \quad \forall v \in \mathcal{U}_m ,$$

on va démontrer le

THÉORÈME 0.6

i) Il y a existence et unicité des solutions des problèmes P et P_m.

ii) De plus

$$\lim_{m \to \infty} \|u_m - u\| = 0 .$$

Démonstration. La relation $(0.7)_2$ entraîne ceci : J est convexe et de plus

$$\lim_{\|v\| \to \infty} J(v) = +\infty . \tag{0.8}$$

J étant différentiable et convexe il vient : J est f.s.c.i. et par suite les hypothèses du théorème 0.3 sont satisfaites; d'où l'existence et l'unicité de u et de u_m.

Soit une suite $v_m \in \mathcal{U}_m$ telle que

$$\lim_{m \to \infty} \|v_m - u\| = 0 . \tag{0.9}$$

D'après la formule de Taylor on a :

$$\begin{cases} J(v_m) = J(u) + \langle G(u), v_m - u\rangle + \frac{1}{2}\langle H(u + \theta_m(v_m - u))(v_m - u), v_m - u\rangle \\ \theta_m \in]0, 1[. \end{cases}$$

Ce qui, avec l'hypothèse (0.7), entraîne

$$\lim_{m \to \infty} J(v_m) = J(u) . \tag{0.10}$$

D'après la définition de u_m, on a:

$$J(u_m) \leqslant J(v_m) ,$$

et donc

$$J(u_m) \leqslant c < +\infty \quad \forall m .$$

Mais alors, avec (0.8), il vient

$$\|u_m\| \leqslant c_1 < +\infty \quad \forall m .$$

Il existe donc une sous-suite $u_{m'}$, extraite de la suite u_m, et un élément $u^* \in V$ tels que :

$$\begin{cases} \lim u_{m'} = u^* \quad \text{dans } V \text{ faible.} \\ u_{m'} \in \mathcal{U}_{m'} ; \quad u^* \in V . \end{cases}$$

D'après l'hypothèse (0.6) cela entraîne $u^* \in \mathcal{U}$. Comme J est f.s.c.i., on a

$$J(u^*) \leqslant \varliminf_{m' \to \infty} J(u_{m'}) \tag{0.11}$$

ce qui, avec (0.10), entraîne

$$J(u^*) \leqslant J(u) \quad (u, u^* \in \mathcal{U});$$

donc $u = u^*$ et de plus

$$\lim_{m\to\infty} u2 = u^* = u \quad \text{dans } V \text{ faible.} \tag{0.12}$$

On a :

$$\begin{cases} J(u_m) = J(u) + \langle G(u), u_m - u\rangle + \tfrac{1}{2}\langle H(u+\lambda_m(u_m-u))\,(u_m-u), u_m-u\rangle \\ \lambda_m\, I\,]0, 1[\end{cases}$$

d'où, avec (0.7) :

$$\frac{2}{\alpha}\,\|u_m - u\|^2 \leqslant [J(u_m) - J(u)] - \langle G(u), u_m - u\rangle\,.$$

Avec (0.10) et (0.12) il vient

$$\lim_{m\to\infty} \|u_m - u\| = 0.$$

Remarquons ceci : la seule propriété utilisée concernant V_m est (0.4); on peut donc envisager une définition de $V2$ à partir d'une base (variable) indicée par m : e_i^m. ▮

Remarque 0.2. En gos il y a deux méthodes générales pour transformer un problème en dimension infinie en un problème en dimension finie :

— la méthode de Galerkin,
— la méthode des différences finies.

(Par plongement des espaces dans des espaces « plus grands », ces deux méthodes font partie d'une seule et même méthode.)

Nous n'exposerons pas ici la méthode des différences finies, car il serait nécessaire d'expliciter davantage les éléments. Cf. par exemple Aubin [20], Cea [20].

§ 1. APPROXIMATION DE LA SOLUTION D'UN PROBLÈME DE MINIMISATION

1. Une généralisation de la méthode de Frank et Wolfe (cf. [12])

Dans le cas où la fonctionnelle à minimiser est quadratique et où les contraintes sont linéaires, il s'agit de la méthode de Fank-Wolfe.

Les données et hypothèses

V est un espace de Hilbert, U est un sous-ensemble convexe fermé dans V.
La fonctionnelle, strictement convexe, $v \to J(v)$ définie sur V admet un

gradient G et un Hessien H. On suppose que :

$$(H(u)\varphi, \varphi) \geqslant \alpha \|\varphi\|^2 \quad \forall \varphi \in V, \ \alpha > 0, \quad \forall u \in U \tag{1.1}$$

et que

$$\|H(u)\| \leqslant M \quad \forall u \in U . \tag{1.2}$$

PROBLÈME 1.1 : Déterminer $u \in U$ tel que

$$J(u) \leqslant J(v) \quad \forall v \in U . \tag{1.3}$$

Nous savons que ce problème a une solution et une seule (Théorème 0.3). De plus si u_0 est donné arbitrairement dans U, si :

$$J(v) \leqslant J(u_0) ,$$

avec les hypothèses (1.1) et (1.2), il vient facilement :

$$\|v\| \leqslant C < +\infty .$$

Par suite on peut supposer que U est borné dans V; ce que nous ferons.

Le $m^{\text{ième}}$ itéré sera désigné par u_m; on pose :

$$\begin{cases} J^m = J(u_m) , \\ G^m = G(u_m) , \\ H^m = H(u_m) . \end{cases} \tag{1.4}$$

Construction de la direction de descente : Soit $\mathscr{V}$ un sous-ensemble convexe, fermé et borné dans V, admettant 0 comme point intérieur. Soit $d > 0$ le diamètre de $\mathscr{V}$ ($d = \operatorname{Max} \|u - v\|$, $u, v \in \mathscr{V}$). On pourra par exemple prendre $\mathscr{V} = \{v \mid v \in V, \ \|v\| \leqslant d/2\}$, ou lorsque :

$$V = \mathbf{R}^n ,$$

$$= \left\{ v \mid v \in \mathbf{R}^n, \ |v_i| \leqslant \frac{d}{2\sqrt{2}}, \ i = 1, \dots, n \right\} .$$

On pose

$$U_m = \{v \mid v \in U, \ v - u_m \in \mathscr{V}\} . \tag{1.5}$$

Soit y_m un élément tel que :

$$\begin{cases} y_m \in U_m \\ (G_m, v) \geqslant (G_m, y_m) \quad \forall v \in U_m \end{cases} \tag{1.6}$$

ou encore :

$$\begin{cases} y_m \in U_m \\ (G_m, v - u_m) \geqslant (G_m, y_m - u_m) \quad \forall v \in U_m . \end{cases} \tag{1.6$'$}$$

Soit z_m un élément tel que :

$$\left\{\begin{array}{l} z_m \in U \\ (G_m, y_m - u_m) \geqslant C(G_m, z_m - u_m)\,, \end{array}\right. \tag{1.7}$$

où la constante positive fixe C est donnée à l'avance.

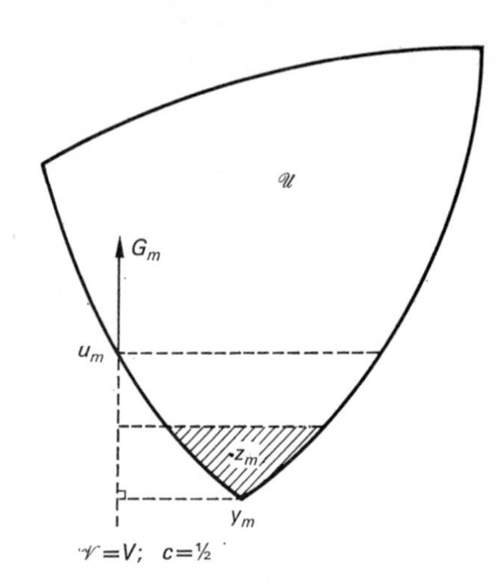

Par exemple on peut prendre $z_m = y_m$, $C = 1$.

La direction de descente sera repérée par :

$$w_m = \frac{z_m - u_m}{\|z_m - u_m\|}\,. \tag{1.8}$$

Choix du point dans la descente :

On introduit ρ_m^l par :

$$\left\{\begin{array}{l} \rho_m^l = \max \rho \\ \forall \rho \text{ tel que } u_m + \rho w_m \in U\,. \end{array}\right. \tag{1.9}$$

On introduit ρ_m^c tel que le choix de $\rho_m = \rho_m^c$ soit convergent.

Pour le problème : minimiser $J(v)$ dans V, on pose alors :

$$\rho_m = \min \{\rho_m^l, \rho_m^c\} \tag{1.10}$$

et

$$u_{m+1} = u_m + \rho_m w_m\,. \tag{1.11}$$

THÉORÈME 1.1. Sous les données et hypothèses précédentes :

i) le problème 1.1 a une solution et une seule,

ii) l'algorithme précédent est convergent,

$$\lim_{m\to\infty} \|u_m - u\|_V = 0 .$$

Démonstration. Examinons d'abord l'existence de la direction w_m.

Avec (1.6)′ et (1.7) il vient :

$$(G_m, v-u_m) \geqslant (G_m, y_m-u_m) \geqslant C.(G_m, z_m-u_m) \quad \forall v \in U_m .$$

En choisissant $v = u_m$, on a $0 \geqslant (G_m, z_m-u_m)$.

Cas où $(G_m, z_m-u_m)=0$*:* Alors $(G_m, v-u_m) \geqslant 0 \quad \forall v \in U_m$ et par suite

$$(G_m, v-u_m) \geqslant 0 \quad \forall v \in U .$$

d'après le théorème 0.4, u_m est solution du problème : c'est-à-dire $u_m = u$.

Cas où $(G_m, z_m-u_m) < 0$*:* Alors $z_m \neq u_m$, et $w_m = \dfrac{z_m-u_m}{\|z_m-u_m\|}$ est une direction de descente.

Premier point. Nous allons montrer que :

$$\lim_{m\to\infty} (G_m, z_m - u_m) = 0 . \tag{1.12}$$

On a :

$$J(u) \leqslant \ldots \leqslant J(u_{m+1}) \leqslant J(u_m) \leqslant \ldots \leqslant J(u_0) \tag{1.13}$$

et en particulier :

$$\lim \triangle J_m = \lim J(u_m) - J(u_{m+1}) = 0 . \tag{1.14}$$

Cas $\rho_m = \rho_m^c$. D'après la définition du choix de ρ convergent, (1.14) entraîne :

$$\lim \left(G_m, -\frac{z_m-u_m}{\|z_m-u_m\|} \right) = 0$$

et puisque la suite $\|z_m-u_m\|$ est bornée il vient (1.12).

Cas $\rho_m = \rho_m^l$. Notons que

$z_m \in U \Rightarrow u_m + \rho \dfrac{z_m-u_m}{\|z_m-u_m\|} \in U \quad \forall \rho \in [0, \|z_m-u_m\|]$ et donc dans ce cas :

$$\begin{cases} \rho_m^l \geqslant \|z_m-u_m\| > 0 \\ \rho_m = \rho_m^l \leqslant \rho_m^c . \end{cases} \tag{1.15}$$

– Si $J(u_m + \rho_m^l w_m) \leqslant J(u_m + \rho_m^c w_m)$, alors

$$J(u_m) - J(u_m + \rho_m^l w_m) \geqslant J(u_m) - J(u_m + \rho_m^c w_m)$$

et le choix de ρ_m^c étant convergent, d'après le chapitre 3, Théorème 4.1, on sait que le choix de ρ_m est convergent; cela nous ramène au premier cas et à (1.12).

— Si $J(u_m + \rho_m^l w_m) > J(u_m + \rho_m^c w_m)$, alors nous sommes dans le cas de figure suivant :

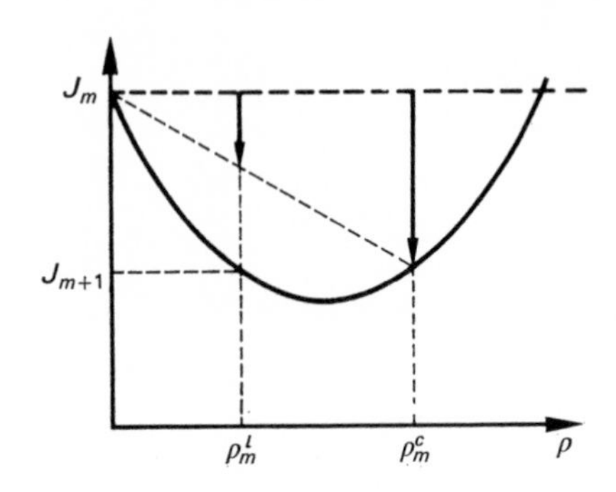

Posons :

$$\Delta J_m = J_m - J_{m+1} = J(u_m) - J(u_m + \rho_m^l w_m) ,$$

$$\Delta \tilde{J}_m = J(u_m) - J(u_m + \rho_m^c w_m) .$$

On a :

$$\frac{\Delta J_m}{\Delta \tilde{J}_m} \geqslant \frac{\rho_m^l}{\rho_m^c}$$

ou encore

(1.16) $$\Delta J_m \geqslant \rho_m^l \cdot \frac{\Delta \tilde{J}_m}{\rho_m^c} .$$

Le choix ρ_m^c étant convergent, pour tous les choix convergents de ρ étudiés dans le chapitre 3 il existe une fonction $\varepsilon \to \gamma(\varepsilon)$ telle que :

$$\frac{\Delta \tilde{J}_m}{\rho_m^c} \geqslant \gamma((G_m - w_m))$$

et que :

$$\begin{cases} \gamma(\varepsilon) \geqslant 0 \quad \forall \varepsilon \geqslant 0 \\ \varepsilon \to 0_+ \Rightarrow \gamma(\varepsilon) \to 0; \quad \gamma(\varepsilon) \to 0 \Rightarrow \varepsilon \to 0 . \end{cases}$$

Donc, avec (1.16), il vient:

$$\Delta J_m \geqslant \rho_m^l \cdot \gamma((G_m - w_m))$$

et avec (1.14) :

(1.17) $$\lim \rho_m^l \, \gamma((G_m - w_m)) = 0 .$$

Si $\lim \rho^l_m = 0$ alors, puisque d'après (1.15) : $\lim \|z_m - u_m\| = 0$, il vient (1.12). Si ce n'est pas le cas, alors il existe une sous-suite et $\varepsilon > 0$ tels que :

$$\rho^l_{m'} \geqslant +\varepsilon > 0$$

et alors, dans (1.17) :

$$\lim \gamma((G_{m'} - w_{m'})) = 0$$

et donc :

$$\lim (G_{m'} - w_{m'}) = 0 .$$

d'où (1.12) puisque $\|z_{m'} - u_{m'}\|$ est bornée. Comme la limite est indépendante de la sous-suite, finalement on a (1.12) dans tous les cas.

Deuxième point : u étant la solution du problème 1.1, on peut trouver $v_m \in U_m$, $\lambda_m \in \mathbf{R}$ tels que :

$$\begin{cases} u - u_m = \lambda_m(v_m - u_m) \\ \lambda_m \leqslant C < +\infty \quad \forall m , \quad \lambda_m \geqslant 0 \end{cases}$$

Mais

$$J(u) = J(u_m) + (G_m, u - u_m) + \tfrac{1}{2}(H(u_m + \theta(u - u_m))(u - u_m), (u - u_m)) ,$$

ce qui, avec l'hypothèse de coercivité entraîne :

$$J(u) \geqslant J(u_m) + (G_m, u - u_m) + \frac{\alpha}{2} \|u - u_m\|^2 ,$$

ou

$$J(u) \geqslant J(u_m) + \lambda_m(G_m, v_m - u_m) + \frac{\alpha}{2} \|u - u_m\|^2 .$$

Mais alors, d'après les définitions de z_m et de u, il vient :

$$0 \geqslant J(u) - J(u_m) \geqslant C \,.\, \lambda_m(G_m, z_m - u_m) + \frac{\alpha}{2} \|u - u_m\|^2$$

ou

$$C\lambda_m(G_m, z_m - u_m) \geqslant \frac{\alpha}{2} \|u - u_m\|^2 .$$

Compte tenu du fait que λ_m est borné et que $\lim (G_m, z_m - u_m) = 0$, il vient :

$$\lim \|u_m - u\| = 0 . \quad \blacksquare$$

Remarque 1.1. Lorsque les contraintes sont linéaires, à chaque itération la recherche de la direction de descente consiste en un problème de programmation linéaire. Lorsque les contraintes ne sont pas linéaires la situation est plus difficile; en effet, la recherche de y_m est un problème non linéaire!

Cependant, grâce au choix de z_m vérifiant (1.7), il n'est pas nécessaire de connaitre exactement y_m ; une méthode itérative pourra être utilisée.

2. Une méthode par linéarisation

Soit V un espace de Hilbert et soient $k+1$ fonctions convexes, définies sur V à valeurs dans $\mathbf{R}$: $v \to J_i(v)$, $i=0, 1, \ldots, k$.

On définit l'ensemble convexe $\mathscr{U}$ par

$$v \in \mathscr{U} \Leftrightarrow J_i(v) \leqslant 0 \quad i=1, \ldots, k .$$

PROBLÈME 2.1 : Déterminer $u \in \mathscr{U}$ tel que

$$J_0(u) \leqslant J_0(v) \quad \forall v \in \mathscr{U} . \tag{2.1}$$

Hypothèses et notations

On suppose que J_i est convexe et possède un gradient noté G_i et un Hessien noté H_i, $i=0, \ldots, k$. De plus

$$\begin{cases} \|G_0(v)\| + \|H_0(v)\| \leqslant M \quad \forall v \in \tilde{\mathscr{U}}\ (^1), \\ \|H_i(v)\| \leqslant M \quad \forall v \in \tilde{\mathscr{U}} \quad i=1, \ldots, k , \end{cases} \tag{2.2}$$

$$\begin{cases} (H_0(v)\varphi, \varphi) \geqslant \alpha \|\varphi\|_V^2 \quad \forall \varphi \in V, \quad \forall v \in \tilde{\mathscr{U}}; \quad \alpha > 0 \\ (H_i(v)\varphi, \varphi)_V \geqslant 0 \quad \forall \varphi \in V, \quad \forall v \in \tilde{\mathscr{U}} . \end{cases} \tag{2.3}$$

On suppose qu'il existe Z tel que

$$J_i(Z) < 0, \quad i=1, \ldots, k \tag{2.4}$$

naturellement on peut supposer que $Z \neq u$.

Description de l'algorithme

On prend $u_0 \in \mathscr{U}$; on va construire une suite $u_m \in \mathscr{U}$ telle que $\lim \|u_m - u\| = 0$. On pose :

$$J_i^m = J_i(u_m), \quad G_i^m = G_i(u_m), \quad H_i^m = H_i(u_m) .$$

Soit $\mathscr{V}$ un sous-ensemble convexe fermé borné dans V et admettant 0 comme point intérieur. Soient d_0 et d tels que $0 < d_0 \leqslant \|v\| \leqslant d < +\infty \quad \forall v \in \mathscr{V}$. Dans la suite, on sera amené à supposer que d_0 est « assez grand ».

Il suffit de prendre pour $\tilde{\mathscr{U}}$ l'ensemble suivant :

$$\tilde{\mathscr{U}} = \{v \mid v \in V, \ v = w + \varphi, \ w \in \mathscr{U}, \ \|\varphi\| < d\} .$$

---

(1) $\tilde{\mathscr{U}}$ est un ensemble donné, « un peu plus grand » que $\mathscr{U}$: $\mathscr{U} \subset \mathring{\tilde{\mathscr{U}}}$; nous verrons plus loin comment choisir $\tilde{\mathscr{U}}$.

Ensemble K_m : C'est l'ensemble $z \in V$, $\sigma \in \mathbf{R}$ tels que

$$(2.5) \qquad \begin{cases} J_i^m + (G_i^m, z - u_m) + \sigma \leqslant 0 & i = 1, \ldots, k, \\ (G_0^m, z - u_m) + \sigma \leqslant 0, \\ z - u_m \in \mathscr{V}. \end{cases}$$

PROBLÈME P_m : Déterminer σ_m, $z_m \in K_m$ tels que

$$(2.6) \qquad \sigma_m \geqslant \sigma \quad \forall \sigma, z \in K_m.$$

Notons que ce problème a au moins une solution; on en sélectionnera une qui sera désignée par σ_m, z_m.

On pose maintenant

$$(2.7) \qquad w_m = \frac{z_m - u_m}{\|z_m - u_m\|}$$

et

$$(2.8) \qquad \rho_m^l = \sup \rho, \quad u_m + \rho w_m \in \mathscr{U}.$$

On introduit ρ_m^c tel que le choix ρ_m^c soit convergent pour le problème : minimiser J_0 dans V, la direction de la descente étant donnée par (2.7).

On pose alors :

$$(2.9) \qquad \rho_m = \min \{\rho_m^l, \rho_m^c\}$$

et

$$(2.10) \qquad u_{m+1} = u_m + \rho_m w_m.$$

THÉORÈME 2.1. Sous les données et hypothèses précédentes :

i) Le problème 2.1 a une solution u et une seule.

ii) De plus

$$\lim_{m \to \infty} \|u_m - u\| = 0.$$

On va d'abord établir quelques lemmes.

LEMME 2.1. Si $J_0(u) < J_0(u_m)$ alors on peut trouver y_m, $\varepsilon_m \in K_m$ avec $\varepsilon_m > 0$.

Démonstration. Soient l_m et l'_m tels que

$$(2.11) \qquad \begin{cases} J(u) < l'_m < l_m \leqslant J_0^m(u) \\ l'_m < J_0(Z). \end{cases}$$

Introduisons y_m et $\theta_m \in [0, 1]$ par

$$\begin{cases} y_m = (1 - \theta_m) u + \theta_m Z \\ J_0(y_m) = l'_m \end{cases}$$

Compte tenu des propriétés de J_0 et de (2.11) il y a existence et unicité de θ_m; de plus, $0 < \theta_m < 1$. On a :

$$J_i(y_m) = J_i((1-\theta_m)u + \theta_m Z) \leqslant (1-\theta_m)J_i(u) + \theta_m J_i(Z) < 0$$

pour $i = 1, \ldots, k$ car $0 < \theta_m < 1$, $J_i(Z) < 0$.

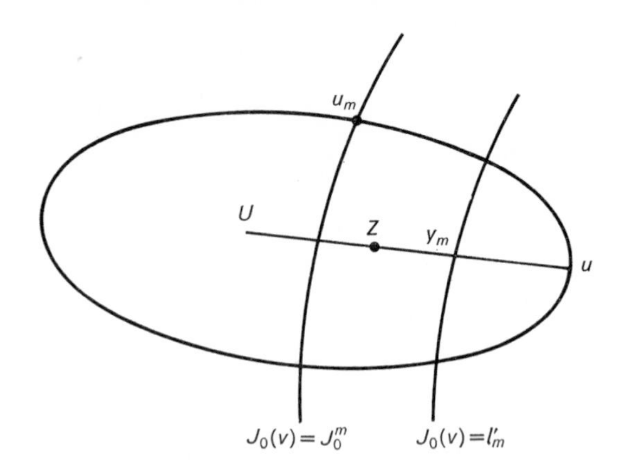

On a donc, compte tenu de la convexité :

$$0 > J_i(y_m) \geqslant J_i^m + (G_i^m, y_m - u_m) \quad i = 1, \ldots, k$$

$$0 > l'_m - l_m > l'_m - J_0^m = J_0(y_m) - J_0^m \geqslant (G_0^m, y_m - u_m).$$

Posons

(2.12) $$-\varepsilon_m = Max\{(l'_m - l_m), J_1^m(y_m), \ldots, J_k^m(y_m)\}.$$

Clairement, il vient :

(2.13) $$\begin{cases} \varepsilon_m > 0 \\ 0 \geqslant \varepsilon_m + J_i^m + (G_i^m, y_m - u_m) \\ 0 \geqslant \varepsilon_m + (G_0^m, y_m - u_m). \end{cases}$$

Donc y_m, $\varepsilon_m \in K_m$, $\varepsilon_m > 0$ (notons que d_0 est « assez grand » pour que $y_m - u_m \in \mathscr{V}$).

LEMME 2.2. Si $J_0^m > J_0(u)$ et si z_m, σ_m est une solution du problème P_m alors il existe $\mu_m > 0$ tel que

(2.14) $$0 \leqslant \rho < \mu_m \Rightarrow u_m + \rho(z_m - u_m) \in \mathscr{U},$$

(2.15) $$z_m - u_m \neq 0,$$

(2.16) $$(G_0^m, z_m - u_m) < 0.$$

[Cela signifie que $z_m - u_m$ est à la fois une direction admissible et une direction de descente.]

Démonstration. Le couple z_m, σ_m vérifie les relations (2.5). Mais le couple y_m, ε_m, dont l'existence est assurée par le lemme 2.1, est dans K_m; par suite $\sigma_m \geqslant \varepsilon_m > 0$ d'où, avec les relations (2.5), il vient

$$
(2.17) \quad \begin{cases} J_i^m + (G_i^m, z_m - u_m) + \varepsilon_m \leqslant 0 \quad i = 1, \ldots, k\,, \\ (G_0^m, z_m - u_m) + \varepsilon_m \leqslant 0\,, \\ z_m - u_m \in \mathscr{V}\,, \\ \varepsilon_m > 0\,. \end{cases}
$$

Les relations $(2.17)_2$ et $(2.17)_4$ entraînent (2.15) et (2.16).

D'après la formule de Taylor, on a :

$$
\begin{cases} J_i(u_m + \rho(z_m - u_m)) = J_i^m + \rho(G_i^m, z_m - u_m) + \dfrac{\rho}{2}\,(H_i(u_m + \mu_m \rho(z_m - u_m)) \\ \quad \cdot\,(z_m - u_m), z_m - u_m)\,, \\ \mu_m \in \,]0, 1[\,. \end{cases}
$$

Mais $\|z_m - u_m\| \leqslant d$, car $z_m - u_m \in \mathscr{V}$ et le Hessien H_i est borné; d'où

$$
J_i(u_m + \rho(z_m - u_m)) \leqslant J_i^m + \rho(G_i^m, z_m - u_m) + \frac{\rho^2}{2}\,Md^2\,.
$$

Avec $(2.17)_1$ il vient :

$$
J_i(u_m + \rho(z_m - u_m)) \leqslant J_i^m - \rho(J_i^m + \varepsilon_m) + \frac{\rho^2}{2}\,Md^2 \quad i = 1, \ldots, k\,.
$$

L'étude du signe du trinôme en ρ montre que, pour

$$
0 \leqslant \rho \leqslant \rho_i^m, \quad \rho_i^m = \frac{J_i^m + \varepsilon_m + \sqrt{(J_i^m + \varepsilon_m)^2 - 2Md^2 J_i^m}}{Md^2}
$$

on a

$$
J_i(u_m + \rho(z_m - u_m)) \leqslant 0\,.
$$

Ouvrons une parenthèse ([1]) : considérons la fonction

$$y \to \Phi(y) = \frac{y + \varepsilon + \sqrt{(y+\varepsilon)^2 - 2Md^2 y}}{Md^2},$$

où les nombres ε, M, d sont donnés : $\varepsilon > 0$, $M > 0$; on vérifie facilement ceci :

— la fonction Φ est définie et continue pour tout $y \leqslant 0$,

— $\Phi(y) > 0 \quad \forall y \leqslant 0$,

— $\lim\limits_{y \to -\infty} \Phi(y) = +1$,

si bien que, en posant :

$$\eta(\varepsilon) = \operatorname*{Min}_{y \leqslant 0} \Phi(y)$$

on a

$$\eta(\varepsilon) > 0 \quad \forall \varepsilon > 0 .$$

Par suite, on a :

$$0 < \eta(\varepsilon_m) \leqslant \rho_i^m \quad i = 1, \ldots, k$$

et donc, à fortiori,

$$\text{(2.18)} \quad \begin{cases} 0 \leqslant \rho \leqslant \eta(\varepsilon_m) \Rightarrow J_i(u_m + \rho(z_m - u_m)) \leqslant 0 \quad i = 1, \ldots, k \\ \varepsilon_m > 0 \Rightarrow \eta(\varepsilon_m) > 0 \end{cases}$$

En posant $\mu_m = \eta(\varepsilon_m)$, il vient (2.14).

Démonstration du théorème

Il est à noter que le problème admet une solution u et une seule. Établissons la convergence de u_m vers u. La suite $J_0(u_m)$, étant décroissante, et bornée par $J_0(u)$, est convergente. Posons :

$$l = \lim_{m \to \infty} J_0(u_m) .$$

Premier cas : $l = J_0(u)$, c'est-à-dire $J_0(u) = \lim\limits_{m \to \infty} J_0(u_m)$.

À partir de la formule de Taylor et compte tenu de la coercivité de J_0, il vient :

$$J_0(u_m) \geqslant J_0(u) + (G_0(u), u_m - u) + \frac{\alpha}{2} \|u_m - u\|^2 .$$

([1]) Cela peut être évité en vérifiant que

$$\Phi(y) \geqslant \operatorname{Min}\left(1, \frac{2\varepsilon}{Md^2}\right) \qquad \forall y \leqslant 0 .$$

Mais la définition de u entraîne

$$(G(u), v-u) \geqslant 0 \quad \forall v \in \mathcal{U} .$$

En particulier, pour $v = u_m$, d'où à fortiori : a

$$J_0(u_m) \geqslant J_0(u) + \frac{\alpha}{2} \|u_m - u\|^2 ,$$

et puisque $\lim\limits_{m \to \infty} J_0(u_m) = J_0(u)$, il vient

$$\lim_{m \to \infty} \|u_m - u\| = 0 .$$

Deuxième cas : $l > J_0(u)$.

Montrons que ce cas ne peut pas se produire, car il amènerait une contradiction ; on a en effet :

$$J_0(u_m) \geqslant l > J_0(u) .$$

Soit l' tel que $J_0(u) < l' < l$, $l' < J_0(z)$; alors, dans le lemme 2.1 on peut prendre :

$$l_m = l, \quad l'_m = l' .$$

Par suite, les éléments y_m, ε_m sont fixes ; en particulier :

$$\varepsilon_m = \varepsilon > 0 .$$

Alors, dans (2.18), il vient :

$$\begin{cases} 0 \leqslant \rho \leqslant \eta(\varepsilon) \Rightarrow J_i(u_m + \rho(z_m - u_m)) \leqslant 0 \quad i = 1, \dots, k , \\ \eta(\varepsilon) > 0 \end{cases}$$

c'est-à-dire

$$\begin{cases} 0 \leqslant \rho \leqslant \eta(\varepsilon) \Rightarrow u_m + \rho(z_m - u_m) \in \mathcal{U} \quad \forall m \\ \eta(\varepsilon) > 0 . \end{cases} \tag{2.19}$$

De même, $(2.17)_2$ devient

$$(G_0^m, z_m - u_m) + \varepsilon \leqslant 0 \quad \forall m \tag{2.20}$$

(ce qui montre que $z_m - u_m \neq 0$).

À partir de (2.20), il vient à fortiori :

$$- \|G_0^m\| \cdot \|z_m - u_m + \varepsilon \leqslant 0$$

$$\varepsilon \leqslant \|G_0^m\| \cdot \|z_m - u_m\| \leqslant M \cdot \|z_m - u_m\| ,$$

d'où

$$\frac{\varepsilon}{M} \leqslant \|z_m - u_m\| . \tag{2.21}$$

On peut alors écrire (2.19) sous la forme

$$(2.19)' \quad \begin{cases} 0 \leqslant \rho \leqslant \dfrac{\varepsilon}{M} \cdot \eta(\varepsilon) \Rightarrow u_m + \rho \dfrac{(z_m - u_m)}{\|z_m - u_m\|} \in \mathcal{U} \quad \forall m\,, \\ \dfrac{\varepsilon}{M}\, \eta(\varepsilon) > 0\,. \end{cases}$$

Avec (2.20) il vient :

$$\left(\frac{G_0^m}{\|G_0^m\|}, \frac{z_m - u_m}{\|z_m - u_m\|} \right) \leqslant - \frac{\varepsilon}{\|G_0^m\| \cdot \|z_m - u_m\|}\,.$$

Mais $0 < \|z_m - u_m\| \leqslant d$, $0 < \|G_0^m\| \leqslant M$, d'où

$$(2.22) \quad \left(\frac{G_0^m}{\|G_0^m\|}, \frac{z_m - u_m}{\|z_m - u_m\|} \right) \leqslant - \frac{\varepsilon}{Md} \quad \forall m\,.$$

Rappelons que

$$u_{m+1} = u_m + \rho_m \cdot w_m\,, \quad w_m = \frac{z_m - u_m}{\|z_m - u_m\|}\,.$$

et que

$$\rho_m = \min \{\rho_m^l, \rho_m^c\}\,.$$

Grâce à (2.19)′ on a

$$\rho_m^l \geqslant \frac{\varepsilon}{M} \cdot \eta(\varepsilon) > 0\,.$$

Cas $\rho_m = \rho_m^l$*:* Alors

$$0 < \frac{\varepsilon}{M}\, \eta(\varepsilon) \leqslant \rho_m \leqslant \rho_m^c$$

et par suite le choix de ρ_m est convergent (voir chapitre précédent, n° 4).

On a en effet, compte tenu de la convexité de J_0 et en posant

$\Delta J_\rho = J_0(u_m + \rho w_m) - J_0(u_m)$:

— ou bien $\Delta J_{\rho_m} \geqslant \Delta J_{\rho_m^c}$,

— ou bien $\Delta J_{\rho_m} \geqslant \dfrac{\rho_m}{\rho_m^c} \cdot \Delta J_{\rho_m^c}\,.$

Dans tous les cas, cela conduit à :

$$\Delta J_{\rho_m} \geqslant c_0 . \Delta J_{\rho_m^c}, \quad c_0 > 0 ,$$

et donc le choix ρ_m est convergent.

Cas $\rho_m = \rho_m^c$: Alors le choix de ρ_m est convergent.

Donc, dans tous les cas, le choix de ρ_m est convergent; *tout se passe comme si on résolvait le problème* : minimiser $J_0(v)$ (sans contrainte) avec un choix de ρ convergent et un choix de w convergent (voir (2.22)). On sait que cela entraîne :

$$\lim_{m \to \infty} (G_0^m, \varphi_m) = 0 \quad \forall \varphi_m, \|\varphi_m\| = 1 .$$

En particulier cela entraîne

$$\lim \|G_0^m\| = 0 ,$$

ce qui est la contradiction avec (2.20)! (Car $\|z_m - u_m\| \leqslant d$ et $\varepsilon > 0$).

Remarque 2.1. Cette méthode entre dans le cadre des méthodes appelées par Zoutendijk les méthodes des directions admissibles. Notons qu'il n'est pas employé ici de procédure anti-zigzag.

Remarque 2.2. On a introduit $\mathscr{V}$ pour que le problème P_m ait toujours au moins une solution; essentiellement pour que $z_m - u_m$ soit borné. Zoutendijk appelle la contrainte $z_m - u_m \in \mathscr{V}$ une contrainte de normalisation. On pourrait introduire $\mathscr{V}_m$ au lieu de $\mathscr{V}$, $\mathscr{V}_m$ étant tel que le problème P_m admette au moins une solution et que les $z_m - u_m$ soient uniformément bornés.

Remarque 2.3. Posons $\alpha_0 = \eta$; $\alpha_1 = \ldots = \alpha_k = 1$.

Les relations (2.5) s'écrivent alors :

$$(2.5)' \qquad \begin{cases} [\alpha_i J_i^m + (G_i^m, z - u_m)] + \sigma \leqslant 0 \quad i = 0, \ldots, k \\ z - u_m \in \mathscr{V} , \end{cases}$$

ou encore

$$(2.5)'' \qquad \begin{cases} \{\max\limits_i [\alpha_i J_i^m + (G_i^m, z - u_m)]\} + \sigma \leqslant 0 , \\ \\ z - u_m \in \mathscr{V} . \end{cases}$$

Si z est fixée, la meilleure valeur $\sigma(z)$ de σ est :

$$\sigma(z) = -\operatorname*{Max}_i [\alpha_i J_i^m + (G_i^m, z - u_m)] .$$

et finalement la solution σ_m du problème P_m vérifie :

$$\sigma_m = \operatorname*{Max}_z - \operatorname*{Max}_i [\alpha_i J_i^m + (G_i^m, z - u_m)] ;$$

ce qui peut se mettre sous plusieurs formes :

$$\begin{cases} -\sigma_m = \underset{z}{\text{Min}} \underset{i}{\text{Max}} \left[\alpha_i J_i^m + (G_i^m, z-u_m)\right], \\ \sigma_m = \underset{z}{\text{Max}} \underset{i}{\text{Min}} \left[-\alpha_i J_i^m - (G_i^m, z-u_m)\right], \\ i = 0. 1, \dots, k, \\ z-u_m \in \mathscr{V}. \end{cases}$$

Dans la recherche de z_m, on rejoint la méthode des centres (que nous allons étudier dans le numéro suivant).

Intuitivement, on recherche un point z_m « le plus à l'intérieur » possible dans le domaine

$$\begin{cases} \alpha_i J_i^m + (G_i^m, z-u_m) \leqslant 0 \\ z-u_m \in \mathscr{V}. \end{cases}$$

Remarque 2.4. Soit $r > 0$; dans la construction de u_{m+1}, imposons la contrainte $0 \leqslant \rho_m \leqslant r$; on vérifierait ceci : on obtiendrait un résultat identique en négligeant dans K_m (ou dans la recherche de la direction de descente) les indices i pour lesquels la boule de centre u_m et de rayon r est contenue dans l'ensemble $\{v \mid v \in V, J_i(v) \leqslant 0\}$.

Supposons que

$$\|G_i(v)\| + \|H_i(v)\| \leqslant M \quad \forall v \in \tilde{\mathscr{U}} \quad i = 1, \dots, k;$$

alors, avec la formule de Taylor, il vient :

$$\begin{cases} J_i(u_m+\rho\varphi) \leqslant J_i^m + \rho M + \frac{1}{2}\rho^2 M \\ \forall \varphi \in V, \quad \|\varphi\| = 1. \end{cases}$$

En particulier :

$$\begin{cases} J_i(u_m+\rho\varphi) \leqslant J_i^m + rM + \frac{1}{2}r^2 M \\ \forall \varphi \in V, \quad \|\varphi\| = 1, \\ \forall \rho, 0 \leqslant \rho \leqslant r. \end{cases}$$

Posons :

$$\mu(r) = rM + \tfrac{1}{2}r^2 M;$$

alors

$$J_i^m \leqslant -\mu(r) \Rightarrow J_i(u_m+\rho\varphi) \leqslant 0 \quad \forall \varphi, \|\varphi\| = 1, \quad \forall \rho, 0 \leqslant \rho < r.$$

On est donc conduit à éliminer dans la définition de K_m, les indices i pour lesquels

$$\begin{cases} J_i^m \leqslant -\mu(r), \\ \mu(r) = rM + \frac{1}{2}r^2 M. \end{cases} \tag{2.23}$$

Comme r est arbitraire, $r > 0$; $\mu(r)$ est arbitraire, $\mu(r) > 0$.

Remarque 2.5. Si u est intérieur à $\mathscr{U}$, si u_0 est aussi dans l'intérieur de $\mathscr{U}$, si $\mathscr{V} = \{v \mid \|v\| \leqslant 1,\ v \in V\}$ alors la méthode précédente est la méthode du gradient. C'est en particulier le cas lorsqu'il n'y a pas de contrainte.

Remarque 2.6. Supposons que $J_i(v)$ soit une contrainte linéaire alors dans la définition de K_m on peut remplacer

$$J_i^m + (G_i^m, z-u_m) + \sigma \leqslant 0$$

par

$$J_i^m + (G_i^m, z-u_m) = J_i(z) \leqslant 0 .$$

Le théorème reste inchangé.

Si toutes les contraintes sont linéaires et si J_0 est quadratique, il s'agit alors de la méthode de Franck-Wolfe.

Remarque 2.7. On peut modifier la définition de K_m en introduisant des coefficients fixes $\xi_i > 0$:

$$J_i^m + (G_i^m, z-u_m) + \xi_i \, . \, \sigma \leqslant 0 .$$

Lorsque J_i est linéaire, on peut prendre $\xi_i = 0$.

Remarque 2.8. La méthode de descente précédente n'utilise que des directions admissibles. On peut donc envisager d'utiliser cette méthode dans le cas où des hypothèses de convexité ne sont pas satisfaites.

Remarque 2.9. On peut modifier la définition de K_m en introduisant des constantes positives $\xi_i^m \geqslant 0$:

$$J_i^m + (G_i^m, z-u_m) + \sigma \leqslant \xi_i^m \quad i = 1, \ldots, k .$$

Le théorème 2.1 est toujours valable.

3. La méthode des centres à troncature variable (1)

Il s'agit d'une généralisation due à Trémolières [18] de la méthode des centres de Huard [18]. Nous allons présenter cette méthode dans un cas simple.

On se donne des fonctions concaves et continues J_i, $i = 1, \ldots, k$, définies sur $\mathbf{R}^r$ (à valeurs dans $\mathbf{R}$). On définit l'ensemble convexe fermé U par :

$$U = \{v \mid J_i(v) \geqslant 0,\ i = 1, \ldots, k\} .$$

On suppose que :

(3.1) U a au moins un point intérieur et que :

$$\mathring{U} \equiv \{v \mid J_i(v) > 0,\ i = 1, \ldots, k\} .$$

(1) La nouvelle rédaction de ce numéro remplace celle proposée par l'auteur pendant l'école d'été d'analyse numérique du C. E. A., E. D. F. Cette rédaction est due à M. Trémolières que je tiens à remercier vivement.

De plus on donne une fonction J_0 strictement convexe et continue telle que :

$$\lim_{\|v\| \to \infty} J_0(v) = +\infty . \tag{3.2}$$

Sous les hypothèses précédentes, on sait que le problème suivant a une solution et une seule (voir théorème 0.3).

Problème 3.1 : Déterminer $u \in U$ tel que :

$$J_0(u) \leqslant J_0(v) \quad \forall v \in U .$$

De plus, grâce à (3.1) on vérifie le :

LEMME 3.1. $\forall l > J_0(u)$, l'ensemble : $\{v \mid v \in U,\ J_0(v) \leqslant l\}$ contient un point y tel que :

$$\begin{cases} J_i(y) > 0 \quad i = 1, \dots, k \\ J_0(y) < l . \end{cases} \tag{3.4}$$

L'ALGORITHME. On démarre avec $u_0 \in U$; on pose $l_0 = J_0(u_0)$.

Supposons u_m et l_m construits; on passe de u_m à u_{m+1} et de l_m à l_{m+1} de la façon suivante; on pose :

$$\begin{cases} \Phi_m(v) = (l_m - J_0(v)) \cdot \prod_{i=1}^{k} J_i(v) , \\ \\ U_m = \{v \mid v \in U,\ J_0(v) \leqslant l_m\} . \end{cases} \tag{3.5}$$

Grâce à l'hypothèse (3.2), U_m est un ensemble borné (et fermé).

La fonction continue $v \to \Phi_m(v)$ atteint au moins une fois son maximum dans U_m. On désigne par u_{m+1} un point tel que :

$$\begin{cases} u_{m+1} \in U_m , \\ \Phi_m(u_{m+1}) \geqslant \Phi_m(v) \quad \forall v \in U_m , \end{cases} \tag{3.6}$$

et par u'_{m+1} un point tel que :

$$\begin{cases} u'_{m+1} \in U_m \\ J_0(u'_{m+1}) \leqslant J_0(u_{m+1}) \end{cases} \tag{3.7}$$

(un tel point existe toujours puisque $u'_{m+1} = u_{m+1}$ convient).

On se donne un nombre r_m quelconque (appelé rapport de troncature) tel que :

$$0 < e \leqslant r_m \leqslant 1 . \tag{3.8}$$

Le nombre e fixé à l'avance a pour but d'empêcher que la suite (r_m) ne tende vers 0.

On pose :

$$l_{m+1} = l_m - r_m[l_m - J_0(u'_{m+1})] . \tag{3.9}$$

THÉORÈME 3.1. Sous les données et hypothèses précédentes, le problème 3.1 admet une solution u et une seule. De plus, l'algorithme précédent est convergent :

$$\lim_{m\to\infty} \|u_m - u\| = 0 .$$

Démonstration. La suite l_m est décroissante par construction. De plus, on a :

$$J_0(u) \leqslant \ldots \leqslant l_m \leqslant \ldots \leqslant l_0 ,$$

d'où :

$$\lim_{m\to\infty} (l_m - l_{m+1}) = 0$$

et, d'après (3.7), (3.8), et (3.9) :

$$\lim_{m\to\infty} (l_m - J_0(u_{m+1})) = 0 . \tag{3.10}$$

Puisque $J_0(u_m) \leqslant J_0(u_0)$, la suite u_m est bornée (voir (3.3)); donc

$$\prod_{i=1}^{k} J_i(u_{m+1}) \text{ est borné}$$

et avec (3.10), il vient :

$$\lim_{m\to\infty} \Phi_m(u_{m+1}) = 0 . \tag{3.11}$$

Posons :

$$l = \lim_{m\to\infty} J_0(u_m) .$$

On a :

$$J_0(u) \leqslant l \leqslant J_0(u_m) \quad \forall m .$$

Montrons que $J_0(u) = l$.

Supposons que $J_0(u) < l$ et montrons que cela est impossible. D'après le lemme 3.1 l'ensemble $\{v \mid v \in U, J(v) \leqslant l\}$ a un point intérieur y, à fortiori y est intérieur à U_m.

D'où :

$$\Phi_m(u_{m+1}) \geqslant \Phi_m(y) ;$$

mais :

$$\Phi_m(y) = (l_m - J_0(y)) \prod_{i=1}^{k} J_i(y) \geqslant (l - J_0(y)) \prod_{i=1}^{k} J_i(y) = C$$

et, grâce à (3.4) :

$$C > 0,$$

d'où

$$\Phi_m(u_{m+1}) \geqslant \Phi_m(y) \geqslant C > 0 \quad \forall m .$$

Ce qui est contradition avec (3.11), donc :

$$J_0(u) = l = \lim_{m \to \infty} J_0(u_m) .$$

La suite u_m étant bornée, on peut extraire une sous-suite convergente :

$$\lim_{m' \to \infty} u_{m'} = u^*$$

et U étant fermé, $u^* \in U$. De plus, par continuité :

$$J(u^*) = \lim_{m' \to \infty} J_0(u_{m'}) = J_0(u) ,$$

donc J_0 est minimum en u^*; mais le problème 3.1 a une solution unique et par suite $u^* = u$. Comme u est indépendant de la sous-suite, on vérifierait que :

$$\lim_{m \to \infty} u_m = u^* .$$

Remarque 3.1. La recherche de u_{m+1} consiste en un problème de maximisation sans contraintes. En effet : pour tout v appartenant à la frontière de U_m, on a $\Phi_m(v) = 0$ et pour tout v appartenant à $\overline{U}_m$, on a $\Phi_m(v) \geqslant 0$; on construira une suite $u_{m,p}$ qui convergera vers u_{m+1}, on choisira $u_{m,0} = u'_m$ (au début $u_{0,0} = u_0$). Comme $l_m \geqslant J_0(u'_m)$, $u'_m \in U_m$ et $u_{m+1} \in U_m$, on aura :

$$0 \leqslant \Phi_m(u_{m,0}) < \Phi_m(u_{m,1}) < \Phi_m(u_{m,p}) \dots$$

et automatiquement la frontière de U_m sera évitée dans la recherche de $u_{m,1}$, $u_{m,2}$, ...

Remarque 3.2. On peut modifier $\Phi_m(v)$ de la façon suivante : soient α_i, $\alpha_i > 0$, $i = 0, \dots, k$, des scalaires pouvant dépendre éventuellement de m mais qui ne tendent pas vers 0, et posons :

$$\Phi_m(v) = [l_m - J_0(v)]^{\alpha_0} \prod_{i=1}^{k} (J_i(v))^{\alpha_i} . \tag{3.12}$$

On obtiendrait exactement le même théorème.

Remarque 3.3. Dans la méthode exposée plus haut, on maximise une fonction positive, nulle sur la frontière de U_m. Cela nous conduira au point u_{m+1} intuitivement « le plus à l'intérieur » de U_m; ce point u_{m+1} est appelé par Huard le centre de U_m. On pourrait de la même façon minimiser (ou maximiser) une fonction qui vaut $+\infty$ (ou $-\infty$) sur la frontière de U_m. Par exemple :

$$\Phi_m(v) = \frac{\alpha_0}{l_m - J_0(v)} + \sum_{i=1}^{k} \frac{\alpha_i}{J_i(v)} \tag{3.13}$$

ou :

(3.14) $$\Phi_m(v) = \alpha_0 \operatorname{Log}(l_m - J_0(v)) + \sum_{i=1}^{k} \alpha_i \operatorname{Log} J_i(v) .$$

Remarque 3.4. Si l'on prend $u'_{m+1} = u_{m+1}$ et $r_m = 1$ la méthode est exactement celle de Huard.

Avec $u'_{m+1} = u_{m+1}$ et $r_m = e$ suffisamment petit, le procédé permet de déterminer presque point par point une courbe intérieure au convexe des contraintes et dont u^* est une extrémité.

La connaissance d'un point u'_{m+1} différent de u_{m+1} et tel que l'écart entre $J(u'_{m+1})$ et $J(u_{m+1})$ soit le plus grand possible permet en prenant r_m voisin de 1, d'accélérer très sensiblement la vitesse de convergence.

La détermination de u'_{m+1} n'est pas précisée; dans la pratique on peut utiliser des procédés d'extrapolation à partir de u_{m+1} par exemple en minimisant $J_0(v)$ sur la portion de droite joignant u_m à u_{m+1} et contenue dans U_m.

Dans le schéma qui suit, on veut minimiser $f(x)$ sous les contraintes $g_1(x) \geqslant 0$, $g_2(x) \geqslant 0$, $x \in \mathbf{R}^2$. On a alors

$$\Phi_m(x) = (l_m - f(x)) g_1(x) g_2(x) .$$

La recherche de $x'_2, x'_3, x'_4, \ldots$, se fait en cherchant x'_2 sur la « droite $x_1 x''_2$, x'_3 sur $x_2 x'_3, \ldots$

On recherche x_{m+1} à partir de x'_m en maximisant $\Phi_m(v)$ par exemple avec la méthode du gradient.

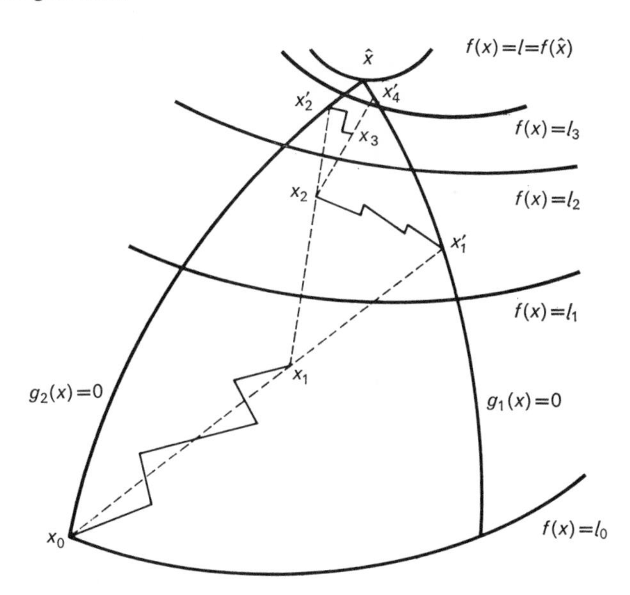

x_i est le $i^{\text{ième}}$ centre.
x'_i est la $i^{\text{ième}}$ extrapolation.

4. Minimisation dans un espace produit

4.1 *Position du problème*

Pour $i=1, \ldots, k$, V_i est un espace de Hilbert et K_i est un sous-ensemble convexe fermé dans V_i; on pose :

$$V = \prod_{i=1}^{k} V_i ,$$

$$U = \prod_{i=1}^{k} U_i .$$

Les éléments de V seront de la forme $v=(v_1, \ldots, v_k)$, $v_i \in V_i$, $i=1, \ldots, k$, et on aura :

$$((u, v)) = \sum_{i=1}^{k} ((u_i, v_i))_{V_i} .$$

On donne maintenant une forme bilinéaire $u, v \to a(u, v)$ définie sur $V \times V$, continue, symétrique et coercive c'est-à-dire qu'on a :

(4.1) $$|a(u, v)| \leqslant M \|u\| \|v\| \quad \forall u,\ v \in V ,$$

(4.2) $$a(u, v) = a(v, u) \quad \forall u, v \in V ,$$

(4.3) $$a(v, v) \geqslant \alpha \|v\|^2 \quad \forall v \in V ,$$

avec $\alpha > 0$, $+\infty > M > 0$.

On donne une fonction linéaire $v \to L(v)$ définie et continue sur V. On pose :

$$J(v) = \tfrac{1}{2} a(v, v) - L(v) .$$

Problème 4.1 *:* Déterminer $u \in U$ tel que :

(4.4) $$J(u) \leqslant J(v) \quad \forall v \in U .$$

En utilisant le théorème 0.3 et le théorème 0.4, il vient le

THÉORÈME 4.1 :

i) Le problème 4.1 a une solution u et une seule.

ii) Cette solution u est caractérisée par :

(4.5) $$\begin{cases} a(u, v-u) - L(v-u) \geqslant 0 \quad \forall v \in U , \\ u \in U . \end{cases}$$

Rappelons la formule de Taylor dans le cas général :

$$\begin{cases} J(v) = J(u) + ((G(u), v)) + \frac{1}{2}((H(u+\theta(v-u))(v-u), v-u)) \\ \theta \in]0,1[, \end{cases}$$

où G est le gradient de J et H le Hessien de J.

Dans le cas présent, cette formule devient :

$$J(v) = J(u) + [a(u, v-u) - L(v-u)] + \tfrac{1}{2}a(v-u, v-u)\,. \tag{4.6}$$

Compte tenu de (4.5) il vient, si u est la solution du problème 4.1 :

$$J(v) \geqslant J(u) + \tfrac{1}{2}a(v-u, v-u) \quad \forall v \in U \tag{4.7}$$

et, compte tenu de (4.3) :

$$J(v) \geqslant J(u) + \frac{\alpha}{2}\,\|v-u\|^2 \quad \forall v \in U\,. \tag{4.8}$$

4.2 *Approximation de la solution u*

On donne $u^0 \in U$, on va construire une suite d'itérés u^m, $m = 1, 2, \ldots$ Le passage de u^m à u^{m+1} se fait en k étapes : on commence par déterminer u_1^{m+1}, puis $u_2^{m+1}, \ldots$, puis enfin u_k^{m+1}. La composante u_j^{m+1} est la solution (unique) du problème de minimisation dans U_j : déterminer u_j^{m+1} dans U_j tel que :

$$(4.9)_j \begin{cases} j(u_1^{m+1}, \ldots, u_j^{m+1}, u_{j+1}^m, \ldots, u_k^m) \leqslant J(u_1^{m+1}, \ldots, u_{j-1}^{m+1}, v_j, u_{j+1}^m, \ldots, u_k^m)\,, \\ \forall v_j \in U_j\,. \end{cases}$$

Notations :

$$\begin{cases} v \in U^{m,j} \Leftrightarrow v = (u_1^{m+1}, \ldots, u_{j-1}^{m+1}, v_j, u_{j+1}^m, \ldots, u_k^m) \quad v_j \in U_j \\ u^{m,j} = (u_1^{m+1}, \ldots, u_j^{m+1}, u_{j+1}^m, \ldots, u_k^m)\,. \end{cases}$$

Notons que $u^{m,j} \in U^{m,j}$; on peut alors formuler (4.9) de la façon suivante : déterminer $u^{m,j} \in U^{m,j}$ tel que :

$$(4.9)'_j \qquad J(u^{m,j}) \leqslant J(v) \quad \forall v \in U^{m,j}\,.$$

THÉORÈME 4.2. Sous les données et hypothèses précédentes, la suite u^m converge vers u dans V faible quand $m \to \infty$.

Démonstration :

Premier point : La suite $J(u^{m,j})$ est décroissante par construction d'où :

$$J(u) \leqslant \ldots \leqslant J(u^{m,j+1}) \leqslant J(u^{m,j}) \leqslant \ldots \leqslant J(u^0) \tag{4.10}$$

et par conséquent :

$$\lim_{m \to +\infty} [J(u^{m,j+1}) - J(u^{m,j})] = 0\,. \tag{4.11}$$

De plus, en utilisant la coercivité, il vient :

$$\|u^{m,j}\| \leqslant c < +\infty \quad \forall m, j\,. \tag{4.12}$$

Deuxième point : Montrons que la suite $u^{m,j} - u^{m,j-1}$ converge fortement vers 0 quand $m \to +\infty$. Il suffit d'appliquer la relation (4.8) au problème (4.9)′

en remplaçant u par $u^{m,j}$ et v par $u^{m,j-1}$ pour obtenir :

$$\frac{\alpha}{2}\|u^{m,j-1}-u^{m,j}\|^2 \leqslant J(u^{m,j-1}) - J(u^{m,j}).$$

Ce qui, avec (4.11), entraîne :

$$\lim_{m\to+\infty} \|u^{m,j-1}-u^{m,j}\| = 0 \tag{4.13}$$

pour $j=1, \ldots, k$, $[u^{m,0}=u^m]$.

Troisième point : Extraction de suites convergentes. Grâce à (4.12) il existe un élément $w \in V$ et une sous-suite $u^{m',j}$ extraite de la suite $u^{m,j}$ tels que :

$$\lim_{m'\to+\infty} u^{m',j} = w \quad \text{dans } V \text{ faible}.$$

En utilisant (4.13), il vient :

$$\lim_{m'\to+\infty} u^{m',j} = w \quad \text{dans } V \text{ faible}; \quad j=0,1,\ldots,k. \tag{4.14}$$

Notons que $w \in U$ car U est fermé et convexe, donc faiblement fermé.

Quatrième point : Soit v_j un élément *quelconque* de U_j; posons

$$\hat{v}_j = (0, \ldots, 0, v_j, 0, \ldots, 0) \in V.$$

L'élément standard $z \in U^{m,j}$ est de la forme

$$z = (u_1^{m+1}, \ldots, u_{j-1}^{m+1}, v_j, u_{j+1}^m, \ldots, u_k^m)$$

et

$$z - u^{m,j} = (0, \ldots, 0, v_j - u_j^{m+1}, 0, \ldots, 0) = \hat{v}_j - \hat{u}_j^{m+1}.$$

La relation analogue à (4.5) pour le problème (4.9)′ s'écrit ici :

$$a(u^{m,j}, z-u^{m,j}) - L(z-u^{m,j}) \geqslant 0 \quad \forall z \in U^{m,j} \tag{4.15}$$

ou encore

$$a(u^{m,j}, \hat{v}_j-\hat{u}_j^{m+1}) - L(\hat{v}_j-\hat{u}_j^{m+1}) \geqslant 0 \quad \forall v_j \in U_j \tag{4.15$'$}$$

ou encore

$$a(u^{m,j}, \hat{v}_j) - L(\hat{v}_j-\hat{u}_j^{m+1}) \geqslant a(u^{m,j}, \hat{u}_j^{m+1}) \quad \forall v_j \in U_j. \tag{4.15$''$}$$

La convergence faible (4.14) nous permet de passer à la limite dans le premier membre de (4.15)″ mais non dans le second. Pour remédier à cela nous allons faire la somme des inégalités (4.15)″ pour $j=1, \ldots, k$, en introduisant les différences $u^{m+1} - u^{m,j}$ (qui tendent vers 0 grâce à (4.13)). On a tout d'abord :

$$a(u^{m,j}, \hat{u}_j^{m+1}) = a(u^{m+1}, \hat{u}_j^{m+1}) + a(u^{m,j}-u^{m+1}, \hat{u}_j^{m+1}).$$

et

$$(4.16)\quad \sum_{j=1}^{k} [a(u^{m,j}, \hat{v}_j) - L(\hat{v}_j - \hat{u}_u^{m+1})] \geqslant \sum_{j=1}^{k} a(u^{m+1}, \hat{u}_j^{m+1}) + \sum_{j=1}^{k} a(u^{m,j} - u^{m+1}, \hat{u}_j^{m+1})$$

ou, en notations évidentes :

$$(4.16)' \qquad R^m \geqslant S^m + T^m .$$

Compte tenu de (4.14), le passage à la limite dans (4.16) donne :

$$\lim_{m' \to \infty} R^{m'} = \sum_{j=1}^{k} [a(w, \hat{v}_j) - L(\hat{v}_j - \hat{w}_j)]$$

ou encore, si $v = (v_1, \ldots, v_k)$:

$$\lim R^{m'} = a(w, v) - L(v - w) .$$

Compte tenu de (4.12) et de (4.13), il vient

$$\lim T^{m'} = 0 ;$$

et, enfin, compte tenu de la symétrie de $a(u, v)$ et de (4.14), il vient

$$\underline{\lim}\, S^{m'} \geqslant a(w, w) .$$

Finalement, on a

$$a(w, v) - L(v, w) \geqslant a(w, w) \quad \forall v \in U ,$$

ce qui montre que $w = u$; comme la solution u est unique, la suite u^m converge vers u (et non seulement la sous-suite $u^{m'}$).

4.3 *Applications*

Dans les trois exemples qui vont suivre, on choisira $V = \mathbf{R}^n$ et

$$J(v) = \tfrac{1}{2}(Av, v)_{\mathbf{R}^n} - (f, v)_{\mathbf{R}^n} ,$$

où la matrice donnée A est symétrique définie positive et où f est donnée dans $\mathbf{R}^n$.

Exemple 4.1 : La méthode de Gauss-Seidel par points.

Il s'agit de résoudre $Au = f$.

On sait que le problème est équivalent au suivant : déterminer $u \in \mathbf{R}^n$ tel que :

$$J(u) \leqslant J(v) \quad \forall v \in \mathbf{R}^n .$$

On vérifierait que u_j^{m+1} est défini par

$$(4.17)\qquad u_j^{m+1} = \frac{1}{a_{jj}} \{ - \sum_{i<j} a_{j,i} u_i^{m+1} - \sum_{i>j} a_{j,i} u_i^m + f_j \} .$$

Le théorème 4.2 établit la convergence de cette méthode. On obtiendrait, de même, la méthode de Gauss-Seidel par blocs.

Exemple 4.2 : La méthode de Gauss-Seidel avec contraintes.

On donne des nombres a_j, b_j, $j = 1, \dots, n$, tels que

$$-\infty \leqslant a_j \leqslant b_j \leqslant +\infty$$

et on veut minimiser la fonctionnelle $J(v)$ sous les contraintes

$$a_j \leqslant v_j \leqslant b_j \tag{4.18}$$

[en d'autres termes, $v \in U \Leftrightarrow v_j \in U_j = [a_j, b_j], j = 1, \dots, n$].

La composante u_j^{m+1} est définie par

$$\begin{cases} u_j^{m+1} \in [a_j, b_j], \\ J(u_1^{m+1}, \dots, u_j^{m+1}, u_{j+1}^m, \dots, u_n^m) \leqslant J(u_1^{m+1}, \dots, u_{j-1}^{m+1}, v_j, u_{j+1}^m, \dots, u_n^m), \\ \forall v_j \in [a_j, b_j]. \end{cases}$$

Posons :

$$\tilde{u}_j^{m+1} = \frac{1}{a_{jj}} \{-\sum_{i<j} a_{j,i} u_i^{m+1} - \sum_{i>j} a_{j,i} u_i^m + f_j\}$$

(voir (4.17)).

On vérifierait que

$$u_j^{m+1} = \mathrm{Proj}_{[a_j, b_j]} \tilde{u}_j^{m+1} = \begin{cases} a_j & \text{si } \tilde{u}_j^{m+1} \leqslant a_j \\ \tilde{u}_j^{m+1} & \text{si } a_j \leqslant \tilde{u}_j^{m+1} \leqslant b_j \\ b_j & \text{si } b_j \leqslant \tilde{u}_m^{j+1}. \end{cases} \tag{4.19}$$

Le coût de cette méthode est donc pratiquement le même que celui de la méthode de Gauss-Seidel.

Signalons ici, un problème de la théorie des équations aux dérivées partielles qui, après discrétisation, entre dans le cadre de cet exemple : soit Ω un ouvert de $\mathbf{R}^n$ de frontière Γ, soit f donné dans $L^2(\Omega)$; il s'agit de minimiser la forme quadratique

$$J(v) = \tfrac{1}{2} \|v\|_{H^1(\Omega)}^2 - (f, v)_{L^2(\Omega)}$$

sous la contrainte $\gamma_0 v \geqslant 0$, où γ_0 désigne la « trace » de v sous la frontière Γ de Ω. Cf. Aubin [20] pour la discrétisation.

Exemple 4.3 : Application à la programmation quadratique.

Soit B une matrice p, n donnée et g donné dans $\mathbf{R}^p$; soit à minimiser $J(v)$ sous les contraintes

$$Bv - g \geqslant 0.$$

On vérifie, qu'il est équivalent de résoudre le problème suivant (dit dual du précédent) : minimiser

$$\tfrac{1}{2}(A^{-1}(B^*v+f), B^*v+f)_{\mathbf{R}^p} - (g, v)_{\mathbf{R}^p}$$

sous les contraintes $v \geqslant 0$, $v \in \mathbf{R}^p$. Ce nouveau problème a été étudié dans l'exemple 4.2.

5. Autres méthodes

Nous allons donner un aperçu rapide de quelques méthodes importantes. Nous ne démontrerons pas la convergence de ces méthodes (sauf dans le cas 5.1).

5.1 *Méthodes utilisant la projection sur le domaine des contraintes* (voir Goldstein [3], Lions [3]).

Nous allons exposer cette méthode (d'importance pratique limitée) dans un cas simple. Soit V un espace de Hilbert, $u, v \to a(u, v)$ une forme bilinéaire, symétrique, continue et coercive :

$$a(u, v) = a(v, u) \quad \forall u, v \in V, \tag{5.1}$$

$$|a(u, v)| \leqslant M \, . \, \|u\| \, . \, \|v\| \quad \forall u, v \in V, \quad M < +\infty, \tag{5.2}$$

$$a(v, v) \geqslant \alpha \|v\|^2 \quad \forall v \in V, \quad \alpha > 0 \, . \tag{5.3}$$

Soit f un élément donné dans V. Posons

$$J(v) = \tfrac{1}{2} a(v, v) - (f, v)_V \, .$$

Soit maintenant U un sous-ensemble convexe fermé dans V. Il s'agit de résoudre le problème : déterminer u tel que

$$\begin{cases} u \in U \\ J(u) \leqslant J(v) \quad \forall v \in U \, . \end{cases} \tag{5.4}$$

On sait que ce problème admet une solution u et une seule, et que cette solution est caractérisée par

$$\begin{cases} u \in U \\ a(u, v-u) - L(v-u) \geqslant 0 \quad \forall v \in U \, . \end{cases} \tag{5.4)'$$

La méthode d'approximation que nous allons donner est inspirée par la démonstration du théorème de Lax-Milgram; il est commode d'introduire $A \in \mathscr{L}(V, V)$ par

$$(Au, v) = a(u, v) \quad \forall u, v \in V \, .$$

On sait que $A = A^*$ et que $A^{-1} \in \mathscr{L}(V, V)$. Nous désignons par P l'opérateur projection de V sur U; nous supposons que cette opération est facile à réaliser numériquement sinon la méthode est sans intérêt pratique (c'est ce qui limite la portée de cette méthode). La motivation de l'algorithme est la suivante : on cherche u vérifiant (5.4)′, ou encore

(5.4)″ $$(Au-f, v-u) \geqslant 0 \quad \forall v \in U\,.$$

Soit $w \in V$ et u sa projection sur U : $u = Pw$; on sait que

$$(u-w, v-u) \geqslant 0 \quad \forall v \in U\,.$$

Cela nous invite à poser :

$$u-w = \gamma(Au-f) \quad \gamma \geqslant 0\,,$$

et puisque $u = Pw$:

(5.5) $$u = P(u-\gamma(Au-f))\,.$$

Si u vérifie (5.5), u est clairement la solution de notre problème, puisqu'il vérifie alors (5.4)″. L'algorithme proposé est alors classique :

(5.6) $$\begin{cases} u^0 \text{ donné}\,, \\ u^{m+1} = P(u^m - \gamma(Au^m - f))\,. \end{cases}$$

On a vu, dans la démonstration du théorème de Lax-Milgram, que l'opérateur $u \to Tu = u - \gamma(Au-f)$ est une contraction stricte pour $\gamma \in]0, 2\alpha/M^2[$; comme l'opérateur P est aussi une contraction, l'opérateur $u \to PTu$ est une contraction stricte et le schéma (5.6) est convergent. ∎

5.2 *La « cutting plane method » de Kelley* [15]

Soit V un espace de Hilbert et soient k fonction convexes définies sur V à valeurs dans $\mathbf{R}$: $v \to J_i(v)$, $i = 1, \ldots, k$. On définit l'ensemble convexe fermé U par :

(5.7) $$v \in U \Leftrightarrow J_i(v) \leqslant 0 \quad i = 1, \ldots, k\,.$$

On donne une fonctionnelle linéaire et continue :

$$J(v) = (c, v)_V$$

[on peut toujours se ramener au cas où la fonction coût est linéaire; il suffit pour cela d'introduire une nouvelle variable]. On se propose de minimiser J sur U.

Description rapide de l'algorithme

1) On prend $u_0 \in V$.

2) On linéarise les contraintes; on introduit U_0 défini par :

$$v \in U_0 \Leftrightarrow v \in V,\ J_i(u_0) + (G_i(u_0), v-u_0) \leqslant 0, \quad i = 1, \ldots, k\,,$$

où $G_i(v)$ est le gradient de $J_i(v)$ calculé au point v. Le point u_1 est alors la solution du problème

$$u_1 \in U\text{o},$$
$$J(u_1) \leqslant J(v) \quad \forall v \in U_0\,.$$

3) Le passage de u_m à u_{m+1} se fait de la façon suivante : la recherche du $m^{\text{ième}}$ itéré u_m a nécessité la définition d'un ouvert U_{m-1} ; nous allons définir U_m. Soit I tel que

$$J_I(u_m) = \max_{i=1,\dots,k} J_i(u_m) ;$$

alors U_m est obtenu en remplaçant dans la définition de U_{m-1} la contrainte liée à J_I par :

$$J_I(u_m) + (G_I(u_m), v - u_m) \leqslant 0 .$$

u_{m+1} est définie comme la solution du problème :

$$(5.9) \qquad \begin{cases} u_{m+1} \in U_m \\ J(u_{m+1}) \leqslant J(v) \quad \forall v \in U_m . \end{cases}$$

Sous des hypothèses convenables (essentiellement des hypothèses de *convexité*), Kelly a montré la convergence du schéma précédent.

Faisons maintenant quelques remarques :

1) On peut dire, en gros, que lorsque $m \to +\infty$, le convexe U_m se rapproche de plus en plus du convexe U, dans la partie intéressante, c'est-à-dire là où se trouve la solution.

2) Il se peut que u_m ne soit pas défini (parce que, dans ce cas, U_{m-1} est non borné...). Il suffit alors d'ajouter une contrainte qui borne U_{m-1}, par exemple $\|v\| \leqslant c < +\infty$, c « assez grand ».

3) L'utilisation « optimale » de cette méthode ne semble pas encore réalisée; il peut y avoir des variations possibles dans le choix des contraintes à introduire dans U_{m-1}.

4) Les avantages de la méthode sont les suivants :

— chaque sous-problème est un problème de programmation linéaire;

— u^0 n'est pas nécessairement dans U.

5) Disons pour terminer que cette méthode est à rejeter lorsque les contraintes et la fonction coût ne sont pas convexes; ou lorsqu'on veut absolument que u_m soit dans U.

Une méthode du même genre a été donnée par A.A. Kaplan.

5.3 *La méthode du gradient réduit*

Cette méthode est due à P. Wolfe [21]; cf. aussi P. Faure et P. Huard [21].

Position du problème

On donne une fonction numérique : $v \in \mathbf{R}^{n+p} \to J(v) \in \mathbf{R}$, une matrice A à p lignes et à $n+p$ colonnes, une matrice colonne b à p éléments. On pose :

$$v \in U \Leftrightarrow v \in \mathbf{R}^{n+p}, \quad v \geqslant 0, \quad Av = b .$$

Il s'agit de déterminer $u \in U$ tel que :

$$J(u) \leqslant J(v) \quad \forall v \in U\,.$$

Nous désignerons par A_i, $i = 1, \ldots, n+p$, les vecteurs colonnes de A et nous supposons que tout sous-système de p vecteurs pris dans l'ensemble $A_1, \ldots, A_{n+p}, b$ est libre.

Nous appelons *base* un ensemble de p vecteurs A_i choisis parmi les A_i, $i = 1, \ldots, p+n$. Les variables v_i de mêmes indices que les vecteurs de la base sont dites *variables de base*, les autres sont les *variables hors base* (on dira aussi composante au lieu de variable.)

Notations :

$$v \Leftrightarrow x, y \quad x \in \mathbf{R}^n,\ y \in \mathbf{R}^p\,,$$
$$Av = b \Leftrightarrow By + Cx = b\,,$$

où B est constituée de vecteurs A_i de la base, C des vecteurs A_i hors base, y des composantes de base de v, x des composantes hors base de v. Notons que la matrice B est régulière (puisque les A_i sont linéairement indépendants) et par suite :

$$y = B^{-1}(-Cx + b)\,.$$

On peut donc éliminer les variables de base pour se ramener a un problème dans $\mathbf{R}^n$, dans lequel n'interviennent que les variables hors base. Posons :

$$\begin{cases} x \in U^r \Leftrightarrow x \geqslant 0,\ y = B^{-1}(-Cx+b) \geqslant 0,\ z \in \mathbf{R}^n \\ F(x) = J(u),\ \Leftrightarrow x, y,\ y = B^{-1}(-Cx+b)\,. \end{cases}$$

Le problème initial peut donc être formulé de la manière suivante : déterminer $x \in U^r$ tel que :

$$F(x) \leqslant F(x') \quad \forall x' \in U^r\,.$$

Posons maintenant :

$$x \in U_b^r \Leftrightarrow x \in \mathbf{R}^n, \quad y = B^{-1}(-Cx+b) \geqslant 0$$

$$x \in U_{hb}^r \Leftrightarrow x \in \mathbf{R}^n, \quad x \geqslant 0$$

on a :

$$U^r = U_h^r \cap U_{hb}^r$$

(U^r est le domaine des contraintes « réduit » aux variables hors base. U_b^r tient compte des contraintes $u_i \geqslant 0$, u_i composante de base.

U_{hb}^r tient compte des contraintes $u_i \geqslant 0$, u_i composante hors base; F est la fonction coût après élimination des variables de base).

Description de l'algorithme

Nous allons décrire le passage d'un itéré à un autre.

1) *Au départ*, on donne :

— une base repérée par les indices $i \in I$;

— un vecteur $u \in U$ décomposé en x et y. On suppose que

$$y > 0 ,$$

c'est-à-dire que x est *intérieur* à U_b^r.

À la fin, on doit avoir une nouvelle base repérée par $\tilde{I}$ et un vecteur $\tilde{u}$ tel que $\tilde{y} > 0$ (ou $\tilde{x}$ intérieur à $\tilde{U}_b^r$). On recommencera en remplaçant u par $\tilde{u}$ et I par $\tilde{I}$.

2) Puisque $y > 0$, pour toute direction d dans $\mathbb{R}^n$, il existera $\rho_d > 0$ tel que :

$$B^{-1}(-C(x+\rho d)+b) \geqslant 0 ,$$
$$\forall \rho \in (0, \rho_d) ,$$

c'est-à-dire :

$$x + \rho d \in U_b^r ,$$

$$\forall \rho \in (0, \rho_d) .$$

On cherchera donc une direction de descente à partir du point x en ne tenant pas compte de U_b^r: on prendra :

$$d_i = \begin{cases} 0 \quad \text{si} \quad x_i = 0 \quad \text{et} \quad \dfrac{\partial F}{\partial x_i}(x) < 0 , \\ \\ \dfrac{\partial F}{\partial x_i}(x) \quad \text{dans les autres cas.} \end{cases}$$

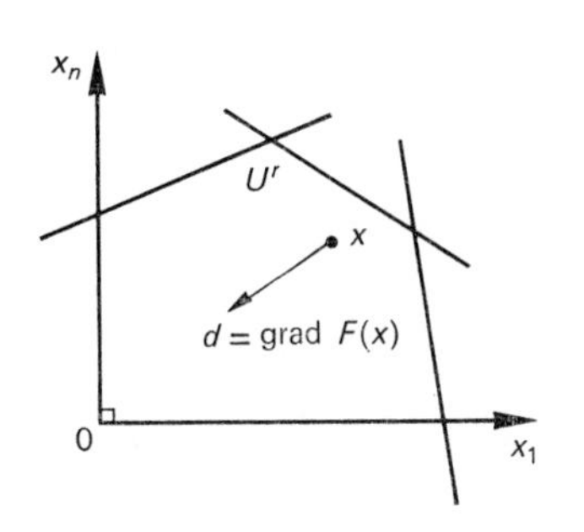

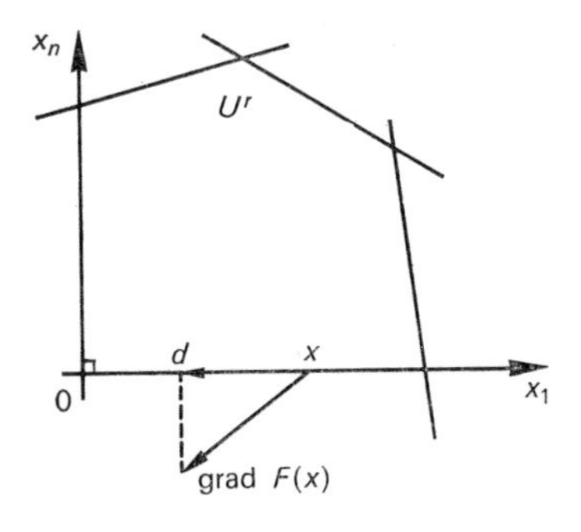

d est la projection sur l'ensemble U_{hb}^r $(x \geqslant 0)$ du vecteur d'origine x et équipollent au gradient.

— Si $d = 0$ alors u vérifie les conditions nécessaires classiques pour être la solution (et sera la solution si des hypothèses de convexité sont vérifiées). Dans le problème « réduit » on a les différents cas :

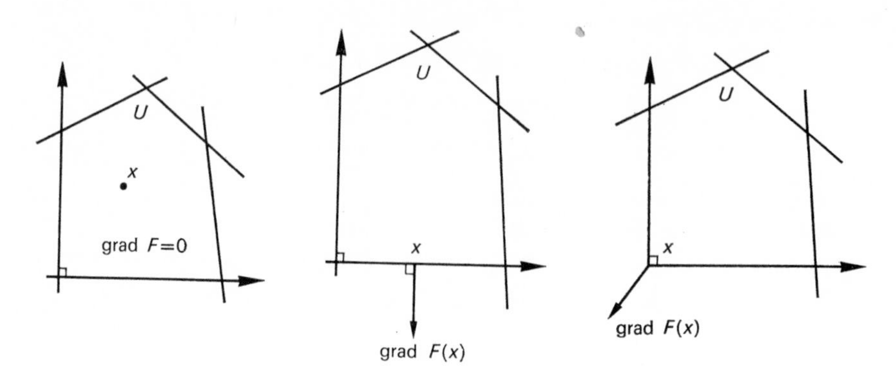

— Si $d \neq 0$, on passe à 3.

3) Posons :

$$\rho_b = \sup \rho \quad x + \rho d \in U_b^r ,$$

$$\rho_{hb} = \sup \rho \quad x + \rho d \in U_{hb}^r ,$$

$$\hat{\rho} = \min \{\rho_b, \rho_{hb}\} .$$

Notons que $\rho_b > 0$ car x est intérieur à U_b^r et que $\rho_{hb} > 0$ car $d \neq 0$, donc $\rho > 0$. On définit $\tilde{\rho}$ par :

$$\begin{cases} F(x+\tilde{\rho}d) \leqslant F(x+\rho d) & \forall \rho \in [0, \hat{\rho}] \\ \tilde{\rho} \in [0, \hat{\rho}] \end{cases}$$

(on remplacera $[0, \hat{\rho}]$ par $[0, +\infty]$ si $\hat{\rho} = +\infty$).

On pose :

$$\begin{cases} x' = x + \tilde{\rho} d , \\ y' = B^{-1}(-Cx' + b) , \\ \tilde{u} \Leftrightarrow x', y' . \end{cases}$$

On a donc défini le nouvel itéré $\tilde{u}$. Définissons la nouvelle base en introduisant $\tilde{I}$.

— Si $\tilde{\rho} < \rho_b$, alors x' est intérieur à U_b^r; on garde la même base et la même décomposition :

$$\tilde{I} = I, \quad \tilde{u} = x', \quad \tilde{y} = y', \quad \tilde{u} \Leftrightarrow \tilde{u}, \tilde{y} .$$

— Si $\tilde{\rho} = \rho_b$ alors s variables de base y_i sont nulles, $1 \leqslant s \leqslant p$. Classons les variables :

$$0 = y'_{j_1} = \ldots = y'_{j_s} < y'_{j_{s+1}} \leqslant \ldots \leqslant y'_{j_p} ,$$

$$x'_{i_1} \geqslant \ldots \geqslant x'_{i_s} \geqslant \ldots \geqslant x'_{i_n} \geqslant 0 .$$

L'hypothèse : tout sous-ensemble de p vecteurs pris dans l'ensemble $A_1, \ldots, A_{p+n}, b$ est libre, entraîne ceci : parmi les variables y'_j et x'_i il y en a au plus n

qui sont nulles, ou encore au moins p qui sont positives; donc :

$$0 \leqslant y'_{j_{s+1}} \leqslant \dots \leqslant y'_{j_p},$$
$$x'_{i_1} \geqslant \dots \geqslant x'_{i_s} \geqslant 0 .$$

On prendra :

$$\tilde{I} = \{i_1, \dots, i_s, j_{s+1}, \dots, j_p\},$$
$$\tilde{x} = (x'_{i_1}, \dots, x'_{i_s}, y'_{j_{s+1}}, \dots, y'_{j_p}) .$$

On a donc éliminé les s composantes de base qui s'annulent et on a fait entrer dans les nouvelles composantes de base, les s anciennes plus grandes composantes hors base. Il n'y a plus qu'à retourner en 1, avec $I = \tilde{I}$, $x = \tilde{x}$.

Remarque 5.1. Il est naturellement possible de choisir une direction de descente différente de celle du gradient; on peut, en particulier, introduire des étapes dites d'accélération.

Remarque 5.2. Une généralisation de cette méthode consiste à supposer que les contraintes ne sont plus linéaires. La méthode porte alors le nom de G.R.G. (gradient réduit généralisé, cf. [21]).

5.4 *La méthode séquentielle réduite*

Ce qui va suivre est tout à fait heuristique.

On combine ici l'esprit de la méthode du gradient réduit avec celui de la minimisation dans un espace produit.

On démarre une itération en donnant une base et un point $x \in U^r$ on fait alors N itérations comme dans la minimisation dans un espace produit on pose $z^0 = x$ et on construit z^{m+1} à partir de z^m par :

$$F(z_1^{m+1}, \dots, z_i^{m+1}, z_{i+1}^m, \dots, z_n^m) \leqslant F(z_1^{m+1}, \dots, z_{i-1}^{m+1}, t_i, z_{i+1}^m, \dots, z_n^m)$$
$$\forall t_i \text{ tel que } (z_1^{m+1}, \dots, z_{i-1}^{m+1}, t_i, z_{i+1}^m, \dots, z_n^m) \in U^r ;$$
$$(z_1^{m+1}, \dots, z_i^{m+1}, z_{i+1}^m, \dots, z_n^m) \in U^r .$$

On pose

$$x' = z^N, \quad y' = B^{-1}(-Cx' + b), \quad \tilde{u} \Leftrightarrow x', y' ,$$

On fait alors un changement de base pour éliminer les variables de base qui « ont tendance » à s'annuler.

Il y a deux directions à explorer pour mettre au point cette méthode :

1) choix de N,

2) choix de la nouvelle base.

Remarque 5.3. Lorsque $U^r = U_{hb}^r = \{x \mid x \geqslant 0\}$ la méthode est celle de Gauss-Seidel avec contraintes. Cette méthode s'est révélée très efficace dans le cas des problèmes issus de la discrétisation de problèmes avec dérivées partielles. Il semblerait donc que cette variante de la méthode du gradient réduit soit intéressante.

Remarque 5.4. Ici aussi une extension au cas non linéaire est prévisible.

5.5 *La méthode du gradient projeté* (Méthode due à Rosen, cf. [13])

On donne les fonctions :

$$v \in \mathbf{R}^n \to J(v) \in \mathbf{R} \quad \text{et} \quad v \in \mathbf{R}^n \to J_i(v) = \sum_{j=1}^{n} a_{i,j} v_j - b_i$$

pour $i = 1, \ldots, q$.

On pose :

$$v \in U \Leftrightarrow J_i(v) \leqslant 0 \quad i = 1, \ldots, q\,,$$

ou encore :

$$v \in U \Leftrightarrow Av - b \leqslant 0\,.$$

Le problème : Il s'agit de minimiser J dans U.

Donnons tout d'abord l'idée générale de cette méthode : soit u^m le $i^{\text{ème}}$ itéré, $u^m \in U$; supposons qu'en u^m il y ait p contraintes saturées $J_i(u^m) = 0$ pour p indices i, disons pour $i \in I$. En général le gradient de J, calculé en u^m sera dirigé vers l'intérieur; il est donc prévisible qu'un certain nombre de contraintes resteront saturées en u^{m+1}, et que les « bonnes » directions de descente conserveront saturées ces contraintes (autrement dit on se déplacera sur la frontière de U). On cherche une direction de descente dans la variété de dimension $n-p$ et d'équations $J_i(v) - J_i(u^m) = 0$, $i \in I$; s'il n'en existe pas, on recherche une direction dans une sous-variété de dimension $n-p+1$ et ainsi de suite; ou bien il y aura une direction de descente ou bien u^m sera le point cherché; la direction de la descente sera toujours la projection du gradient de J, calculé au point u^m, sur la variété considérée.

Nous allons décrire rapidement cet algorithme en suivant Wolfe (cf. livre Abadie [3]).

Posons :

$$M = (a_{i,j}) \quad i \in I,\ j = 1, \ldots, n\,.$$

C'est une matrice p, n extraite de A. Nous supposerons que toutes les sous-matrices carrées de A sont régulières. À partir de cette hypothèse on vérifie que MM^t est régulière; on pose alors:

$$P = I - M^t (MM^t)^{-1} M\,.$$

On vérifie que P est la projection de $\mathbf{R}^n$ sur la sous-variété de dimension $n-p$ d'équations $J_i(v) - J_i(u^m) = 0$, $i \in I$, ou encore $Mv = 0$ (voir la projection dans § 2, chap. 1).

L'algorithme :

1) Au départ u est donné, ainsi que I. On va construire le nouvel itéré $\tilde{u}$ et $\tilde{I}$.

2) On pose :

$$d = -PG, \quad G = \text{grad } J(u) .$$

3) Si $d \neq 0$ (il y a une direction de descente dans la variété d'équation $Mv = 0$). On pose :

$$\hat{\rho} = \sup \rho, \quad u + \rho d \in U$$

et on définit $\tilde{\rho}$ par:

$$\begin{cases} \tilde{\rho} \in [0, \hat{\rho}] \\ J(u + \tilde{\rho} d) \leqslant J(u + \rho d) \quad \forall \rho \in [0, \hat{\rho}] . \end{cases}$$

On pose :

$$\tilde{u} = u + \tilde{\rho} d .$$

Si certaines nouvelles contraintes sont saturées, on agrandit I en $\tilde{I}$ et on va en 1 avec $\tilde{u}$ et $\tilde{I}$ au départ.

4) Si $d = 0$ (il n'y a pas de direction de descente dans la variété d'équation $Mv = 0$). On a, dans ce cas :

$$PG = 0 ,$$

ou encore

$$G - M^t (MM^t)^{-1} MG = 0$$

et on posant :

$$\lambda = (MM^t)^{-1} MG ,$$

il vient:

$$G = M^t \lambda .$$

Ce qui s'écrit, en posant $G_i = \text{grad } J_i(u)$:

$$G = \sum_{i \in I} \lambda_i G_i .$$

On introduit $\lambda_i = 0 \quad \forall i \notin I$, i.e. $\forall i$ tel que $J_i(u) < 0$. On a donc :

$$G = \sum_{i=1}^{q} \lambda_i G_i$$

$$J_i(u) = 0 \quad \forall i \in I$$

$$\lambda_i = 0, \quad J_i(u) < 0 \quad \forall i \notin I .$$

— Si tous les λ_i sont négatifs ou nuls, alors u vérifie les conditions nécessaires classiques pour être solution du problème. On arrête les itérations.

— Si certains λ_i sont positifs et si $k \in I$, $\lambda_k \geqslant \lambda_i$ $\forall i \in I$, $\tilde{I}$ est alors l'ensemble des indices de I, k excepté. On retourne en 1 avec au départ de la « nouvelle itération » u et $\tilde{I}$.

Pour une étude plus complète et une généralisation de cette méthode nous renvoyons à Rosen.

5.6 *La méthode des directions admissibles* (ou encore, la « feasible direction method », due à Zoutendijk [14])

Nous ne décrirons pas cette méthode, dont nous nous sommes inspirés dans le numéro 2. Disons qu'il s'agit, en théorie, de la méthode la plus générale dans les méthodes de descente (avec contraintes) : à chaque itération on cherche en effet une direction qui soit à la fois une direction de descente

$$[J(u+\rho d) < J(u) \quad \forall \rho \in [0, \hat{\rho}], \hat{\rho} > 0]$$

et une direction admissible :

$$[u+\rho d \in U, \quad \forall \rho \in [0, \hat{\rho}], \hat{\rho} > 0] .$$

Pour une étude détaillée de cette méthode nous renvoyons au livre de Zoutendijk [14] et aux articles de D.M. Topkis, A. Veinot Jr [14] et de E. Polak [14].

5.7 *Une autre famille de méthodes*

Nous donnons maintenant une idée générale d'une famille de méthodes sur lesquelles des recherches sont en cours. Soit à minimiser $J(v)$, $v \in \mathbf{R}^n$ sous les contraintes $J_i(v) \leqslant 0$, $i = 1, \ldots, k$. Supposons que le $m^{\text{ième}}$ itéré u_m soit sur la frontière du domaine U des contraintes; alors pour certains $i \in \{1, 2, \ldots, k\}$, disons pour $i \in I$, on aura $J_i(u_m) = 0$ (on peut généraliser en $-\varepsilon_m \leqslant J_i(u_m) \leqslant 0$; $\varepsilon_m > 0$.

Nous disons que $t \in \mathbf{R}^n$, $|t|_{\mathrm{Rn}} = 1$ est une tangente à U en u_m, si il existe une courbe contenue dans U, passant par u_m, et admettant t comme tangente en u_m. Soit $G(u_m)$ le gradient de J calculé en u_m; nous définissons t_m par :

$$\begin{cases} t_m \text{ est une tangente a } U \text{ en } u_m \\ \left(-\dfrac{G(u_m)}{\|G(u_m)\|_{\mathbf{R}^n}}, t_m\right)_{\mathbf{R}^n} \leqslant \left(-\dfrac{G(u_m)}{\|G(u_m)\|_{\mathbf{R}^n}}, t\right) \\ \forall t, \text{ tangente a } U \text{ en } u_m . \end{cases}$$

On définit maintenant le plan P_m par :

$$v \in P_m \Leftrightarrow v = u_m + \lambda G_m + \mu t_m, \; \lambda, \mu \in \mathbf{R}$$

et le domaine U_m par :

$$U_m = U \bigcap P_m .$$

On recherchera u_{m+1} dans U_m. Des recherches peuvent être faites dans les trois directions suivantes :

— choix de ε_m,
— choix de t_m, ou d'une direction « assez voisine »,
— choix de u_{m+1} dans U_m.

§ 2. LES MÉTHODES DE PÉNALISATION

1. Exposé de la méthode

Les données et les hypothèses. On désigne par V et Q deux espaces de Banach réflexifs, par J_0 une fonction définie sur V faiblement semi continue inférieurement (f.s.c.i.) et à valeurs dans **R**, *par* J_i, $i=1, \dots, p$ des fonctions définies sur V à valeurs dans **R** et continues pour la topologie faible de V, *par* J_i, $i=p+1, \dots, k$ des fonctions définies sur V à valeurs dans Q et continues pour les topologiques faibles de V et Q. On suppose que :

$$\lim_{\|v\| \to \infty} J_0(v) = +\infty. \tag{1.1}$$

On pose :

$$U = \{v \mid J_i(v) \leqslant 0, \quad i=1, \dots, p; \quad J_i(v)=0, \quad i=p+1, \dots, k, \quad v \in V\}. \tag{1.2}$$

On suppose que U *est non vide*; on pose, pour $\varepsilon > 0$, $v \in V$, $t \in \mathbf{R}^p$:

$$J_\varepsilon(v, t) = J_0(v) + \frac{1}{\varepsilon} \{\sum_{i=1}^{p} |J_i(v) - t_i|^2 + \sum_{i=p+1}^{k} \|J_i(v)\|_Q^2\}. \tag{1.3}$$

Problème 1.1 *:* Déterminer $u \in U$ tel que :

$$J_0(u) \leqslant J_0(v) \quad \forall v \in U. \tag{1.4}$$

Problème 1.1 ε*:* Déterminer u_ε, $t^\varepsilon \in V \times \mathbf{R}_-^p$ tels que :

$$J_\varepsilon(u_\varepsilon, t^\varepsilon) \leqslant J_\varepsilon(v, t) \quad \forall v, t \in V \times \mathbf{R}_-^p. \tag{1.5}$$

Nous allons démontrer le :

THÉORÈME 1.1. Sous les données et hypothèses précédentes :

i) le problème 1.1 a au moins une solution u,

ii) le problème 1.1 ε a au moins une solution u_ε, t^ε,

iii) tout point adhérent faible à la suite u_ε est une solution du problème 1.1,

iv) de plus

$$\lim_{\varepsilon \to 0+} J_0(u_\varepsilon) = J_0(u). \tag{1.6}$$

Démonstration

i) Soit u_m une suite minimisante de J dans U. Grâce à l'hypothèse (1.1), u_m est bornée; on peut donc extraire une sous-suite $u_{m'}$, telle que :

$$\lim_{m' \to \infty} u_{m'} = u^* \text{ dans } V \text{ faible}$$

il vient alors :

$$J_0(u^*) \leqslant \varliminf_{m' \to \infty} J_0(u_{m'}) = \inf_{v \in U} J_0(v)\,,$$

$$J_i(u^*) = \lim J_i(u_{m'}) \leqslant 0 \quad i = 1, \ldots, p\,,$$

$$J_i(u^*) = \lim J_i(u_{m'}) = 0 \quad i = p+1, \ldots, k\,.$$

Ce qui montre que u^* est solution du problème 1.1.

ii) Afin d'établir ce point ii) nous allons supposer démontré le :

LEMME 1.1. On a :

$$\lim_{\|v\| + \|t\| \to +\infty} J_\varepsilon(v, t) = +\infty \tag{1.7}$$

la fonction J_ε est f.s.c.i. et vérifie (1.7), alors d'après le théorème 0.2 le problème 1.1 ε a au moins une solution que l'on notera u_ε, t^ε.

iii) Si dans (1.5) on choisit $v = u$, $t_i = J_i(u)$ il vient :

$$J_0(u_\varepsilon) + \frac{1}{\varepsilon}\{\sum_{i=1}^{p} |J_i(u_\varepsilon) - t_i^\varepsilon|^2 + \sum_{i=p+1}^{k} \|J_i(u_\varepsilon)\|^2\} \leqslant J_0(u) \tag{1.8}$$

d'où :

$$\begin{cases} J_0(u_\varepsilon) \leqslant J_0(u)\,, \\ |J_i(u_\varepsilon) - t_i^\varepsilon|^2 \leqslant \varepsilon(J_0(u) - J_0(u_\varepsilon)) & i = 1, \ldots, p\,, \\ \|J_i(u_\varepsilon)\|^2 \leqslant \varepsilon(J_0(u) - J_0(u_\varepsilon)) & i = p+1, \ldots, k\,. \end{cases} \tag{1.9}$$

Notons de suite que :

$$\|u_\varepsilon\|_V + \|t^\varepsilon\|_{\mathbf{R}^p} \leqslant c < +\infty \quad \forall \varepsilon > 0 \tag{1.10}$$

(sinon (1.7) et (1.8) seraient en contradiction); par l'absurde, on vérifierait que (1.10) et l'hypothèse J_0 est f.s.c.i. entrainent :

$$-\infty < c_1 \leqslant J_0(u_\varepsilon) \quad \forall \varepsilon\,. \tag{1.11}$$

On peut extraire des sous-suites $u_{\varepsilon'}$, $t^{\varepsilon'}$, telles que :

$$\begin{cases} \lim u_{\varepsilon'} = u^* & \text{dans } V \text{ faible} \\ \lim t^{\varepsilon'} = t^* & \text{dans } \mathbf{R}^p \end{cases} \tag{1.12}$$

puisque J_0 est f.s.c.i., on a donc :

$$J_0(u^*) \leqslant \varliminf_{\varepsilon' \to 0} J_0(u_{\varepsilon'})$$

et avec $(1.9)_1$, cela donne :

$$J_0(u^*) \leqslant J_0(u)\,. \tag{1.13}$$

Compte tenu de (1.11), (1.12) et de la continuité faible de J_i, $i=1, ..., p$, $(1.9)_2$ entraîne :

$$J_i(u^*) = \lim J_i(u_{\varepsilon'}) = t_i^* \quad i = 1, ..., p .$$

Mais

$$t_i^* = \lim t_i^{\varepsilon'} \leqslant 0 ,$$

donc

$$J_i(u^*) \leqslant 0 \quad i=1, ..., p . \tag{1.14}$$

De même il viendrait, avec $(1.9)_3$:

$$J_i(u^*) = 0 \quad i=p+1, ..., k . \tag{1.15}$$

D'après (1.13), (1.14), (1.15), u^* est solution du problème 1.1.

iv) Soit l un point adhérent à la suite $J_0(u_\varepsilon)$, $\varepsilon>0$. Il existe donc une suite u_ε, telle que :

$$\lim J_0(u_{\varepsilon'}) = 1 .$$

Soit $u_{\varepsilon''}$, $t^{\varepsilon''}$ une sous-suite extraite de $u_{\varepsilon'}$, $t^{\varepsilon'}$; avec le raisonnement du point iii) on aurait :

$$\lim u_{\varepsilon''} = u^* \quad \text{dans } V \text{ faible}$$

et :

$$\begin{cases} J_0(u^*) = J_0(u) , \\ u^* \in U . \end{cases}$$

Mais :

$$J_0(u^*) \leqslant \underline{\lim}\, J_0(u_{\varepsilon''}) = \lim J_0(u_{\varepsilon''}) = l$$

et, avec (1.9), cela donne :

$$J_0(u^*) = l;$$

donc :

$$l = J_0(u) = \inf_{v \in U} J_0(v) .$$

La limite l étant indépendante de la sous-suite, on aura :

$$\lim J_0(u_\varepsilon) = J_0(u) = \inf_{v \in U} J_0(v) .$$

Démonstration du lemme 1.1

Tout d'abord, puisque $J_\varepsilon(v, t) \geqslant J_0(v)$ et que

$$\lim_{\|v\| \to +\infty} J_0(v) = +\infty ,$$

on a :

(1.16)
$$\lim_{\|v\| \to \infty} J_\varepsilon(v, t) = +\infty .$$

Supposons v borné et $\|t\| \to \infty$, alors compte tenu de la continuité faible des fonctions J_i, $i = 1, \ldots, p$, il vient facilement

(1.17)
$$\lim_{\substack{\|t\| \to \infty \\ v \text{ borné}}} \sum_{i=1}^{p} |J_i(v) - t_i|^2 = +\infty.$$

Avec (1.16) et (1.17) il vient (1.7). ▮

Remarque 1.1. Il est bon de voir où servent les hypothèses dans la démonstration précédente

	J_0	J_i, $i = 1, \ldots, p$	J_i, $i = p+1, \ldots, k$
existence de u	f.s.c.i.	f.s.c.i.	f.c.
existence de u_ε	f.s.c.i.	f.c.	f.c.
convergence	f.s.c.i.	f.s.c.i.	f.c.

f.s.c.i. = faiblement semi-continue inférieurement,
f.c. = faiblement continue.

COROLLAIRE 1.1. Si en plus des hypothèses du théorème 1.1, J_0 admet un gradient G_0 et un Hessien H_0, et si ce dernier vérifie :

$$\langle H(u)\varphi, \varphi \rangle \geqslant \alpha \|\varphi\|^2 \quad \forall \varphi \in V, \ \alpha > 0,$$

alors :

(1.18)
$$\lim_{\varepsilon \to 0} \|u_\varepsilon - u\|_V = 0$$

où u est la solution unique du problème 1.1.

Démonstration

L'unicité de u est une conséquence du théorème 0.3.
On a d'autre part :

(1.19)
$$\begin{cases} \lim u_\varepsilon = u & \text{dans } V \text{ faible},\\ \lim J_0(u_\varepsilon) = J_0(u) . \end{cases}$$

Or :

$$\begin{cases} J_0(u_\varepsilon) = J_0(u) + \langle G_0(u), u_\varepsilon - u \rangle + \frac{1}{2} \langle H(u + \theta(u_\varepsilon - u))(u_\varepsilon - u), u_\varepsilon - u \rangle ,\\ \theta \in]0, 1[, \end{cases}$$

d'où

$$J_0(u_\varepsilon) \geqslant J_0(u) + \langle G_0(u), u_\varepsilon - u\rangle + \frac{\alpha}{2}\|u_\varepsilon - u\|_V^2 .$$

Le passage à la limite, compte tenu de (1.19) entraîne (1.18). ∎

Nous allons donner maintenant une variante du théorème 1.1 dans *le cas où les J_i, $i=p+1, \ldots, k$ sont les gradients de fonctionnelles convexes F_i* définies sur V [avec $Q = V'$].

(1.20) $$J_i(v) = \operatorname{grad} F_i(v) , \quad i=p+1, \ldots, k .$$

On pose maintenant :

(1.21) $$J_\varepsilon(v, t) = J_0(v) + \frac{1}{\varepsilon}\left\{\sum_{i=1}^{p} |J_i(v)-t_i|^2 + \sum_{i=p+1}^{k} F_i(v)\right\}$$

les hypothèses sur J_0 et J_i, $i = 1, \ldots, p$ sont inchangées.

THÉORÈME 1.2. Le théorème 1.1 reste encore vrai lorsqu'on utilise J_ε donnée par (1.21).

Démonstration. Nous n'indiquerons que les seules modifications à apporter à la démonstration du théorème 1.1.

Pour $i=p+1, \ldots, k$:

$$J_i(u) = 0 \Rightarrow F_i(u) \leqslant F_i(v) \quad \forall v \in V .$$

En particulier :

$$J_i(u) = 0 \Rightarrow F_i(u) \leqslant F_i(u_\varepsilon);$$

alors on remplacera (1.8) par :

(1.8)′ $$J_0(u_\varepsilon) + \frac{1}{\varepsilon}\left\{\sum_{i=1}^{p} |J_i(u_\varepsilon) - t_i|^2 + \sum_{i=p+1}^{k} (F_i(u_\varepsilon) - F_i(u))\right\} \leqslant J_0(u)$$

et l'on tiendra compte de $F_i(u_\varepsilon) - F_i(u) \geqslant 0$.

Le reste est inchangé, sauf (1.15) qui devient :

(1.15)′ $$F_i(u^*) = F_i(u)$$

et, par suite :

(1.15)" $$J_i(u^*) = 0 \quad i=p+1, \ldots, k .$$ ∎

Remarque 1.2. D'une façon générale, posons :

$$J_i^+(v) = \begin{cases} J_i(v) & \text{si} \quad J_i(v) \geqslant 0 \\ 0 \quad \text{si} & J_i(v) < 0 . \end{cases}$$

Dans la fonctionnelle $J_\varepsilon(v)$ on peut alors remplacer $|J_i(v) - t_i|^2$ par $(J^+{}_1(v))^2$. ∎

Les méthodes de pénalisation sont utilisées par de nombreux auteurs dans des cadres différents : nous allons voir maintenant les principales applications.

2. Application à la stabilisation

On donne deux espaces de Hilbert V et Q, $A \in \mathscr{L}(V, Q)$, $f \in Q$;
On suppose que le problème suivant admet *une solution et une seule* :

Problème 2.1 *:* Déterminer $u \in V$ tel que :

$$Au = f. \tag{2.1}$$

Posons :

$$J_\varepsilon(v) = \|v\|_V^2 + \frac{1}{\varepsilon}\|Av - f\|_Q^2$$

et considérons le :

Problème 2.1 ε *:* Déterminer $u_\varepsilon \in V$ tel que :

$$J_\varepsilon(u_\varepsilon) \leqslant J_\varepsilon(v) \quad \forall v \in V. \tag{2.2}$$

Naturellement J_ε étant strictement convexe et $\lim\limits_{\|v\| \to \infty} J_\varepsilon(v) = +\infty$, le problème 2.1 ε admet une solution u_ε et une seule (théorème 0.3). De plus, d'après le numéro 1, u_ε converge fortement vers u^* lorsque $\varepsilon \to 0$, où u^* désigne la solution du problème : déterminer u^* vérifiant $Au^* = f$ et telle que :

$$\|u^*\| \leqslant \|v\| \quad \forall v \text{ vérifiant } Av = f.$$

Comme on a supposé que (2.1) a une solution unique, on a $u^* = u$, et donc :

$$\lim \|u_\varepsilon - u\| = 0. \tag{2.3}$$

Dans quels cas est-il plus intéressant de résoudre (2.2) *plutôt que* (2.1)? *Nous allons montrer que le problème 2.1 ε est toujours stable alors que le problème 2.1 peut être instable :*

Notion d'instabilité. Supposons qu'on ne connaisse pas exactement A et f mais seulement des approximations A_h et f_h, h étant un paramètre positif, telles que :

$$\begin{cases} \lim \|A_h - A\|_{\mathscr{L}(V,Q)} = 0, \\ \lim \|f_h - f\|_Q = 0. \end{cases} \tag{2.4}$$

On est donc tenté de résoudre :

$$A_h u_h = f_h; \tag{2.5}$$

mais alors plusieurs questions se posent :

i) le problème (2.5) a-t-il au moins une solution?

ii) si u_h est une solution, a-t-on

$$\lim \|u_h - u\| = 0\,?$$

Lorsque les réponses aux deux questions sont positives nous dirons que le problème 2.1 est stable (ou que A est stable). Dans le cas contraire l'opérateur A sera dit instable.

On pourra vérifier, à titre d'exercice, que la solution $u_{\varepsilon, h}$ du problème :

$$\text{minimiser} \quad \|v\|_V^2 + \frac{1}{\varepsilon} \|A_h v - f_h\|_Q^2$$

existe, est unique, et converge fortement vers u_ε lorsque $h \to 0$.

De même on cherchera des exemples (avec des opérateurs compacts) où les réponses aux deux questions précédentes sont négatives.

Soit maintenant $\varepsilon_h > 0$ choisi tel que :

$$(2.6) \qquad \begin{cases} \lim\limits_{h\to 0} \varepsilon_h = 0\,, \\ \lim\limits_{h\to 0} \dfrac{\|A_h - A\|}{\sqrt{\varepsilon_h}} = 0\,, \\ \lim\limits_{h\to 0} \dfrac{\|f_h - f\|}{\sqrt{\varepsilon_h}} = 0\,. \end{cases}$$

Si (2.4) a lieu, on peut toujours trouver ε_h tel que (2.6) ait lieu.

Posons :

$$J_h(v) = \|v\|_V^2 + \frac{1}{\varepsilon_h} \cdot \|A_h v - f_h\|_Q^2\,.$$

THÉORÈME 2.1. Sous les hypothèses précédentes : le problème déterminer $u_h \in V$ tel que :

$$(2.7) \qquad J_h(u_h) \leqslant J_h(v) \quad \forall v \in V$$

admet une solution et une seule. La recherche de u_h est un problème stable et de plus :

$$\lim_{h\to 0} \|u_h - u\| = 0\,,$$

où u est la solution du problème 2.1.

Démonstration. On modifie légèrement la démonstration du théorème 1.1 afin d'introduire les erreurs $A_h - A$ et $f_h - f$. On a en particulier :

$$J_h(u_h) \leqslant J_h(u)\,,$$

En effet :

$$\|u_{h'}-u\|^2 = \|u_{h'}\|^2 + \|u\|^2 - 2(u, u_{h'}) \leqslant 2\|u\|^2 - 2(u, u_{h'}) + \gamma_{h'}(u)$$

d'où (2.14) quand $h' \to 0$.

Comme u est indépendant de la sous-suite, on montrerait que :

$$\lim \|u_h - u\| = 0 .$$

Remarque 2.1. On peut remplacer dans J_h le terme $\|v\|^2$ par $a(v, v)$, où $u, v \to a(u, v)$ est une forme bilinéaire, continue, symétrique et coercive sur V.

Remarque 2.2. La solution de (2.7) est aussi solution de

$$(u_h, \varphi)_V + \frac{1}{\varepsilon_h}(A_h u_h - f_h, A_h \varphi)_Q = 0 \quad \forall \varphi \in V$$

ou encore :

$$u_h + \frac{1}{\varepsilon_h} A_h^*(A_h u_h - f_h) = 0 \quad \text{dans } V$$

(voir le chapitre 2).

EXEMPLES *d'opérateurs où on peut utiliser le procédé de stabilisation :*

i) *La transformée de Laplace.*

ii) *La transformée de Gauss.*

iii) *La déconvolution.*

iv) *Toute transformation intégrale dans* 1 *intervalle compact.*

Dans tous ces exemples il s'agit de trouver u tel que :

$$\int_a^b k(x, y) u(y) \mathrm{d}y = f(x) \quad \forall x \in (a, b) .$$

On pourra soit discrétiser cette équation, soit projeter cette équation sur une base de polynômes. La stabilisation appliquée à l'équation approchée donne en général d'excellents résultats.

Le choix de ε dépend de l'équation. Des valeurs comme 10^{-4} pour l'exemple iv) ou 10^{-2} dans les autres cas semblent raisonnables.

3. Application aux problèmes d'optimisation

Naturellement, la théorie du numéro 1 constitue déjà une application aux problèmes d'optimisation.

On va se borner ici à un cas particulier intéressant.

Soient V et Q deux espaces de Hilbert, $A \in \mathscr{L}(V, Q), f \in Q$.

Problème 3.1′ : Déterminer $u \in U$ tel que :

$$\|Pu\|^2 \leqslant \|Pv\|^2 \quad \forall v \in U . \tag{3.2)'$$

Le problème 3.1 ε devient :

Problème 3.1 ε : Déterminer $u_\varepsilon \in V$ tel que :

$$J_\varepsilon(u_\varepsilon) \leqslant J_\varepsilon(v) \quad \forall v \in V ,$$

où

$$J_\varepsilon(v) = \|Pv\|_V^2 + \frac{1}{\varepsilon}\|Av - f\|_Q^2 . \tag{3.3)'$$

On vérifierait facilement que le théorème 3.1 est encore valable
→ voir la thèse de troisième cycle de Ribière : ∎

À titre d'exemple, on pourra appliquer les résultats précédents avec les données suivantes : soit Ω un ouvert de $\mathbf{R}^n$, soit f un élément donné dans $L^2(\Omega)$ et soit U l'ensemble des $u \in H^1(\Omega)$ tels que :

$$\int_\Omega \operatorname{grad} u(x) \operatorname{grad} \varphi(x) \mathrm{d}x = \int_\Omega f(x) \varphi(x) \mathrm{d}x \quad \forall \varphi \in H^1(\Omega) .$$

L'équation précédente représente, sous forme variationnelle, une équation du type $Au = f$.

4. Application aux problèmes de contrôle

Nous allons montrer, dans un cas simple, comment on peut utiliser les méthodes de pénalisation. On considère l'équation d'état :

$$\begin{cases} x'(t) = A(t)x(t) + B(t)u(t) & t \in [0, T] , \\ x(0) = x_0 , \end{cases} \tag{4.1}$$

où T est donné $0 < T < +\infty$, $u(t) \in \mathbf{R}$, $x(t) \in \mathbf{R}$, A et B sont données, x_0 est donné dans $\mathbf{R}$. [On pourrait considérer le cas où tous ces éléments sont des vecteurs, toute la suite serait valable en remplaçant : $|x(t)|^2$ par $\sum |x_i(t)|^2$ ...].
On suppose que :

$$\begin{cases} A \text{ et } B \text{ sont des fonctions continues de } t , \\ u \in U = L^2(0, T) . \end{cases} \tag{4.2}$$

Dans ces conditions pour u donné dans U, (4.1) a une solution unique x et de plus $x \in H^1(0, T)$. On pose :

$$\begin{cases} J(x, u) = \|x - x_d\|_{L^2(0,T)}^2 + \|u\|_{L^2(0,T)}^2 , \\ x_d \text{ donnée dans } L^2(0, T) . \end{cases} \tag{4.3}$$

On pose aussi :

$$\text{(4.4)} \qquad \begin{cases} \tilde{J}(u) = J(x, u)\,, \\ x \text{ liée a } u \text{ par (4.1)}\,. \end{cases}$$

Problème 4.1 *:* Déterminer $u \in U$ tel que :

$$\text{(4.5)} \qquad \tilde{J}(u) \leqslant \tilde{J}(v)\,.$$

Posons :

$$\text{(4.6)} \qquad J_\varepsilon(x, u) = \frac{1}{\varepsilon}\, \|x' - Ax - Bu\|^2_{L^2(0,\,T)} + J(x, u)$$

et considérons le :

Problème 4.1 ε *:* Déterminer $x_\varepsilon \in H^1(0, T)$, $x_\varepsilon(0) = x_0$, $u_\varepsilon \in U$ tels que :

$$\text{(4.7)} \qquad \begin{gathered} J_\varepsilon(x_\varepsilon, u_\varepsilon) \leqslant J_\varepsilon(y, v) \\ \forall y \in H^1(0, T), \quad y(0) = x_0\,, \quad v \in U\,. \end{gathered}$$

THÉORÈME 4.2

i) Le problème 4.1 admet une solution u et une seule (la solution de (4.1) associée à u sera notée x).

ii) Le problème 4.1 ε admet une solution u_ε, x_ε et une seule.

iii) De plus :

$$\text{(4.8)} \qquad \begin{cases} \lim x_\varepsilon = x & \text{dans } H^1(0, T) \text{ faible}\,, \\ \lim u_\varepsilon = u & \text{dans } L^2(0, T) \text{ fort}\,. \end{cases}$$

Démonstration. Nous allons seulement établir le point iii). Pour i) et ii) on peut soit considérer une suite minimisante et passer à la limite soit se ramener aux théorèmes 0.2 et 0.3, en utilisant la propriété suivante :

si $x_n \to x$ dans $H^1(0, T)$ faible lorsque $n \to \infty$,
alors $x_n \to x$ dans $L^2(0, T)$ fort lorsque $n \to \infty$.

Point iii) : Si dans (4.7) on choisit y, v vérifiant :

$$\text{(4.9)} \qquad \begin{cases} y' = Ay + Bv \\ y(0) = x_0\,, \quad v \in U\,, \end{cases}$$

il vient :

$$\frac{1}{\varepsilon}\, \|x_\varepsilon' - Ax_\varepsilon - Bu_\varepsilon\|^2 + \|x_\varepsilon - x_d\|^2 + \|u_\varepsilon\|^2 \leqslant \|y - x_d\|^2 + \|v\|^2\,,$$

donc :

$$\text{(4.10)} \qquad \begin{cases} \|x_\varepsilon\|^2 \leqslant C = \text{constante fixe}\,, \\ \|u_\varepsilon\|^2 \leqslant C\,, \\ \|x_\varepsilon - x_d\|^2 + \|u_\varepsilon\|^2 \leqslant \|y - x_d\|^2 + \|v\|^2\,, \\ \|x_\varepsilon' - Ax_\varepsilon - Bu_\varepsilon\|^2 \leqslant C\varepsilon\,. \end{cases}$$

De là on tire $\|x_{\varepsilon'}\|^2 \leqslant$ constante, par suite on peut extraire des sous-suites $x_{\varepsilon'}$, $u_{\varepsilon'}$ telles que :

$$(4.11) \qquad \begin{cases} \lim\limits_{\varepsilon' \to 0} x_{\varepsilon'} = x^* \text{ dans } H^1(0, T) \text{ faible}, \\ \lim\limits_{\varepsilon' \to 0} u_{\varepsilon'} = u^* \text{ dans } L^2(0, T) \text{ faible}. \end{cases}$$

Mais, d'après (4.10) :

$$\lim_{\varepsilon \to 0} (x'_\varepsilon - Ax_\varepsilon - Bu_\varepsilon) = 0 .$$

Cela entraîne, avec (4.11) :

$$x^{*\prime} - Ax^* - Bu^* = 0$$

et, de plus, on vérifierait aisément que :

$$x^*(0) = x_0 ,$$

donc x^*, u^* vérifient (4.1).

Compte tenu de (4.1) le passage à la limite inférieure donne, dans $(4.10)_3$:

$$\begin{cases} \|x^* - x_d\|^2 + \|u^*\|^2 \leqslant \|y - x_d\|^2 + \|v\|^2 , \\ \forall y, v \text{ liées par (4.9).} \end{cases}$$

Ce qui montre que u^*, x^* constitue une solution du problème 4.1, donc $u^* = u$, $x^* = x$. Comme x, u est indépendant de la sous-suite $u_{\varepsilon'}$, $x_{\varepsilon'}$, on peut remplacer (4.11) par :

$$(4.11)' \qquad \begin{cases} \lim\limits_{\varepsilon \to 0} x_\varepsilon = x^* \quad \text{dans } H^1(0, T) \text{ faible}, \\ \lim\limits_{\varepsilon \to 0} u_\varepsilon = u^* \quad \text{dans } L^2(0, T) \text{ faible}. \end{cases}$$

On a :

$$\|x_\varepsilon - x^*\|^2 + \|u_\varepsilon - u^*\|^2 = \|x_\varepsilon - x_d\|^2 + \|x_d - x^*\|^2 + 2(x_\varepsilon - x_d, x_d - x^*) + \\ + \|u_\varepsilon\|^2 + \|u^*\|^2 - 2(u_\varepsilon, u^*) .$$

Ce qui, avec (4.10) où on a choisi $y = x^*$, $v = u^*$, donne :

$$\|x_\varepsilon - x^*\|^2 + \|u_\varepsilon - u^*\|^2 \leqslant 2\|x^* - x_d\|^2 - 2(x^* - x_d, x_\varepsilon - x_d) + \\ + 2\|u^*\|^2 - 2(u_\varepsilon, u^*) .$$

et avec (4.11)' il vient :

$$\lim \|x_\varepsilon - x^*\|^2_{L^2(0, T)} = 0$$

$$\lim \|u_\varepsilon - u^*\|^2 = 0 .$$

On trouvera dans Balakrishnan [16] des exemples assez généraux.

5. Application à la programmation en nombres entiers

On donne $J: \mathbf{R}^n \to \mathbf{R}$, vérifiant

$$(5.1) \qquad \begin{cases} \|v\| \leqslant c < +\infty \Rightarrow |J(v)| \leqslant \delta(c) < +\infty \,, \\ J(v) \leqslant c < +\infty \Rightarrow \|v\| \leqslant \gamma(c) < +\infty \,. \end{cases}$$

On donne $G: \mathbf{R}^n \to \mathbf{R}^p$, et on pose

$$v \in U \Leftrightarrow G(v) = 0, \quad v \in \mathbb{Z}^n \,.$$

On suppose que U est non vide :

$$(5.2) \qquad « \exists w \in U » \,.$$

On pose

$$J_m(v) = J(v) + m \|G(v)\|^2_{\mathbf{R}^p} \,.$$

Problème 5.1 : Déterminer $u \in U$ tel que

$$(5.3) \qquad J(u) \leqslant J(v) \quad \forall v \in U \,.$$

Problème 5.1m : Déterminer $u_m \in \mathbb{Z}^n$ tel que

$$(5.4) \qquad J_m(u_m) \leqslant J_m(v) \quad \forall v \in \mathbb{Z}^n \,.$$

THÉORÈME 5.1. Sous les hypothèses (5.1) et (5.2) :

i) Les problèmes 5.1 et 5.1m ont des solutions u et u_m.

ii) De plus, pour m « assez grand », u_m est une solution du problème 5.1.

Démonstration :

i) Dans le problème 5.1, on peut ajouter la contrainte

$$J(v) \leqslant J(w)$$

ou encore, d'après $(5.1)_2$:

$$\|v\| \leqslant \gamma(J(w)) < +\infty \,.$$

comme $v \in \mathbb{Z}^n$, on minimise en fait sur un nombre fini de points; d'où l'existence d'un minimum.

Raisonnement analogue dans le cas du problème 5.1m.

ii) On choisit dans (5.4) $v = u =$ solution du problème 5.1 :

$$J(u_m) + m \|G(u_m)\|^2 \leqslant J(u) \,,$$

d'où

$$(5.5) \qquad \begin{cases} J(u_m) \leqslant J(u) \\ \\ \|G(u_m)\|^2 \leqslant \dfrac{1}{m} (J(u) - J(u_m)) \,. \end{cases}$$

Avec $(5.5)_1$, $(5.1)_3$, il vient

$$\|u_m\| \leqslant \gamma(J(u)) < +\infty .$$

On transforme alors $(5.5)_2$ en

$$(5.5)'_2 \qquad \|G(u_m)\|^2 \leqslant \frac{1}{m} d , \quad d = J(u) + \delta(\gamma(J(u))) .$$

De plus, u_m ne peut prendre qu'un nombre fini de positions dans $\mathbb{Z}^n$ et $\|G(u_m)\|^2$ prend un nombre fini de valeurs, à savoir

$$0 \leqslant \alpha_0 < \alpha_1 < \ldots < \alpha_N .$$

Puisque $\|G(u_m)\|^2$ peut être arbitrairement petit, grâce à $(5.5)'_2$, on a

$$\alpha_0 = 0 .$$

Si on choisit m tel que

$$\frac{d}{m} < \alpha_1 ,$$

alors

$$\|G(u_m)\|^2 < \alpha_1$$

et donc

$$\|G(u_m)\|^2 = 0 .$$

Par suite, si $m > d/\alpha_1$, on a

$$\begin{cases} J(u_m) \leqslant J(u) , \\ \|G(u_m)\| = 0 . \end{cases}$$

Donc u_m est une solution du problème 5.1.

Remarque 5.1. Dans le cas des contraintes d'inégalités, on peut obtenir des résultats semblables, en combinant la technique précédente avec celles du numéro 1.

Remarque 5.2. Supposons que $J(v) = (c, v)_{\mathbb{R}^n}$.

On suppose alors, que le problème 5.1 a au moins une solution u.

On peut montrer que dans ces conditions, le

Problème 5.1 : Déterminer $u_\varepsilon \in U$ tel que

$$J(u_\varepsilon) + \varepsilon \|u_\varepsilon\|^2 \leqslant J(v) + \varepsilon \|v\|^2 \quad \forall v \in U$$

a une solution u_ε et que, pour ε assez petit, u_ε est une solution du problème 5.1.

On est donc ramené au cas où les hypothèses (5.1) sont satisfaites.

§ 3. DÉCOMPOSITION

Introduction

Le but de la décomposition est de substituer à la résolution (quasi impossible avec les calculateurs actuels) d'un « gros » problème une suite de problèmes « élémentaires ». La méthode sera particulièrement intéressante s'il est possible de résoudre simultanément ces derniers problèmes. Examinons quelques cas de décomposition.

Premier cas : On désigne par V_i un espace de Hilbert, par K_i un sous-ensemble de V_i, par J_i une fonctionnelle définie sur V_i, $i = 1, \ldots, k$. On pose :

$$V = \prod_{i=1}^{k} V_i ,$$

$$K = \prod_{i=1}^{k} K_i ,$$

$$J(v) = \sum_{i=1}^{k} J_i(v_i) , \quad v = (v_i, \ldots, v_k) .$$

Problème 0.1 : Déterminer $u \in K$, tel que :

$$J(u) \leqslant J(v) \quad \forall v \in K .$$

Il est clair qu'il suffit de déterminer u_i solution du

Problème 0.1 i : Déterminer $u_i \in K_i$, tel que :

$$J_i(u_i) \leqslant J_i(v_i) \quad \forall v_i \in K_i .$$

Il est clair que :

$$u = (u_1, \ldots, u_k) ,$$

où u est la solution du problème 0.1, et u_i est la solution du problème 0.1 i, $i = 1, \ldots, k$.

Deuxième cas : On introduit V et K comme précédemment, J désigne maintenant une fonctionnelle définie sur V, non nécessairement de la forme précédente. On considère de nouveau le problème 0.1.

On sait que sous certaines hypothèses on peut construire une suite $u^m = (u_1^m, \ldots, u_k^m)$ qui converge vers u lorsque $m \to \infty$ [voir § 1, n° 4].

Troisième cas : D'une façon générale les méthodes itératives classiques où l'on se ramène à la minimisation d'une fonctionnelle d'une variable peuvent être considérées comme des décompositions. En fait on réserve le mot décomposition lorsque les problèmes élémentaires comportent plus d'un variable.

1. Décomposition utilisant un multiplicateur de Lagrange

Exposons, d'une façon générale, sans préciser la nature des éléments, l'idée directrice de la méthode; considérons le problème de la minimisation $J(v)$ sous les contraintes $v \in U$, où

$$v \in U \Leftrightarrow \begin{cases} G(v) = 0\,, \\ v \in K\,. \end{cases}$$

Si on peut trouver $u \in U$ et λ tels que

$$J(u) + \lambda \|G(u)\| \leqslant J(v) + \lambda \|G(v)\| \quad \forall v \in K\,;$$

alors il vient

$$(*) \qquad \begin{cases} J(u) \leqslant J(v) \quad \forall v \in U\,, \\ u \in U\,. \end{cases}$$

Cela nous conduit à chercher les solutions u_μ du problème

$$(**) \qquad \operatorname*{Inf}_{v \in K} \left[J(v) + \mu \|G(v)\|\right].$$

Posons

$$\Phi(\mu) = \|G(u_\mu)\|$$

[ou, $\Phi(\mu) = \operatorname*{Inf}_{u} \|G(u_\mu)\|$ s'il y a plusieurs solutions u_μ].

Alors

$$(***) \qquad 0 = \|G(u_\lambda)\| = \Phi(\lambda) = \operatorname*{Inf}_{\mu} \Phi(\mu)\,,$$

et u_λ est la solution u du problème (*); on a donc remplacé le problème (*) par les problèmes (**) et (***). La contrainte $G(v) = 0$ est en quelque sorte éliminée; dans certains cas, cela peut être avantageux.

On pourrait introduire des considérations analogues dans le cas des contraintes d'inégalités. Étudions de plus près quelques exemples.

1.1 *Un cas avec une contrainte unilatérale*

Les données et hypothèses :

V est un espace de Hilbert.

K est un sous-ensemble *convexe, fermé* dans V.

F est une fonctionnelle définie sur V, convexe et admettant un gradient [donc, en particulier, F est f.s.c.i.].

On définit alors U par :

$$U = \{v \mid v \in K,\ F(v) \leqslant 0\}\,,$$

et U est un sous-ensemble convexe fermé dans V. On suppose

(1.1) qu'il existe $w \in U$ tel que $F(w) < 0$.

On donne une fonctionnelle J définie sur V, admettant un gradient G et un Hessien H. On suppose que H vérifie :

(1.2) $$(H(u)\varphi, \varphi) \geqslant \alpha \|\varphi\|^2 \quad \forall \varphi \in V, \quad \forall u \in K; \quad \alpha > 0 .$$

Problème 1.1 : Déterminer $u \in U$, tel que :

$$J(u) \leqslant J(v) \quad \forall v \in U .$$

THÉORÈME 1.1. Sous les données et hypothèses précédentes :

i) le problème 1.1 a une solution et une seule,
ii) de plus, il existe $\lambda \in \mathbf{R}$ tel que :

(1.3) $$\begin{aligned} &J(u) + \lambda F(u) \leqslant J(v) + \lambda F(v) \quad \forall v \in K\,(^1)\,, \\ &u \in K, \ \lambda \geqslant 0, \quad F(u) \leqslant 0, \ \lambda F(u) = 0 ; \end{aligned}$$

iii) réciproquement si u et λ vérifient (1.3), alors u est solution du problème 1.1.

Démonstration. Il suffit d'établir les points ii) et iii).

ii) Considérons les sous-ensembles S_1 et S_2 de $\mathbf{R}^2$ dont les éléments, de la forme $\{a, b\}$, sont définis par :

$$\begin{aligned} v \in K, \quad r_0 \geqslant 0, r_1 \geqslant 0 &\Rightarrow \{J(v) - J(u) + r_0, \ F(v) + r_1\} \in S_1 \\ s_0 > 0, s_1 \geqslant 0 &\Rightarrow \{-s_0, \ -s_1\} \qquad\qquad\qquad\quad \in S_2 . \end{aligned}$$

On peut vérifier ceci : S_1 et S_2 sont des sous-ensembles convexes disjoints dans $\mathbf{R}^2$. Comme S_2 a un point intérieur, d'après le théorème de Hahn-Banach (trivial dans ce cas) il existe une droite qui sépare les deux ensembles ; c'est-à-dire qu'on peut trouver α, β, l tels que :

(1.4) $$\begin{cases} |\alpha| + |\beta| > 0 , \\ \alpha(J(v) - J(u) + r_0) + \beta(F(v) + r_1) \geqslant l \geqslant -\alpha s_0 - \beta s_1 , \\ \forall v \in K, \ r_0 \geqslant 0, \ r_1 \geqslant 0, \ s_0 > 0, \ s_1 \geqslant 0 . \end{cases}$$

Choisissons $v = u$, $r_1 = -F(u) \geqslant 0$, $r_0 = s_1 = 0$, $s_0 = 0_+$: il vient $l = 0$ d'où, en particulier avec l'inégalité de droite :

$$\begin{cases} 0 \geqslant -\alpha s_0 - \beta s_1 , \\ \forall s_1 \geqslant 0, \ s_0 > 0 ; \end{cases}$$

c'est-à-dire :

(1.5) $$\alpha \geqslant 0, \ \beta \geqslant 0 .$$

---

(1) En fait il s'agit, là d'un résultat de dualité; cela sera vu avec plus de détails dans le chapitre suivant.

L'inégalité de gauche entraîne, avec $l=0$ et les choix $r_0=0$, $r_1=0$:

$$\alpha(J(v)-J(u))+\beta F(v)\geqslant 0 \quad \forall v\in K$$

ou encore :

$$\alpha J(u)\leqslant \alpha J(v)+\beta F(v) \quad \forall v\in K. \tag{1.6}$$

Supposons que $\alpha=0$; alors, puisque $|\alpha|+|\beta|>0$, $\beta\geqslant 0$, il vient $\beta>0$, et dans (1.6) on a :

$$0\leqslant F(v) \quad \forall v\in K.$$

Mais cela est impossible d'après (1.1). Donc $\alpha>0$ et (1.6) entraîne, en posant $\lambda=\beta/\alpha\geqslant 0$:

$$\begin{cases} J(u)\leqslant J(v)+\lambda F(v) \quad \forall v\in K \\ \lambda\geqslant 0. \end{cases} \tag{1.7}$$

Faisons $v=u$, il vient :

$$0\leqslant \lambda F(u)$$

et puisque $\lambda\geqslant 0$, $F(u)\leqslant 0$, il vient :

$$\lambda F(u)=0,$$

d'où (1.3).

iii) Si u vérifie (1.3), tout d'abord $u\in U$; et

$$J(u)\leqslant J(v)+\beta F(v) \quad \forall v\in K.$$

Si de plus $v\in U$, alors $\beta F(v)\leqslant 0$, et donc :

$J(u)\leqslant J(v) \quad \forall v\in U.$

Remarque 1.1. Selon la terminologie de Kuhn-Tucker l'hypothèse (1.1) peut être appelée hypothèse de qualification.

COROLLAIRE 1.1. Soit $\hat{u}$ la solution (unique) du problème

$$\begin{cases} J(\hat{u})\leqslant J(v) \quad \forall v\in K \\ \hat{u}\in K \end{cases} \tag{1.8}$$

alors :

i) si $F(\hat{u})\leqslant 0$, on a $\hat{u}=u$;
ii) si $F(\hat{u})>0$, on a $F(u)=0$.

Démonstration. Le premier point est évident.

ii) Supposons $F(u)<0$, alors dans (1.3) $\lambda=0$ et

$$J(u)\leqslant J(v) \quad \forall v\in K.$$

Donc $u = \hat{u}$ et $F(u) = F(\hat{u})$, avec $F(u) \leqslant 0$, $F(\hat{u}) > 0$!
Introduisons maintenant le :

Problème 1.1μ : Soit $\mu \geqslant 0$; déterminer $u_\mu \in K$ solution de

$$(1.8) \qquad \begin{cases} J(u_\mu) + \mu F(u_\mu) \leqslant J(v) + \mu F(v) & \forall v \in K \\ \mu \geqslant 0; \quad u_\mu \in K . \end{cases}$$

La fonctionnelle $v \to J(v) + \mu F(v)$ est strictement convexe, différentiable et on vérifierait que :

$$\lim_{\|v\| \to \infty} J(v) + \mu F(v) = +\infty .$$

Par suite le problème 1.1μ a une solution et une seule $\forall \mu \geqslant 0$.
Posons :

$$(1.9) \qquad \Phi(\mu) = F(u_\mu) \quad \forall \mu \geqslant 0 .$$

COROLLAIRE 1.2. Si $F(\hat{u}) > 0$, alors :

i) la fonction $\mu \to \Phi(\mu)$ admet au moins une racine positive, en particulier $\Phi(\lambda) = 0$, où λ est défini par le théorème 1.1,

ii) si $\mu \geqslant 0$, $\Phi(\mu) = 0$, alors $u_\mu = u =$ solution du problème 1.1.

Démonstration. D'après le corollaire 1.1, point ii) on a $F(u) = 0$.

i) D'après (1.3) et la définition des u_μ on peut écrire :

$$u = u_\lambda$$

et puisque $F(u) = F(u_\lambda) = 0$, on a $\Phi(\lambda) = 0$.

ii) Si $\mu \geqslant 0$, $\Phi(\mu) = F(u_\mu) = 0$; alors (1.8) s'écrit :

$$\begin{cases} J(u_\mu) + \mu F(u_\mu) \leqslant J(v) + \mu F(v) & \forall v \in K \\ u_\mu \in K, \ \mu \geqslant 0, \ F(u_\mu) \leqslant 0, \ \mu F(u_\mu) = 0 . \end{cases}$$

D'après le théorème 1.1, iii) : $u = u_\mu$. ▮

La méthode de décomposition

j) On cherche $\hat{u}$; si $F(\hat{u}) \leqslant 0$, alors $u = \hat{u}$.

jj) Si $F(\hat{u}) > 0$. On cherche à l'aide d'une méthode classique une racine positive de la fonction Φ. Si μ est une telle racine, alors $u = u_\mu$.

1.2 Un cas avec contrainte bilatérale.

Dans le contexte précédent on modifie la donnée F et la contrainte relative à F. On pose :

$$F(v) = (g, v)_V - l ,$$

où $g \in V$, $l \in \mathbf{R}$; U est maintenant défini par :

$$U = \{v \mid v \in K,\ F(v) = 0\}\ .$$

On remplace (1.1) par

$$(1.10) \qquad \begin{cases} \exists w_1 \in K & \text{tel que} \quad F(w_1) < 0\ , \\ \exists w_2 \in K & \text{tel que} \quad F(w_2) > 0\ . \end{cases}$$

Problème 1.2: Déterminer $u \in U$ tel que :

$$J(u) \leqslant J(v) \quad \forall v \in U\ .$$

Rappelons que $\hat{u}$ a été défini de la façon suivante :

$$(1.8) \qquad \begin{cases} \hat{u} \in K \\ J(\hat{u}) \leqslant J(v) \quad \forall v \in K\ . \end{cases}$$

Si $F(\hat{u}) < 0$, alors la solution du problème 1.2 est aussi la solution de

$$(1.9) \qquad \begin{cases} u \in K, \quad F(u) \geqslant 0, \\ J(u) \leqslant J(v) \quad \forall v \in K; \quad F(v) \geqslant 0\ . \end{cases}$$

Si $F(\hat{u}) = 0$, alors la solution du problème 1.2 est $\hat{u}$.

Si $F(\hat{u}) > 0$ alors la solution du problème 1.2 est aussi la solution de

$$(1.10) \qquad \begin{cases} u \in K,\ F(u) \leqslant 0 \\ J(u) \leqslant J(v) \quad \forall v \in K, \quad F(v) \leqslant 0\ . \end{cases}$$

La méthode de décomposition

On cherche $\hat{u}$, et ou bien $\hat{u}$ est la solution cherchée, ou bien on est ramené au numéro 1.1, avec $F(\hat{u}) \neq 0$.

1.3 *Exemples*

Exemple 1.1. On donne $V = H^1(\Omega)$:

$$J(v) = \tfrac{1}{2}\|v\|^2_{H^1(\Omega)} - (f, v)_{L^2(\Omega)}\ .$$

On définit K par :

$$K = \{v \mid v \in H^1(\Omega),\ \gamma_0 v \geqslant 0\}\ ,$$

où $\gamma_0 v$ désigne la trace de v sur la frontière Γ de Ω.
On donne $g \in L^2(\Omega)$, $l \in \mathbf{R}$ et on pose :

$$F(v) = (g, v)_{L^2(\Omega)} - l\ ,$$

$$U = \{v \mid v \in K,\ F(v) = 0\}\ .$$

Il s'agit de déterminer $u \in U$, tel que :

$$J(u) \leqslant J(v) \quad \forall v \in U\ .$$

Conformément au numéro 1.2 on doit d'abord déterminer $\hat{u}$ et ensuite on est ramené au cas d'une contrainte unilatérale, par exemple si $(g,\hat{u}) > l$, on aura :

$$(g, v) \leqslant l .$$

On va donc se placer dans le cadre du numéro 1.1 en considérant le problème : minimiser J sous les contraintes $\gamma_0 v \geqslant 0$, $(g, v) \leqslant l$.

On définit alors U par :

$$U = \{v \mid v \in H^1(\Omega),\ \gamma_0 v \geqslant 0,\ (g, v) \leqslant l\} .$$

La décomposition de ce problème entraîne la résolution des problèmes 1.1, c'est-à-dire dans le cas actuel :

$$\begin{cases} \text{déterminer } u_\mu \in K, \text{ tel que :} \\ J(u_\mu) + \mu(g, u_\mu) \leqslant J(v) + \mu(g, v) \quad \forall v \in K \end{cases}$$

ou encore déterminer $u_\mu \in H^1(\Omega)$, $\gamma_0 u_\mu \geqslant 0$, tel que

$$\begin{cases} \frac{1}{2}\|u_\mu\|^2_{H^1(\Omega)} - (f - \mu g, u_\mu)_{L^2(\Omega)} \leqslant \frac{1}{2}\|v\|^2_{H^1(\Omega)} - (f - \mu g, v)_{L^2(\Omega)} , \\ \forall v \in H^1(\Omega), \quad \gamma_0 v \geqslant 0 . \end{cases}$$

Pour la résolution numérique de ce problème, voir § 1, n° 4.

Exemple 1.2. On considère le cas particulier où :

$$V = \prod_{i=1}^{k} V_i ,$$

$$K = \prod_{i=1}^{k} K_i ,$$

$$J(v) = \sum_{i=1}^{k} J_i(v_i) \quad v = (v_1, \ldots, v_k) ,$$

$$F(v) = \sum_{i=1}^{k} F_i(v_i) .$$

Dans ce cas le problème 1.1 est :
déterminer $u^\mu = (u_1^\mu, \ldots, u_k^\mu) \in K$ tel que :

$$J(u^\mu) + \mu F(u^\mu) \leqslant J(v) + \mu F(v) .$$

Mais alors nous sommes exactement dans le premier cas signalé dans l'introduction, le problème 1.1μ est décomposé ici en k problèmes élémentaires : déterminer $u_i^\mu \in K_i$, $i = 1, \ldots, k$ tel que :

$$J_i(u_i^\mu) + \mu F_i(u_i^\mu) \leqslant J_i(v_i) + \mu F_i(v_i) \quad \forall v_i \in K_i ,$$

et on a :

$$u^\mu = (u_1^\mu, \ldots, u_k^\mu) .$$

1.4 *Généralisation de la méthode*

On pourra considérer le cas où $F(v)$ est un vecteur ou, plus généralement, une fonction; le multiplicateur de Lagrange sera alors un vecteur ou une fonction.

Un cas particulier important semble être celui où l'équation $F(v)=0$ représente l'équation d'état d'un problème de contrôle et où v représente le couple classique contrôle-état.

2. Décomposition par pénalisation

Nous allons étudier dans un cas particulier un algorithme proposé par Lions et Temam [17]; soient V un espace de Hilbert, K_i un sous-ensemble convexe fermé dans V pour $i=1, \ldots, q$, $v \to J(v)$ une fonctionnelle définie sur V. On pose :

$$K = \bigcap_{i=1}^{q} K_i$$

et on cherche u vérifiant

$$\begin{cases} u \in K \\ J(u) \leqslant J(v) \quad \forall v \in K . \end{cases} \tag{2.1}$$

Description de l'algorithme

Soit u^0 donné dans V; supposons construit u^m; le passage de u^m à u^{m+1} se fait en q étapes : on construit sucessivement $u^{m+1/q}, \ldots, u^{m+q/q}$. Exposons le passage de $u^{m+(i-1)/q}$ à $u^{m+i/q}$. On pose :

$$J^{m,i}(v) = \frac{1}{2\varepsilon} \cdot \|v - u^{m+(i-1)/q}\|^2 + J(v),$$

où ε est donné (positif et destiné à tendre vers 0); on cherche $u^{m+i/q}$ tel que

$$\begin{cases} u^{m+i/q} \in K_i , \\ J^{m,i}(u^{m+i/q}) \leqslant J^{m,i}(v) \quad \forall v \in K_i . \end{cases} \tag{2.2}$$

Soit maintenant N un nombre entier positif (lié à ε et destiné à tendre vers l'infini quand $\varepsilon \to 0$); on montre que, sous certaines hypothèses

$$\lim \frac{1}{N} \sum_{m=0}^{N-1} u^{m+i/q} = u \quad \text{dans } V \text{ faible} .$$

Nous allons préciser cela en explicitant $J(v)$; les notations sont conservées; soit $u, v \to a(u, v)$ une forme bilinéaire sur $V \times V$, symétrique, continue et coercive :

$$\begin{cases} a(u, v) = a(v, u) \quad \forall u, v \in V , \\ |a(u, v)| \leqslant M \|u\| . \|v\| \quad \forall u, v \in V , \\ a(v, v) \geqslant \alpha \|v\|^2 \quad \forall v \in V; \quad \alpha > 0 . \end{cases} \tag{2.3}$$

Soit $f \in V$; on pose

$$J(v) = \tfrac{1}{2}a(v, v) - (f, v) .$$

Sous les hypothèses (2.3), on sait que (voir théorème 0.3) qu'il y a existence et unicité des solutions u et $u^{m+i/q}$ des problèmes (2.1) et (2.2). On a le

THÉORÈME 2.1. Si N est donné, lié à ε, de façon que, lorsque $\varepsilon \to 0$ on ait $\varepsilon N \to \infty$, alors

$$\lim_{\varepsilon \to 0} \frac{1}{N} \sum_{m=0}^{N-1} u^{m+i/q} = u \quad \text{dans } V \text{ faible} . \tag{2.4}$$

Démonstration. Notons que

$$\left.\begin{array}{l} \varepsilon \to 0 \\ \varepsilon N \to +\infty \end{array}\right\} \Rightarrow \left\{\begin{array}{l} \varepsilon \to 0 \\ N \to \infty . \end{array}\right.$$

D'après le théorème 0.4, u et $u^{m+i/q}$ sont caractérisés par

$$\left\{\begin{array}{l} u \in K \\ a(u, v-u) - (f, v-u) \geqslant 0 \quad \forall v \in K , \end{array}\right. \tag{2.1}'$$

et

$$\left\{\begin{array}{l} u^{m+i/q} \in K_i , \\ \dfrac{1}{\varepsilon}(u^{m+i/q} - u^{m+(i-1)/q}, v - u^{m+i/q}) + a(u^{m+i/q}, v - u^{m+i/q}) \\ \qquad\qquad - (f, v - u^{m+i/q}) \geqslant 0 , \\ \forall v \in K_i . \end{array}\right. \tag{2.2}'$$

A l'aide de la relation algébrique

$$(a-b, a) = \tfrac{1}{2}[a^2 - b^2 + (a-b)^2] ,$$

avec $a = u^{m+i/q} - v$, $b = u^{m+(i-1)/q} - v$, la relation (2.2)′ s'écrit :

$$\left\{\begin{array}{l} u^{m+i/q} \in K_i , \\ \dfrac{1}{2\varepsilon} \cdot [\|u^{m+i/q} - v\|^2 - \|u^{m+(i-1)/q} - v\|^2 + \|u^{m+i/q} - u^{m+(i-1)/q}\|^2] + \\ \qquad + a(u^{m+i/q}, u^{m+i/q} - v) - (f, u^{m+i/q} - v) \leqslant 0 \quad \forall v \in K_i . \end{array}\right. \tag{2.2}''$$

On pose :

$$I^{m,i} = a(u^{m+i/q}, u^{m+i/q} - v) - (f, u^{m+i/q} - v)$$

$$I^{m,i} = a(u^{m+i/q} - v, u^{m+i/q} - v) + a(v, u^{m+i/q} - v) - (f, u^{m+i/q} - v) ;$$

d'où, avec (2.3) et avec l'inégalité de Cauchy-Schwarz :

$$I^{m,i} \geqslant \alpha \|u^{m+i/q}-v\|^2 - M\|v\| \,.\, \|u^{m+i/q}-v\| - \|f\| \,.\, \|u^{m+i/q}-v\| \,.$$

En utilisant la relation :

$$\pm\, ab \geqslant -\frac{\alpha}{2} a^2 - \frac{1}{2\alpha} b^2 \,,$$

il vient

$$I^{m,i} \geqslant \frac{\alpha}{2} \|u^{m+i/q}-v\|^2 - \frac{1}{2\alpha}[M\|v\| + \|f\|]^2 \,,$$

ce qui, avec (2.2)″, entraîne :

$$(2.5) \quad \begin{cases} \dfrac{1}{2\varepsilon}[\|u^{m+i/q}-v\|^2 - \|u^{m+(i-1)/q}-v\|^2 + \|u^{m+i/q}-u^{m+(i-1)/q}\|^2] + \\ + \dfrac{\alpha}{2}\|u^{m+i/q}-v\|^2 \leqslant c, \quad c = \dfrac{1}{2\alpha}[M\|v\| + \|f\|]^2 \,. \end{cases}$$

Par sommation en m et en i, $m=0, \ldots, N-1$, $i=1, \ldots, q$, il vient

$$(2.6) \quad \begin{cases} \dfrac{1}{2\varepsilon}[\|u^N-v\|^2 - \|u^0-v\|^2 + \sum\limits_{m,i} \|u^{m+i/q}-u^{m+(i-1)/q}\|^2] + \\ + \dfrac{\alpha}{2}\sum\limits_{m,i} \|u^{m+i/q}-v\|^2 \leqslant c \,.\, qN, \quad v \in K \,, \end{cases}$$

d'où, en particulier,

$$(2.7) \quad \begin{cases} \dfrac{1}{2\varepsilon}\sum\limits_{m=0}^{N-1} \|u^{m+i/q}-u^{m+(i-1)/q}\|^2 \leqslant \dfrac{1}{2\varepsilon}\|u^0-v\|^2 + cqN \,, \\ \sum\limits_{m=0}^{N-1} \|u^{m+i/q}-v\|^2 \leqslant \dfrac{2}{\alpha}\left[cqN + \dfrac{1}{2\varepsilon}\|u^0-v\|^2\right]. \end{cases}$$

On a

$$\|\sum_{m=0}^{N-1}(u^{m+i/q}-v)\| \leqslant \sum_{m=0}^{N-1}\|u^{m+i/q}-v\| \leqslant (\sum_{m=0}^{N-1}\|u^{m+i/q}-v\|^2)^{1/2}(N)^{1/2}$$

et avec (2.7), en introduisant des constantes convenables :

$$\|\sum_{m=0}^{N-1}(u^{m+i/q}-v)\| \leqslant \left(c_1 \,.\, N^2 + c_2\frac{N}{\varepsilon}\right)^{1/2};$$

d'où

$$\left\| \frac{1}{N} \sum_{m=0}^{N-1} (u^{m+i/q} - v) \right\| \leqslant \left(c_1 + \frac{c_2}{\varepsilon N} \right)^{1/2}$$

et puisque $\varepsilon \to 0 \Rightarrow \varepsilon N \to \infty$, il vient

$$\left\| \frac{1}{N} \sum_{m=0}^{N-1} (u^{m+i/q} - v) \right\| \leqslant c_3 < +\infty \,. \tag{2.8}$$

La suite $\frac{1}{N} \sum_{m=0}^{N-1} u^{m+i/q}$ est bornée; les $u^{m+i/q}$ sont dans K_i, qui est fermé; par suite, il existe $w_i \in K_i$ et une sous-suite telle que, pour $i = 1, \dots, q$:

$$\begin{cases} w_i \in K_i \\ \lim \frac{1}{N'} . \sum_{m=0}^{N'-1} u^{m+i/q} = w_i \quad \text{dans } V \text{ faible} \,. \end{cases} \tag{2.9}$$

À partir de (2.7) il viendrait

$$\lim \frac{1}{N} \sum_{m=0}^{N-1} (u^{m+i/q} - u^{m+(i-1)/q}) = 0 \quad \text{dans } V \text{ fort}; \quad i = 1, 2, \dots, q$$

d'où avec (2.9), on peut trouver $w \in K$ tel que

$$\begin{cases} w \in K \\ \lim \frac{1}{N'} . \sum_{m=0}^{N'-1} u^{m+i/q} = w \quad \text{dans } V \text{ faible}; \quad i = 1, \dots, q \,. \end{cases} \tag{2.10}$$

Par sommation en i, cela entraîne

$$\begin{cases} w \in K \\ \lim \frac{1}{qN'} \sum_{m=0}^{N'-1} \sum_{i=1}^{q} u^{m+i/q} = w \quad \text{dans } V \text{ faible} \,. \end{cases} \tag{2.11}$$

Revenons à (2.2)". On a :

$$\begin{cases} \frac{1}{2\varepsilon} [\|u^{m+i/q} - v\|^2 - \|u^{m+(i-1)/q} - v\|^2 + \|u^{m+i/q} - u^{m+(i-1)/q}\|^2 + \\ \qquad + a(u^{m+i/q} - v, u^{m+i/q} - v) + a(v, u^{m+i/q} - v) - (f, u^{m+i/q} - v) \leqslant 0. \\ \forall v \in K_i \,. \end{cases}$$

D'où, en particulier :

$$\frac{1}{2\varepsilon} [\|u^{m+i/q} - v\|^2 - \|u^{m+(i-1)/q} - v\|^2] + a(v, u^{m+i/q} - v) - (f, u^{m+i/q} - v) \leqslant 0$$

et par sommation en m et i, pour $v \in K$, il vient, en négligeant le terme positif

$$\frac{1}{2\varepsilon}\|u^N - v\|^2 :$$

$$\begin{cases} a(v, \sum_{m,i} u^{m+i/q} - Nqv) - (f, \sum_{m,i} u^{m+i/q} - Nqv) \leqslant \dfrac{1}{2\varepsilon}\|u^0 - v\|^2 \\ \forall v \in K, \end{cases}$$

ou encore

$$a\left(v, \frac{1}{Nq}\sum_{m,i} u^{m+i/q} - v\right) - \left(f, \frac{1}{Nq}\sum_{m,i} u^{m+i/q} - v\right) \leqslant \frac{1}{\varepsilon N} \cdot \frac{\|u^0 - v\|^2}{q}.$$

Compte tenu de (2.11) et de $\varepsilon \to 0 \Rightarrow \varepsilon N \to +\infty$, il vient

$$\begin{cases} a(v, w - v) - (f, w - v) \leqslant 0 \\ \forall v \in K. \end{cases}$$

Comme dans le théorème 2.2, chap. 1, § 2, on vérifie que cela entraîne

$$a(w, w - v) - (f, w - v) \leqslant 0 \quad \forall v \in K$$

et

$$J(w) \leqslant J(v) \quad \forall v \in K; \quad w \in K.$$

Par suite, le problème 2.1 ayant la solution unique u, on a

$$u = w.$$

Par un argument classique, on vérifie que (2.10) et (2.11) entraînent

$$\lim \frac{1}{N}\sum_{m=0}^{N-1} u^{m+i/q} = u \quad \text{dans } V \text{ faible},$$

$$\lim \frac{1}{qN}\sum_{m=0}^{N-1}\sum_{i=0}^{q} u^{m+i/q} = u \quad \text{dans } V \text{ faible}.$$

Remarque 2.1. Lorsque $J(v) = \sum_{i=1}^{q} J_i(v)$, avec

$$J_i(v) = a_i(v, v) - (f_i, v),$$

où $u, v \to a_i(u, v)$ vérifie (2.3) et où $f \in V_i$, on peut remplacer les problèmes (2.2) par

$$\begin{cases} u^{m+i/q} \in K_i, \\ J_i(u^{m+i/q}) + \dfrac{1}{2\varepsilon}\|u^{m+i/q} - u^{m+(i-1)/q}\|^2 \leqslant J_i(v) + \dfrac{1}{2\varepsilon}\|v - u^{m+(i-1)/q}\|^2, \\ \forall v \in K_i. \end{cases}$$

3. Décomposition par approximation

Nous allons remplacer le problème initial par un problème décomposé (au sens donné dans l'introduction du paragraphe 3). La solution du problème décomposé convergera vers la solution du problème initial. Nous allons exposer cette méthode, due semble-t-il, à Céa [17], à l'aide de deux exemples.

3.1 *Cas régulier*

(On supposera que la solution du problème donné est suffisamment régulière).

Soit Ω un ouvert de $\mathbf{R}^n$ de frontière Γ; on pose $V = H^1(\Omega)$; soit $u, v \to a(u, v)$ une forme bilinéaire sur $V \times V$, symétrique continue et coercive :

$$(3.1)\qquad \begin{cases} a(u,v) = a(v,u) & \forall u, v \in V \\ |a(u,v)| \leqslant M\|u\| \, . \, \|v\| & \forall u, v \in V \\ a(v,v) \geqslant \alpha \|v\|^2 & \forall v \in V;\ \alpha > 0 \, . \end{cases}$$

Soit $f \in V$ et posons

$$J(v) = \tfrac{1}{2} a(v,v) - (f, v)\, .$$

Introduisons maintenant un sous-ensemble convexe fermé de V par :

$$K = \{ v \mid v \in H^1(\Omega),\ \mathrm{grad}^2 v(x) \leqslant 1 \text{ p.p. dans } \Omega \}\, .$$

Problème P: Déterminer u tel que

$$(3.2)\qquad \begin{cases} u \in K \\ J(u) \leqslant J(v) & \forall v \in K\, . \end{cases}$$

Grâce aux hypothèses (3.1), nous savons que ce problème a une solution u et une seule. Nous ferons l'hypothèse supplémentaire :

(3.3) La solution u du problème P est dans $H^2(\Omega)$.

Alors on peut approcher u par la solution u_ε d'un problème dans $H^2(\Omega)$.

Problème P_ε: Déterminer u_ε tel que

$$(3.4)\qquad \begin{cases} u_\varepsilon \in K \cap H^2(\Omega) \\ J(u_\varepsilon) + \varepsilon \|u_\varepsilon\|^2_{H^2(\Omega)} \leqslant J(v) + \varepsilon \|v\|^2_{H^2(\Omega)} & \forall v \in K \cap H^2(\Omega)\, . \end{cases}$$

Il est clair que ce problème P_ε admet une solution u_ε et une seule; en utilisant les résultats du § 2. On trouverait que :

$$(3.5)\qquad \lim_{\varepsilon \to 0_+} u_\varepsilon = u \quad \text{dans } H^2(\Omega)\, .$$

Ainsi u_ε est une « bonne » approximation de u. Nous allons décomposer le problème P_ε. Afin de simplifier l'exposé, nous allons nous limiter au cas où

$\Omega = (]0,1[)^n \subset \mathbf{R}^n$; soit p un nombre entier positif; posons

$$h = \frac{1}{2p+1}$$

et si $l = (l_1, \ldots, l_n)$, l_i = nombre entier pour tout i,

$$\Omega_h^l = \{x \mid x \in \Omega;\ l_i h < x_i < (l_i+1)h \quad \forall i\} .$$

Nous nous intéressons au cas où $l_i = 0, 1, 2, \ldots, 2p$; $i = 1, \ldots, n$.

Définissons maintenant un nouveau sous-ensemble convexe et fermé dans $H^1(\Omega)$ par :

$$K_h = \{v \mid v \in H^1(\Omega),\ \text{grad}^2\, v(x) \leqslant 1 \text{ p.p. dans } \bigcup_l \Omega_h^{2l}\} .$$

Nous savons que

$$K = \{v \mid v \in H^1(\Omega),\ \text{grad}^2\, v(x) \leqslant 1 \text{ p.p. dans } \bigcup_l \Omega_h^l\} .$$

Jusqu'à la fin de cet exemple ε *sera fixé* (strictement positif).

Problème P_h: Déterminer u_h tel que

$$(3.6)\qquad \begin{cases} u_h \in K_h \cap H^2(\Omega) , \\ J(u_h) + \varepsilon \|u_h\|^2_{H^2(\Omega)} \leqslant J(v) + \varepsilon \|v\|^2_{H^2(\Omega)} , \\ \forall v \in K_h \cap H^2(\Omega) . \end{cases}$$

THÉORÈME 3.1. Le problème P_h a une solution u_h et une seule; de plus

$$\lim_{h \to 0} u_h = u_\varepsilon \quad \text{dans } H^2(\Omega) \text{ fort} .$$

Démonstration. Il est clair (théorème 0.3) que u_h existe et est unique; d'après (3.6) :

$$(3.7)\qquad \begin{cases} J(u_h) \leqslant J(v) + \varepsilon \|v\|^2_{H^2(\Omega)} \quad \forall v \in K_h \cap H^2(\Omega) , \\ \varepsilon \|u_h\|^2 \leqslant J(v) - J(u_h) + \varepsilon \|v\|^2_{H^2(\Omega)} \quad \forall v \in K_h \cap H^2(\Omega) . \end{cases}$$

Ce qui prouve que la suite u_h est bornée; on peut donc extraire une sous-suite $u_{h'}$ qui converge faiblement vers un élément u^* dans $H^2(\Omega)$; la forme bilinéaire $u, v \to a(u, v)$ étant symétrique et définie positive, nous avons

$$J(u^*) \leqslant \varliminf_{h' \to 0} J(u_{h'})$$

avec (3.6) et le fait que $K \subset K_h \quad \forall h$, il vient :

$$(3.8)\qquad \begin{cases} J(u^*) + \varepsilon \|u^*\|^2_{H^2(\Omega)} \leqslant J(v) + \varepsilon \|v\|^2_{H^2(\Omega)} \\ \forall v \in K \cap H^2(\Omega) . \end{cases}$$

Si nous montrons que $u^* \in K$, alors $u^* = u_\varepsilon$ et par un argument classique on on aura

$$\lim_{h \to 0} u_h = u_\varepsilon \quad \text{dans } V \text{ faible} . \tag{3.9}$$

De là on aura, avec (3.6) :

$$\begin{cases} \lim u_h = u_\varepsilon \quad \text{dans } V \text{ faible} \\ J(u_h) + \varepsilon \|u_h\|^2_{H^2(\Omega)} \leqslant J(u_\varepsilon) + \varepsilon \|u_\varepsilon\|^2_{H^2(\Omega)} , \end{cases}$$

ce qui entraîne

$$\lim u_h = u_\varepsilon \quad \text{dans } V \text{ fort} .$$

[la démonstration est identique à celle de :

$$\left.\begin{array}{l} \lim u_n = u \text{ dans } V \text{ faible} \\ \|u_n\|^2 \leqslant \|u\|^2 \end{array}\right\} \Rightarrow \lim_{n \to 0} \|u_n - u\|^2 = 0] .$$

Finalement, il ne reste plus qu'à établir que $u^* \in K$. Rappelons que $u_h \in K_h$ si

$$\text{grad}^2\, u_h(x) \leqslant 1 \quad \text{p.p. dans } \bigcup_l \Omega_h^{2l} \tag{3.10}$$

quand $x \in \Omega_h^m$, $m \neq 2l$, en utilisant le fait que

$$\sum_{i,j} \left\| \frac{\partial^2 u_h}{\partial x_i \partial x_j} \right\|^2_{L^2(\Omega)} \text{ est borné} ,$$

nous pouvons montrer que

$$\text{grad}^2\, u_h(x) \leqslant 1 + h \,.\, \Psi_h(x) \quad \forall x \in \Omega_h^m , \tag{3.11}$$

où Ψ_h vérifie

$$\int_\Omega |\Psi_h(x)|\, \mathrm{d}x \leqslant c < +\infty . \tag{3.12}$$

Si $\varphi \in \mathscr{D}(\Omega)$ et si $\varphi(x) \geqslant 0$ p.p. dans Ω, alors

$$\int_\Omega \varphi \,.\, \text{grad}^2\, u^*\, dx \leqslant \varliminf_{h \to 0} \int_\Omega \varphi \,.\, \text{grad}^2\, u_h\, dx .$$

Alors, avec (3.10), (3.11), (3.12), il vient :

$$\int_\Omega \varphi \,.\, \text{grad}^2\, u^* \mathrm{d}x \leqslant \int_\Omega \varphi\, \mathrm{d}x \quad \forall \varphi \in \mathscr{D}(\Omega) , \quad \varphi \geqslant 0$$

et donc

$$\text{grad}^2 u^*(x) \leqslant 1 \quad \text{p.p. dans } \Omega ,$$

c'est-à-dire $u^* \in K$. ▮

Grâce à la nouvelle forme des contraintes, *après discrétisation* ce problème entrera dans le deuxième cas de l'introduction, paragraphe 3. On pourra résoudre le problème discrétisé par la méthode de Gauss-Seidel par blocs avec contraintes (voir nº 4, § 1).

3.2 *Décomposition d'un espace de Sobolev*

Avant d'étudier dans le numéro 3.3 le cas non régulier nous introduisons ici les éléments utilisés dans cette étude. Nous gardons les notations et définitions de l'exemple précédent. Rappelons que si $l = (l_1, \ldots, l_n)$ alors

$$\Omega_h^l = \{x \mid x \in \Omega,\ l_i h < x_i < (l_i + 1) h,\ i = 1, \ldots, n\} .$$

Posons :

$$\begin{aligned} \Gamma_h^{l,\,i+} &= \{x \mid x \in \bar{\Omega}_h^l,\ x_i = (l_i + 1) h\} \\ \Gamma_h^{l,\,i-} &= \{x \mid x \in \bar{\Omega}_h^l,\ x_i = l_i h\} \\ \Sigma_h^i &= \{x \mid x \in \bar{\Omega},\ x_i = jh,\ j = \text{entier quelconque}\} . \end{aligned}$$

Définissons l'espace V_h par

$$v_h \in V_h \Leftrightarrow \begin{cases} v_h = (\ldots, v_h^l, \ldots) \\ v_h^l \in H^1(\Omega_h^l) \end{cases}$$

$$\|v_h\|_{V_h}^2 = \sum_l \|v_h^l\|_{H^1(\Omega_h^l)}^2 .$$

Si $v_h \in V_h$, nous poserons

$$\mathrm{D}_i v_h = \frac{\partial}{\partial x_i} v_h = \left(\ldots, \frac{\partial}{\partial x_i} v_h^l, \ldots\right).$$

Notons qu'on peut identifier v_h et $\mathrm{D}_i v_h$ à des éléments de $L^2(\Omega)$. Si $\varphi \in \mathscr{D}(\Omega)$, nous avons :

$$(3.13) \quad \begin{cases} \displaystyle\int_\Omega \mathrm{D}_i u_h \,.\, \varphi \,\mathrm{d}x = -\int_\Omega u_h \,.\, \mathrm{D}_i \varphi \,\mathrm{d}x + \sum_l \int_{\Gamma_h^{l,\,i+}} u_h^l \,.\varphi \,\mathrm{d}x_i' - \\ \displaystyle -\sum_l \int_{\Gamma_h^{l,\,i-}} u_h^l \varphi \,\mathrm{d}x_i' \end{cases}$$

où $\mathrm{d}x_i' = \mathrm{d}x_1 \ldots \mathrm{d}x_{i-1} \mathrm{d}x_{i+1} \ldots \mathrm{d}x_n$.

Nous définissons maintenant une fonction saut $v_h \to S_h^i v_h$ par: si $x \in \Gamma_h^{l,i+}$ et si $m = l + (0, \ldots, 0, 1, 0, \ldots, 0)$, 1 en $i^{\text{ème}}$ position, alors

$$(3.14) \qquad S_i^h v_h(x) = v_h^m(x) - v_h(x) \quad \forall x \in \Gamma_h^{l,\,i+} .$$

On a donc :

$$(3.13)' \quad \int_\Omega \mathrm{D}_i u_h \,.\, \varphi \,\mathrm{d}x = -\int_\Omega u_h \,.\, \mathrm{D}_i \varphi \,\mathrm{d}x + \int_{\Sigma_h^i} S_h^i v_h \,.\, \varphi \,\mathrm{d}x_i' \quad \forall \varphi \in \mathscr{D}(\bar{\Omega}) \,.$$

Si on désigne par I_h^i la dernière intégrale, et par $\varphi|_{\Sigma_h^i}$ la restriction de φ à Σ_h^i, on a :

$$|I_h^i| \leqslant \|S_h^i v_h\|_{L^2(\Sigma_h^i)} \,.\, \|\varphi|_{\Sigma_h^i}\|_{L^2(\Sigma_h^i)} \,;$$

mais φ étant bornée, il vient

$$(3.15) \qquad |I_h^i| \leqslant C_\varphi \,.\, \frac{1}{\sqrt{h}} \,.\, \|S_h^i v_h\|_{L^2(\Sigma_h^i)} \,,$$

où C_φ est une constante qui dépend de φ.

LEMME 3.1. Si

$$(3.16) \qquad \begin{cases} \lim\limits_{h \to 0} u_h = u^* & \text{dans } L^2(\Omega) \text{ faible} \,, \\ \lim\limits_{h \to 0} \mathrm{D}_i u_h = u_i^* & \text{dans } L^2(\Omega) \text{ faible, } i = 1, \dots, n \,, \\ \lim\limits_{h \to 0} \left(\sum\limits_{i=1}^n \|S_h^i u_h\|_{L^2(\Sigma_h^i)}\right) \,.\, \dfrac{1}{\sqrt{h}} = 0 \,, \end{cases}$$

alors

$$\begin{cases} u^* \in H^1(\Omega) \\ u_i^* = D_i u^*, \quad i = 1, \dots, n \,. \end{cases}$$

Démonstration. Il suffit d'utiliser (3.13)', (3.15) et les hypothèses (3.16); par passage à la limite il vient :

$$\int_\Omega u_i^* \varphi \,\mathrm{d}x = -\int_\Omega u^* D_i \varphi \,\mathrm{d}x \quad \forall \varphi \in \mathscr{D}(\Omega) \,,$$

ce qui entraîne

$$u_i^* = D_i u^* \quad i = 1, \dots, n$$

et donc $u_i^* \in H^1(\Omega)$. ∎

3.3 *Cas non régulier*

Revenons au problème P du 3.1; rappelons les données problème P : déterminer u tel que

$$(3.2) \qquad \begin{cases} u \in K \\ J(u) \leqslant J(v) \quad \forall v \in K \,, \end{cases}$$

avec

$$J(v) = \tfrac{1}{2}a(v, v) - (f, v)$$
$$K = \{v \mid v \in H^1(\Omega), \operatorname{grad}^2 v(x) \leqslant 1 \text{ p.p. dans } \Omega\} .$$

Nous ne supposons plus que la solution u du problème P est dans $H^2(\Omega)$; donc $u \in K \subset H^1(\Omega)$.

On peut identifier l'espace $V = H^1(\Omega)$ à un sous-espace de V_h.

Nous supposons que $u, v \to a(u, v)$ a encore un sens lorsque $u, v \in V_h$, et que les relations (3.1) sont encore vraies dans V_h. [Si par exemple

$$a(u, v) = \sum_q \int_\Omega F_q(u, v)\mathrm{d}x ,$$

on a

$$a(u, v) = \sum_q \sum_l \int_{\Omega_h^l} F_q(u, v)\mathrm{d}x$$

et il est naturel de poser

$$a(u_h, v_h) = \sum_q \sum_l \int_{\Omega_h^l} F_q(u_h^l, v_h^l)\mathrm{d}x .]$$

Ainsi $J(v_h)$ aura un sens pour $v_h \in V_h$.

Posons

$$K_h = \{v_h \mid v_h \in V_h, \operatorname{grad}^2 v_h^l(x) \leqslant 1 \text{ p.p. dans } \Omega_h^l, \forall l\} , \tag{3.17}$$

$$R_h(v_h) = \frac{1}{h}\Big(\sum_{i=1}^n \|S_i^h v_h\|^2_{L^2(\Sigma_h^i)}\Big) \tag{3.18}$$

$$J_h(v_h) = J(v_h) + \frac{1}{\varepsilon_h} R_h(v_h), \quad \varepsilon_h \text{ donné} . \tag{3.19}$$

Problème Q_h: Déterminer u_h vérifiant

$$\begin{cases} u_k \in K_h \\ J_h(u_h) \leqslant J_h(v_h) \quad \forall v_h \in K_h . \end{cases} \tag{3.20}$$

THÉORÈME 3.2. Pour $\varepsilon_h > 0$, le problème Q_h a une solution u_h et une seule. De plus si $\lim\limits_{h \to 0} \varepsilon_h = 0$, alors

$$\begin{cases} \lim\limits_{h\to 0} u_h = u \quad \text{dans } L^2(\Omega) \text{ faible} \\ \lim\limits_{h\to 0} \mathrm{D}_i u_h = \mathrm{D}_i u \quad \text{dans } L^2(\Omega) \text{ faible}, \ i = 1, \ldots, n . \end{cases} \tag{3.21}$$

Démonstration. Le premier point du théorème est évident; montrons (3.21). Nous avons

$$v \in H^1(\Omega) \Rightarrow v \in V_h, \; R_h v = 0 ;$$

donc, avec (3.20),

$$J(u_h) + \frac{1}{\varepsilon_h} R_h(u_h) \leqslant J(v) \quad \forall v \in K$$

et d'où

$$\text{(3.22)} \qquad \begin{cases} J(u_h) \leqslant J(v) \quad \forall v \in K , \\ R_h(u_h) \leqslant \varepsilon_h \, . \, J(v) \quad \forall v \in K . \end{cases}$$

De la première inégalité, on tire

$$\|u_h\|_{V_h} \leqslant c < +\infty .$$

Nous pouvons donc trouver $u^* \in L^2(\Omega)$, $u_i^* \in L^2(\Omega)$, $i = 1, \ldots, n$, une sous-famille extraite de u_h tels que :

$$\begin{cases} \lim_{h' \to 0} u_{h'} = u^* \quad \text{dans } L^2(\Omega) \text{ faible} , \\ \lim_{h' \to 0} \mathrm{D}_i u_{h'} = u_i^* \quad \text{dans } L^2(\Omega) \text{ faible} , \\ \lim_{h' \to 0} R_{h'}(u_{h'}) = 0 . \end{cases}$$

Les hypothèses (3.16) sont alors vérifiées et il vient

$$\begin{cases} u^* \in H^1(\Omega) , \\ u_i^* = \mathrm{D}_i u^*, \quad i = 1, \ldots, n . \end{cases}$$

Par un raisonnement semblable à celui du 3.1 (voir après (3.12)), on démontrerait que $u^* \in K$; de plus on vérifierait que

$$\begin{cases} \lim_{h' \to 0} u_{h'} = u^* \\ \lim_{h' \to 0} \mathrm{D}_i u_{h'} = \mathrm{D}_i u^* \end{cases}$$

entraînent

$$J(u^*) \leqslant \varliminf_{h' \to 0} J(u_{h'})$$

et avec (3.22) il vient :

$$\begin{cases} J(u^*) \leqslant J(v) \quad \forall v \in K , \\ u^* \in K . \end{cases}$$

Donc $u^* = u$; dans ces conditions, il vient (3.21). ▮

Le problème Q_h est un problème dans un espace produit; on peut donc appliquer la méthode du n° 4, § 1.

Remarque 3.1. Dans de nombreux problèmes, il s'agit de minimiser une fonctionnelle $J(y, u)$ où y et u sont définis pour $x \in S \subset \mathbf{R}^n$ et $t \in [0, T]$, T donné dans $\mathbf{R}$. Les contraintes peuvent être du type

$$E(x, t) \equiv E(y(x, t), u(x, t)) = 0 \quad \text{p.p. dans } S \times [0, T],$$
$$F(x, t) \equiv F(y(x, t), u(x, t)) \geqslant 0 \quad \text{p.p. dans } S \times [0, T].$$

Il semble qu'on puisse appliquer les méthodes précédentes dans le cas où les valeurs de $E(x, t)$ et de $F(x, t)$ ne dépendent que des valeurs de y, de u et de certaines dérivées de y au même point x, t.

Remarque 3.2. La méthode utilisée dans le cas non régulier ressemble à une méthode où l'on pénalise certaines contraintes seulement.

Remarque 3.3. En fait, on pourrait garder h fixé et remplacer ε_h par ε; tout ce qui a été fait est valable lorsque $\varepsilon \to 0$.

CHAPITRE 5

LA DUALITÉ

Introduction

Nous n'avons pas l'intention de faire ici une étude complète de la dualité; nous allons seulement donner un procédé qui permet d'introduire une notion assez importante de la dualité; les résultats précis seront donnés sur des exemples. En fait, *on transforme un problème du type « Inf... » en un problème du type « Inf Sup... »; le problème dual est alors « Sup Inf... »*. Tout cela est basé sur le

REPÉRAGE D'UN ENSEMBLE : Nous allons donner deux exemples assez généraux :

Exemple 1. Soit $\mathscr{U} \subset \mathbf{R}^n$, tel que

$$v \in \mathscr{U} \Leftrightarrow g(v) \leqslant 0, \quad g(v) \in \mathbf{R}^m .$$

Il est clair que

$$v \in \mathscr{U} \Leftrightarrow (\mu, g(v))_{\mathbf{R}^m} \leqslant 0 \quad \forall \mu \in \mathbf{R}^m, \mu \geqslant 0 . \tag{0.1}$$

Exemple 2. Soit $\mathscr{U}$ un sous-ensemble convexe fermé d'un espace de Banach V; nous allons introduire quelques définitions : posons

$$h(\mu) = \operatorname*{Sup}_{v \in \mathscr{U}} \langle \mu, v \rangle ,$$

où $\mu \in V'$, et les chrochets indiquent la dualité entre V et V'; posons

$$\Lambda = \{\mu \mid \mu \in V', h(\mu) < +\infty\} .$$

On vérifierait facilement que $h(\mu)$ est une fonction convexe, semi-continue inférieurement et positivement homogène de degré 1 par rapport à μ :

$$h(\rho\mu) = \rho h(\mu) \quad \forall \rho \geqslant 0 .$$

De plus, on a le :

THÉORÈME 0.1. *h et Λ caractérisent $\mathscr{U}$ au sens suivant :*

$$v \in \mathscr{U} \Leftrightarrow \{\langle \mu, v \rangle - h(\mu) \leqslant 0 \quad \forall \mu \in \Lambda\} . \tag{0.2}$$

Démonstration. Posons

$$\tilde{\mathcal{U}} = \{v \mid v \in V,\ \langle \mu, v \rangle - h(\mu) \leqslant 0 \quad \forall \mu \in \Lambda\}\,.$$

Clairement, grâce à la définition de h, on a $\mathcal{U} \subset \tilde{\mathcal{U}}$; supposons que $\mathcal{U} \neq \tilde{\mathcal{U}}$. Alors il existe $w \in \tilde{\mathcal{U}}$, $w \notin \mathcal{U}$; d'après un corollaire du théorème de Hahn-Banach, on peut trouver $\mu \in V'$, $\alpha \in \mathbf{R}$ tels que

$$\langle \mu, v \rangle \leqslant \alpha < \langle \mu, w \rangle \quad \forall v \in \mathcal{U}\,,$$

d'où

$$\operatorname*{Sup}_{v \in \mathcal{U}} \langle \mu, v \rangle \leqslant \alpha < \langle \mu, w \rangle\,,$$

d'où

$$h(\mu) \leqslant \alpha < \langle \mu, w \rangle\,.$$

Ce qui montre que $\mu \in \Lambda$ et que $w \notin \tilde{\mathcal{U}}$, d'où une contradiction! Par suite $\mathcal{U} = \tilde{\mathcal{U}}$. ▮

D'une façon générale, on peut repérer un ensemble $\mathcal{U} \subset V$ par la donnée d'un cône de sommet 0 (dans un espace à préciser) et d'une fonction numérique $\Phi(v, \mu)$ définie sur $V \times \Lambda$ et positivement homogène de degré 1 par rapport à μ. Alors $\mathcal{U}$ est défini par

$$v \in \mathcal{U} \Leftrightarrow \Phi(v, \mu) \leqslant 0 \quad \forall \mu \in \Lambda\,. \tag{0.3}$$

Dans l'exemple 1, on avait

$$\Lambda = \{\mu \mid \mu \in \mathbf{R}^m,\ \mu \geqslant 0\}; \quad \Phi(v, \mu) = (\mu, g(v))_{\mathbf{R}^m}\,.$$

Dans l'exemple 2, on avait

$$\Lambda = \{\mu \mid \mu \in V',\ h(\mu) < +\infty\}; \quad \Phi(v, \mu) = \langle \mu, v \rangle - h(\mu)\,.$$

Une remarque fondamentale est la suivante :

$$\operatorname*{Sup}_{\mu \in \Lambda} \Phi(v, \mu) = \begin{cases} +\infty & \text{si } v \notin \mathcal{U}\,, \\ 0 & \text{si } v \in \mathcal{U}\,. \end{cases} \tag{0.4}$$

[En effet si $v \in \mathcal{U}$, alors $\Phi(v, \mu) \leqslant 0$ et il suffit de choisir $\mu = 0$ pour avoir

$$\max_{\mu \in \Lambda} \Phi(v, \mu) = 0\,;$$

si $v \notin \mathcal{U}$ il existe $\mu \in \Lambda$, avec $\Phi(v, \mu) > 0$, et alors

$$\operatorname*{Sup}_{\mu \in \Lambda} \Phi(v, \mu) \geqslant \Phi(v, \rho\mu) \quad \forall \rho \geqslant 0, \quad \text{donc } \operatorname*{Sup}_{\mu \in \Lambda} \Phi(v, \mu) = +\infty]\,.$$

Considérons maintenant le problème (dit *problème primal*) suivant :

$$\operatorname*{Inf}_{v \in \mathcal{U}} J(v)\,,$$

où la fonctionnelle $J(v)$ est donnée, ainsi que $\mathcal{U}$; si Φ, Λ est un repérage de $\mathcal{U}$ on a, compte tenu de (0.4) :

$$\text{(0.5)} \quad \operatorname*{Inf}_{v \in V} \operatorname*{Sup}_{\mu \in \Lambda} \{J(v) + \Phi(v, \mu)\} = \operatorname*{Inf}_{v \in V} \begin{cases} +\infty & \text{si } v \notin \mathcal{U} \\ J(v) & \text{si } v \in \mathcal{U} \end{cases} = \operatorname*{Inf}_{v \in \mathcal{U}} J(v) .$$

Le problème suivant est dit dual du précédent :

$$\text{(0.6)} \qquad \operatorname*{Sup}_{\mu \in \Lambda} \operatorname*{Inf}_{v \in V} \{J(v) + \Phi(v, \mu)\} .$$

μ sera appelé un multiplicateur de Lagrange et $\mathcal{L}(v, \mu) = J(v) + \Phi(v, \mu)$ est le lagrangien. Notons de suite que plusieurs repérages peuvent exister; à chaque repérage sera associé un problème dual.

Remarquons, pour terminer cette introduction, ceci : supposons donnés les éléments $\mathcal{U}$, V, Φ, Λ, ainsi qu'un couple $u, \lambda \in V \times \Lambda$ vérifiant

$$\text{(0.7)} \qquad \begin{cases} J(u) + \Phi(u, \mu) \leqslant J(u) + \Phi(u, \lambda) \leqslant J(v) + \Phi(v, \lambda) , \\ \forall v \in V, \forall \mu \in \Lambda ; u \in V, \lambda \in \Lambda . \end{cases}$$

On vérifierait que

$$J(u) + \Phi(u, \lambda) = \operatorname*{Inf}_{v \in V} \operatorname*{Sup}_{\mu \in \Lambda} \{J(v) + \Phi(v, \mu)\} = \operatorname*{Sup}_{\mu \in \Lambda} \operatorname*{Inf}_{v \in V} \{J(v) + \Phi(v, \mu)\} .$$

Supposons que Λ soit un cône de sommet 0. Alors en choisissant $\mu = 0$ puis $\mu = 2\lambda$, il vient

$$\Phi(u, \lambda) = 0$$

et l'inégalité de gauche de (0.7) devient

$$\Phi(u, \mu) \leqslant 0 \quad \forall \mu \in \Lambda ,$$

c'est-à-dire $u \in \mathcal{U}$; l'inégalité de droite est :

$$J(u) \leqslant J(v) + \Phi(v, \lambda)$$

et si $v \in \mathcal{U}$ cela devient

$$J(u) \leqslant J(v) .$$

Finalement (0.7) entraîne :

$$\text{(0.8)} \qquad \begin{cases} J(u) \leqslant J(v) + \Phi(v, \lambda) \quad \forall v \in V \\ u \in \mathcal{U}, \lambda \in \Lambda, \Phi(u, \lambda) = 0 . \end{cases}$$

Réciproquement, (0.8) entraine (0.7). ∎

Nous allons étudier maintenant quelques exemples : selon qu'on attaque le problème (0.7) ou le problème (0.8), on utilisera le théorème du min-max ou le théorème de Hahn-Banach.

Rappelons ces théorèmes :

THÉORÈME DE HAHN-BANACH (cas réel) :

Les données : — V est un espace vectoriel normé,
— M et N sont deux sous-ensembles convexes de V tels que :
— M a au moins un point intérieur,
— N ne contient aucun point intérieur de M.

La conclusion : On peut trouver $F \in V'$, $F \neq 0$, $\alpha \in \mathbf{R}$ tels que

$$F(m) \leqslant \alpha \leqslant F(n) \quad \forall m \in M, \forall n \in N . \quad \blacksquare \tag{0.9}$$

THÉORÈME DE KY FAN-SION :

Les données : — V et L sont deux espaces vectoriels topologiques séparés;
— $\mathscr{U}$ est un sous-ensemble convexe et compact de V;
— Λ est un sous-ensemble convexe et compact de L;
— $\mathscr{L}$ est une application de $\mathscr{U} \times \Lambda$ dans $\mathbf{R}$ qui vérifie :
$\forall v \in \mathscr{U}$, l'application $\mu \to \mathscr{L}(v, \mu)$ est concave et semi-continue supérieurement.
$\forall \mu \in \Lambda$, l'application $v \to \mathscr{L}(v, \mu)$ est convexe et semi-continue inférieurement.

La conclusion : Il existe $u, \lambda \in \mathscr{U} \times \Lambda$ vérifiant

$$\mathscr{L}(u, \mu) \leqslant \mathscr{L}(u, \lambda) \leqslant \mathscr{L}(v, \lambda) \quad \forall v, \mu \in \mathscr{U} \times \Lambda . \quad \blacksquare \tag{0.10}$$

Remarquons ceci : soit $\mathscr{L}$ une application de $\mathscr{U} \times \Lambda$ dans $\mathbf{R}$; on a :

$$\operatorname*{Inf}_{v \in \mathscr{U}} \mathscr{L}(v, \mu) \leqslant \mathscr{L}(u, \mu) \quad \forall \mu \in \Lambda, \quad \forall u \in \mathscr{U} ,$$

puis

$$\operatorname*{Sup}_{\mu \in \Lambda} \operatorname*{Inf}_{v \in \mathscr{U}} \mathscr{L}(v, \mu) \leqslant \operatorname*{Sup}_{\mu \in \Lambda} \mathscr{L}(u, \mu) \quad \forall u \in \mathscr{U}$$

et enfin

$$\operatorname*{Sup}_{\mu \in \Lambda} \operatorname*{Inf}_{v \in \mathscr{U}} \mathscr{L}(v, \mu) \leqslant \operatorname*{Inf}_{v \in \mathscr{U}} \operatorname*{Sup}_{\mu \in \Lambda} \mathscr{L}(v, \mu) . \tag{0.11}$$

Supposons maintenant que (0.10) ait lieu; alors

$$\operatorname*{Inf}_{v \in \mathscr{U}} \mathscr{L}(v, \lambda) = \mathscr{L}(u, \lambda) ,$$

mais

$$\operatorname*{Sup}_{\mu \in \Lambda} \operatorname*{Inf}_{v \in \mathscr{U}} \mathscr{L}(v, \mu) \geqslant \operatorname*{Inf}_{v \in \mathscr{U}} \mathscr{L}(v, \lambda) ,$$

d'où

$$\operatorname*{Sup}_{\mu \in \Lambda} \operatorname*{Inf}_{v \in \mathscr{U}} \mathscr{L}(v, \mu) \geqslant \mathscr{L}(u, \lambda) .$$

De même il viendrait

$$\operatorname*{Inf}_{v \in \mathscr{U}} \operatorname*{Sup}_{\mu \in \Lambda} \mathscr{L}(v, \mu) \leqslant \mathscr{L}(u, \lambda),$$

d'où

$$\operatorname*{Inf}_{v \in \mathscr{U}} \operatorname*{Sup}_{\mu \in \Lambda} \mathscr{L}(v, \mu) \leqslant \mathscr{L}(u, \lambda) \leqslant \operatorname*{Sup}_{\mu \in \Lambda} \operatorname*{Inf}_{v \in \mathscr{U}} \mathscr{L}(v, \mu).$$

Si l'on rapproche ces inégalités de (0.11), il vient

$$\mathscr{L}(u, \lambda) = \operatorname*{Inf}_{v \in \mathscr{U}} \operatorname*{Sup}_{\lambda \in \Lambda} \mathscr{L}(v, \mu) = \operatorname*{Sup}_{\lambda \in \Lambda} \operatorname*{Inf}_{v \in \mathscr{U}} \mathscr{L}(v, \mu)$$

et, sous des hypothèses convenables, il viendrait :

$$\mathscr{L}(u, \lambda) = \operatorname*{Min}_{v \in \mathscr{U}} \operatorname*{Max}_{\lambda \in \Lambda} \mathscr{L}(v, \mu) = \operatorname*{Max}_{\lambda \in \Lambda} \operatorname*{Min}_{v \in \mathscr{U}} \mathscr{L}(v, \mu). \tag{0.12}$$

DÉFINITION. Un point u, λ pour lequel (0.10) a lieu est dit un col ou un point selle ou un point de min-max.

Le théorème de Ky Fan-Sion établit l'existence d'un col.

1. Dualité dans $\mathbf{R}^n$

(Utilisation du théorème de Hahn-Banach : cela se fera, en travaillant dans l'espace image; cf. par exemple Halkin [19], Karlin [19].)

On donne $k+1$ *fonctions convexes* $J_i : \mathbf{R}^n \to \mathbf{R}$; on pose

$$K = \{v \mid v \in \mathbf{R}^n,\ J_i(v) \leqslant 0,\ i = 1, \ldots, k\}.$$

Problème 1.1 : Minimiser $J_0(v)$ pour $v \in K$; on pose

$$j = \operatorname*{Inf}_{v \in \mathscr{U}} J_0(v) \tag{1.1}$$

et on suppose que

$$j = \lim_{m \to \infty} J_0(v^m) \quad v^m \in K. \tag{1.2}$$

Le cas intéressant est celui où $-\infty < j$.

On introduit maintenant deux sous-ensembles S et T de $\mathbf{R}^{k+1}$; S est décrit par les éléments de la forme :

$$\begin{cases} (J_0(v) - j + s_0,\ J_1(v) + s_1, \ldots, J_k(v) + s_k) \\ v \in \mathbf{R}^n;\ s_i \in \mathbf{R},\ s_i \geqslant 0, \quad i = 0, \ldots, k. \end{cases}$$

T est décrit par les éléments de la forme

$$\begin{cases} (-t_0, \ldots, -t_k), \\ t_i \in \mathbf{R},\ t_i \geqslant 0, \quad i = 0, \ldots, k. \end{cases}$$

On vérifie que *S et T sont convexes dans* $\mathbf{R}^{k+1}$, que *T a un point intérieur* et que de plus *S ne contient aucun point intérieur de T*; vérifions ce dernier point : dans le cas contraire, on aurait :

$$\begin{aligned} & J_0(v)-j+s_0 = -t_0 , \\ & J_i(v)+s_i = -t_i , \\ & v \in \mathbf{R}^n,\ s_i \geqslant 0,\ t_i > 0, \quad i=0, \ldots, k ; \end{aligned}$$

d'où

$$\begin{cases} J_i(v) < 0, & i=1, \ldots, k, \\ J_0(v) < j; \end{cases}$$

ce qui contredit (1.1).

On peut appliquer le théorème de Hahn-Banach : on peut donc trouver des nombres α, α_i, $i=0, \ldots, k$ tels que

$$(1.3) \quad \begin{cases} \sum_{i=0}^{k} |\alpha_i| > 0 , \\ \alpha_0(J_0(v)-j+s_0) + \sum_{i=1}^{k} \alpha_i(J_i(v)+s_i) \geqslant \alpha \geqslant - \sum_{i=0}^{k} \alpha_i t_i , \\ \forall s_i \geqslant 0,\ t_i \geqslant 0,\ v \in \mathbf{R}^n . \end{cases}$$

L'inégalité de droite entraîne

$$\begin{cases} \alpha_i \geqslant 0 & i=0, \ldots, k, \\ \alpha \geqslant 0 . \end{cases}$$

Si on choisit $v = v^m$, $s_0 = 0$, $s_i = -J_i(v^m)$, $i = 1, \ldots, k$, l'inégalité de gauche entraîne

$$0 \geqslant \alpha ;$$

d'où (1.3) entraine :

$$\begin{cases} \sum_{i=0}^{k} \alpha_i > 0,\ \alpha_i \geqslant 0,\ i = 1, \ldots, k , \\ \alpha_0(J_0(v)-j) + \sum_{i=1}^{k} \alpha_i J_i(v) \geqslant - \sum_{i=0}^{k} \alpha_i s_i , \\ \forall v \in \mathbf{R}^n,\ \forall s_i \geqslant 0 , \end{cases}$$

et finalement [1]

$$(1.4) \quad \begin{cases} \sum_{i=0}^{k} \alpha_i > 0,\ \alpha_i \geqslant 0,\ i = 1, \ldots, k , \\ \alpha_0(J_0(v)-j) + \sum_{i=1}^{k} \alpha_i J_i(v) \geqslant 0 , \\ \forall v \in \mathbf{R}^n . \end{cases}$$

---

[1] Ce résultat semble dû à John (cf. [19]).

Supposons que $\alpha_0 > 0$, et posons $\lambda_i = \dfrac{\alpha_i}{\alpha_0}$, $i = 1, \ldots, k$; alors (1.4) devient

$$\begin{cases} \lambda_i \geqslant 0,\ i = 1, \ldots, k\,, \\ j \leqslant J_0(v) + \sum_{i=1}^{k} \lambda_i \,.\, J_i(v)\,, \\ \forall v \in \mathbf{R}^n\,. \end{cases} \tag{1.5}$$

DÉFINITION 1.1. On appelle hypothèse de qualification toute hypothèse qui entraîne $\alpha_0 > 0$.

On a donc démontré le

THÉORÈME 1.1. Si les fonctions J_i, $i = 0, \ldots, k$, sont convexes et si une hypothèse de qualification a lieu, alors on a (1.5). ▮

Notons que si $\alpha_0 = 0$, on a

$$\begin{cases} \sum_{i=1}^{k} \alpha_i > 0 \quad \alpha_i \geqslant 0 \quad i = 1, \ldots, k\,, \\ \sum_{i=1}^{k} \alpha_i J_i(v) \geqslant 0 \quad \forall v \in \mathbf{R}^n\,. \end{cases} \tag{1.6}$$

Toute hypothèse de qualification équivaut à dire que (1.6) est impossible.

Hypothèse de qualification I: Il existe $Z \in \mathbf{R}^n$ tel que

$$J_i(Z) < 0 \quad i = 1, \ldots, k\,. \tag{1.7}$$

Soit I tel que

$$J_i(Z) \leqslant -I < 0 \quad i = 1, \ldots, k$$

on a

$$\sum_{i=1}^{k} \alpha_i J_i(Z) \leqslant -I \sum_{i=1}^{k} < 0$$

ce qui contredit

$$\sum_{i=1}^{k} \alpha_i \,.\, J_i(Z) \geqslant 0\,.$$

Hypothèse de qualification II: On ne peut pas trouver α_i, $i = 1, \ldots, k$, tels que

$$\begin{cases} \sum_{i=1}^{k} \alpha_i > 0,\ \alpha_i \geqslant 0, \quad i = 1, \ldots, k\,, \\ \sum_{i=1}^{k} \alpha_i J_i(v) = 0 \quad \forall v \in K\,. \end{cases} \tag{1.8}$$

Notons que (1.6) entraîne (1.8); si (1.8) n'a pas lieu, il en est de même de (1.6) et donc $\alpha_0 > 0$.

Hypothèse de qualification III (Kuhn-Tucker [19]) : On suppose que les fonctions J_i, $i = 1, \ldots, k$ sont différentiables, le gradient de J_i est désigné par G_i; on suppose qu'on ne peut pas trouver α_i, $i = 1, \ldots, k$ tels que

$$(1.9)\qquad \begin{cases} \sum_{i=1}^{k} \alpha_i > 0, \alpha_i \geqslant 0, \quad i = 1, \ldots, k\,, \\ \sum_{i=1}^{k} \alpha_i G_i(u) = 0 \quad \forall u \in K\,. \end{cases}$$

Il suffit de montrer que (1.6) entraîne (1.9). En effet : si $u \in K$, alors

$$\sum_{i=1}^{k} \alpha_i J_i(u) = 0 \leqslant \sum_{i=1}^{k} \alpha_i J_i(v) \quad \forall v \in \mathbf{R}^n$$

et donc

$$\sum_{i=1}^{k} \alpha_i G_i(u) = 0\,. \quad \blacksquare$$

Examinons maintenant quelques conséquences du théorème 1.1; supposons qu'il existe $u \in K$ tel que

$$j = J(u)\,.$$

On a alors

$$(1.10)\qquad \begin{cases} (u) \leqslant J(v) + \sum_{i=1}^{k} \lambda_i \,.\, J_i(v) \quad \forall v \in \mathbf{R}^n\,, \\ \lambda_i \geqslant 0, \quad i = 1, \ldots, k\,. \end{cases}$$

En particulier si $v = u$, cela donne

$$0 \leqslant \sum_{i=1}^{k} \lambda_i \,.\, J_i(u)\,;$$

mais $u \in K$, donc

$$\sum_{i=1}^{k} \lambda_i J_i(u) \leqslant 0\,,$$

d'où

$$(1.11)\qquad \sum_{i=1}^{k} \lambda_i J_i(u) = 0\,.$$

Comme $J_i(u) \leqslant 0$, $i = 1, \ldots, k$, on a :

$$(1.12)\qquad \begin{cases} \sum_{i=1}^{k} \mu_i J_i(u) \leqslant 0 = \sum_{i=1}^{k} \lambda_i J_i(u)\,, \\ \forall \mu_i \geqslant 0 \quad i = 1, \ldots, k\,. \end{cases}$$

Finalement, on a le :

COROLLAIRE 1.1. Si les fonctions $J_i(v)$, $i = 0, \ldots, k$ sont convexes, si

$$J_0(u) = \min_{v \in K} J_0(v), \quad u \in K\,;$$

si une hypothèse de qualification est satisfaite, alors on peut trouver des nombres λ_i, $i = 1, \ldots, k$, tels que

$$(1.13)\qquad \begin{cases} J_0(u) + \sum_{i=1}^{k} \mu_i \,.\, J_i(u) \leqslant J_0(u) + \sum_{i=1}^{k} \lambda_i J_i(u) \leqslant J_0(v) + \sum_{i=1}^{k} \lambda_i J_i(v) \\ \forall v \in \mathbf{R}^n,\ \mu_i \geqslant 0, \quad i = 1, \ldots, k;\ u \in K;\ \lambda_i \geqslant 0, \quad i = 1, \ldots, k\,. \end{cases}$$

Comme nous l'avons signalé dans l'introduction, (1.13) montre que le point u, λ est un col ($\lambda = (\lambda_1, \ldots, \lambda_n)$) :

$$(1.14)\qquad \begin{aligned} J_0(u) + \sum_{i=1}^{k} \lambda_i J_i(u) &= \operatorname*{Min}_{v \in \mathbf{R}^n} \operatorname*{Max}_{\mu \geqslant 0} \{J_0(v) + \sum_{i=1}^{k} \mu_i J_i(v)\} \\ &= \operatorname*{Max}_{\mu \geqslant 0} \operatorname*{Min}_{v \in \mathbf{R}^n} \{J_0(v) + \sum_{i=1}^{k} \mu_i J_i(v)\}\,, \end{aligned}$$

où $\mu = (\mu_1, \ldots, \mu_k)$.

Montrons que le *problème*

$$\operatorname*{Min}_{v \in \mathbf{R}^n} \operatorname*{Max}_{\mu \geqslant 0} \{J_0(v) + \sum_{i=1}^{k} \mu_i J_i(v)\}$$

est exactement le problème initial 1.1. En effet :

$$(1.15)\qquad \operatorname*{Max}_{\mu \geqslant 0} \{J_0(v) + \sum_{i=1}^{k} \mu_i J_i(v)\} = \begin{cases} +\infty & \text{si } v \notin K \\ J_0(v) & \text{si } v \in K \end{cases}$$

par suite

$$(1.16)\qquad \operatorname*{Min}_{v \in \mathbf{R}^n} \operatorname*{Max}_{\mu \geqslant 0} \{J_0(v) + \sum_{i=1}^{k} \mu_i J_i(v)\} = \operatorname*{Min}_{v \in \mathbf{R}^n} \begin{cases} +\infty & \text{si } v \notin K \\ J_0(v) & \text{si } v \in K \end{cases} = \operatorname*{Min}_{v \in K} J_0(v)\,.$$

DÉFINITION 1.2

— Le problème

$$\underset{v \in K}{\text{Min}}\ J_0(v) \quad [\text{ou } \underset{v \in \mathbf{R}^n}{\text{Min}}\ \underset{\mu \geqslant 0}{\text{Max}}\ \{J_0(v) + \sum_{i=1}^{k} \mu_i J_i(v)\}]$$

est appelé problème *primal*.

— Le problème

$$\underset{\mu \geqslant 0}{\text{Max}}\ \underset{v \in \mathbf{R}^n}{\text{Min}}\ \{J_0(v) + \sum_{i=1}^{k} \mu_i J_i(v)\}$$

est appelé problème *dual*.

2. La dualité dans $\mathbf{R}^n$ (utilisation du théorème du min-max)

L'existence d'une solution u du problème 1.1 et l'hypothèse de qualification établissent l'existence d'un col pour la fonction

$$J_0(v) + \sum_{i=1}^{k} \mu_i J_i(v),\ v \in \mathbf{R}^n,\ \mu_i \geqslant 0, \quad i = 1, \ldots, k\,.$$

Nous allons faire des hypothèses afin de remplir les conditions précédentes et *nous allons utiliser directement le théorème du min-max*.

HYPOTHÈSES

— On donne des fonctions $J_i : \mathbf{R}^n \to \mathbf{R}$, $i = 0, \ldots, k$; on suppose que ces fonctions sont continues, *convexes*

— On suppose que

$$\|v\| \to \infty \Rightarrow J_0(v) \to \infty \tag{2.1}$$

où

$$\|v\|^2 = \sum_{i=1}^{n} |v_1|^2, \quad v = (v_1, \ldots, v_n)\,.$$

— On pose $K = \{v \mid v \in \mathbf{R}^n,\ J_i(v) \leqslant 0,\ i = 1, \ldots, k\}$; on suppose qu'il existe $Z \in \mathbf{R}^n$ tel que

$$J_i(Z) < 0 \quad i = 1, \ldots, k \tag{2.2}$$

(ceci montre que K est non vide).

Problème 2.1 *:* Déterminer $u \in K$ tel que

$$J_0(u) \leqslant J_0(v) \quad \forall v \in K\,.$$

On sait que ce problème admet au moins une solution u. De plus, d'après le numéro 1, il existe $\lambda = (\lambda_1, \ldots, \lambda_k)$ tel que

$$(2.3)\quad \begin{cases} \lambda \in \mathbf{R}^k,\ \lambda \geqslant 0,\ u \in K\,, \\ J_0(u) + \sum_{i=1}^{k} \mu_i J_i(u) \leqslant J_0(u) + \sum_{i=1}^{k} \lambda_i J_i(u) \leqslant J_0(v) + \sum_{i=1}^{k} \lambda_i J_i(v)\,, \\ \forall v \in \mathbf{R}^n,\ \forall \mu = (\mu_1, \ldots, \mu_k) \in \mathbf{R}^k,\ \mu \geqslant 0\,. \end{cases}$$

Nous allons retrouver ce résultat. Définissons $\mathscr{U}_p$ et Λ_q par :

$$\mathscr{U}_p = \{v \mid v \in \mathbf{R}^n,\ \|v\| \leqslant p\}\,,$$

$$\Lambda_q = \{\mu \mid \mu \in \mathbf{R}^k,\ \mu \geqslant 0,\ \|\mu\|_{\mathbf{R}^k} \leqslant q\}\,.$$

[On prend $\|\mu\|_{\mathbf{R}^k} = \operatorname{Sup}_{i=1,\ldots,k} |\mu_i|$] .

La fonction

$$v, \mu \to J_0(v) + \sum_{i=1}^{k} \mu_i J_i(v)$$

vérifient les hypothèses du théorème du min-max; il existe donc $u^{p,q}$, $\lambda^{p,q} \in \mathbf{R}^n \times \mathbf{R}^k$ tel que

$$(2.4)\quad \begin{cases} J_0(u^{p,q}) + \sum_{i=1}^{k} \mu_i J_i(u^{p,q}) \leqslant J_0(u^{p,q}) + \sum_{i=1}^{k} \lambda_i^{p,q} J_i(u^{p,q}) \\ \qquad\qquad \leqslant J_0(v) + \sum_{i=1}^{k} \lambda_i^{p,q} J_i(v)\,. \\ \forall v \in \mathscr{U}_p,\ \forall \mu \in \Lambda_q\,. \end{cases}$$

L'inégalité de gauche entraîne (en choisissant $\mu = 0$)

$$(2.5)\quad 0 \leqslant \sum_{i=1}^{k} \lambda_i^{p,q} J_i(u^{p,q})\,.$$

Avec ce résultat, il vient, avec l'inégalité de droite :

$$(2.6)\quad J_0(u^{p,q}) \leqslant J_0(v) \quad \forall v \in K;$$

par suite, grâce à (2.1), on a

$$(2.7)\quad \|u^{p,q}\| \leqslant c < +\infty\,.$$

Fixons p et q : p > c; le minimum de la fonctionnelle

$$v \to J_0(v) + \sum_{i=1}^{k} \lambda_i^{p,q} J_i(v)$$

dans la boule $\mathscr{U}_p$ est atteint en $u_{p,q}$, c'est-à-dire en un point intérieur à $\mathscr{U}_p$;

il s'agit donc d'un minimum libre, et par suite :

$$(2.8) \quad J_0(u^{p,q}) + \sum_{i=1}^{k} \lambda_i^{p,q} J_i(u^{p,q}) \leqslant J_0(v) + \sum_{i=1}^{k} \lambda_i^{p,q} J_i(v) \quad \forall v \in \mathbf{R}^n .$$

Montrons que $\lambda^{p,q}$ est bornée; de l'inégalité précédente, on tire, en prenant $v = Z$:

$$\sum_{i=1}^{k} \lambda_i^{p,q}(-J_i(Z)) \leqslant J_0(Z) - J_0(u^{p,q})$$

ce qui, avec (2.7), conduit à

$$\sum_{i=1}^{k} \lambda_i^{p,q}(-J_i(Z)) \leqslant c_1$$

et, avec (2.2), à

$$0 \leqslant \lambda_i^{p,q} \leqslant \frac{c_1}{-J_i(Z)} \quad i = 1, \dots, k$$

donc

$$(2.9) \qquad \|\lambda^{p,q}\| \leqslant c_2 .$$

Choisissons $q > c_2$; dans l'inégalité de gauche de (2.4) nous prenons $\mu = \lambda \cdot \frac{q}{\|\lambda\|}$. Il vient

$$\frac{q}{\|\lambda\|} \cdot \sum_{i=1}^{k} \lambda_i^{p,q} J_i(u^{p,q}) \leqslant \sum_{i=1}^{k} \lambda_i^{p,q} J_i(u^{p,q}) .$$

Si $\sum_{i=1}^{k} \lambda_i^{p,q} J_i(u^{p,q}) > 0$, cela entraîne $q \leqslant \|\lambda\|$ et, avec (2.9), $q \leqslant \|\lambda\| \leqslant c_2$; or $q > c_2$! Par suite :

$$\sum_{i=1}^{k} \lambda_i^{p,q} J_i(u^{p,q}) \leqslant 0 ,$$

ce qui, avec (2.5), donne

$$(2.10) \qquad \sum_{i=1}^{k} \lambda_i^{p,q} J_i(u^{p,q}) = 0 .$$

L'inégalité de gauche de (2.4) devient :

$$\sum_{i=1}^{k} \mu_i J_i(u^{p,q}) \leqslant 0 \quad \forall \mu \geqslant 0,\ \|\mu\| \leqslant q ,$$

ce qui est équivalent à

$$(2.11) \qquad \sum_{i=1}^{k} \mu_i J_i(u^{p,q}) \leqslant 0 \quad \forall \mu \geqslant 0$$

et cela entraîne

$$J_i(u^{p,q}) \leqslant 0 \quad i = 1, \ldots, k\,,$$

c'est-à-dire $u^{p,q} \in K$.

En résumé, si $q > c_2$, $p > c$, on peut trouver $u^{p,q}$, $\lambda^{p,q}$ tels que

$$\begin{cases} u^{p,q} \in K,\ \lambda^{p,q} \geqslant 0\,, \\ J(u^{p,q}) + \sum_{i=1}^{k} \mu_i \,.\, J_i(u^{p,q}) \leqslant J_0(u^{p,q}) + \sum_{i=1}^{k} \lambda_i^{p,q} J_i(u^{p,q}) \leqslant J_0(v) \\ \qquad\qquad\qquad\qquad\qquad\qquad\qquad\qquad + \sum_{i=1}^{k} \lambda_i^{p,q} J_i(v)\,, \\ \forall v \in \mathbf{R}^n,\ \forall \mu \in \mathbf{R}^k,\ \mu \geqslant 0\,. \end{cases}$$

Notons que l'hypothèse de qualification (2.2) sert ici à montrer que le multiplicateur de Lagrange $\lambda^{p,q}$ est borné, ce qui entraîne que $u^{p,q} \in K$ pour q assez grand.

3. Un problème en dimension infinie

(Utilisation du théorème de Hahn-Banach)

Au sujet de ce problème, cf. J.L. Lions [3].

Soit Ω un ouvert de $\mathbf{R}^n$, de frontière « assez » régulière; on pose

$$V = H^1(\Omega)\,,$$

$$J(v) = \tfrac{1}{2}\,\|v\|_V^2 - (f, v)_{L^2(\Omega)}$$

$$\mathscr{U} = \{v \mid v \in V,\ \gamma_0 v \geqslant 0\}\,.$$

$\gamma_0 v$ est la trace de v sur Γ; lorsque v parcourt V, on démontre que $\gamma_0 v$ parcourt un espace noté $H^{+1/2}(\Gamma)$; le dual de cet espace est noté $H^{-1/2}(\Gamma)$; si $\varphi \in H^{-1/2}(\Gamma)$ la valeur de la forme linéaire φ au point $\gamma_0 v$ est notée $\langle \varphi, \gamma_0 v \rangle$.

Problème 3.1 : Déterminer $u \in \mathscr{U}$ tel que

$$J(u) \leqslant J(v) \quad \forall v \in \mathscr{U}\,.$$

grâce à la stricte convexité de J et au fait que $\mathscr{U}$ est un sous-ensemble convexe et fermé, on peut affirmer que *le problème* 3.1 *a une solution u et une seule.* Nous allons caractériser cette solution et introduire le problème dual. Introduisons les deux sous-ensembles S et T de $\mathbf{R} \times H^{1/2}(\Gamma)$; S est l'ensemble des éléments de la forme :

$$\{J(v) - J(u) + s_0,\ -\gamma_0 v + s\}\,,$$
$$v \in H^1(\Omega),\ s_0 \in \mathbf{R},\ s_0 \geqslant 0,\ s \in H^{1/2}(\Gamma),\ s \geqslant 0\,.$$

T est l'ensemble des éléments de la forme

$$\{-t_0, -t\}$$

où $t_0 \in \mathbf{R}$, $t_0 > 0$, $t \in H^{1/2}$, $t \geqslant 0$.
On vérifierait ceci : S et T sont convexes et disjoints. De plus S a un point intérieur (pour établir ce dernier point, on utilise le fait que $v \to J(v)$ est continue et que l'opérateur γ_0 est un opérateur de $H^1(\Omega)$ *sur* $H^{1/2}(\Gamma)$).

Par suite, on peut trouver $\alpha_0 \in \mathbf{R}$, $\varphi \in H^{-1/2}(\Gamma)$, $\alpha \in \mathbf{R}$ tels que :

$$(3.1)\qquad \begin{cases} \alpha_0(J(v)-J(u)+s_0)+\langle\varphi, -\gamma_0 v+s\rangle \geqslant \alpha \geqslant \alpha_0(-t_0)+\langle\varphi, -t\rangle, \\ \forall v \in V\ ; s_0, t_0 \in \mathbf{R},\ s_0 \geqslant 0,\ t_0 > 0;\ s, t \in H^{1/2}(\Gamma),\ s \geqslant 0,\ t \geqslant 0, \\ |\alpha_0| + \|\varphi\| > 0; \end{cases}$$

cela entraine

$$(3.2)\qquad \begin{cases} \alpha_0 \geqslant 0,\ \varphi \geqslant 0,\ \alpha_0 + \|\varphi\| > 0, \\ \alpha_0(J(v)-J(u)) - \langle\varphi, \gamma_0 v\rangle \geqslant 0, \\ \forall v \in H^1(\Omega). \end{cases}$$

Supposons que $\alpha_0 = 0$; il viendrait

$$-\langle\varphi, \gamma_0 v\rangle \geqslant 0 \quad \forall v \in H^1(\Omega),$$

d'où

$$\varphi = 0$$

et

$$\alpha_0 + \|\varphi\| = 0!$$

Donc $\alpha_0 > 0$; alors on peut écrire (3.2) sous la forme

$$(3.3)\qquad \begin{cases} J(u) \leqslant J(v) - \langle\lambda, \gamma_0 v\rangle \quad \forall v \in H^1(\Omega), \\ \lambda \in H^{-1/2}(\Gamma);\ \lambda \geqslant 0. \end{cases}$$

En faisant $v = u$ il vient

$$\langle\lambda, \gamma_0 u\rangle \leqslant 0.$$

Mais $\lambda \geqslant 0$, $\gamma_0 u \geqslant 0$ entraînent

$$\langle\lambda, \gamma_0 u\rangle \geqslant 0,$$

d'où

$$(3.4)\qquad \langle\lambda, \gamma_0 u\rangle = 0$$

et par suite :

$$(3.5)\qquad \begin{cases} \langle\mu, \gamma_0 u\rangle \geqslant 0 = \langle\lambda, \gamma_0 u\rangle, \\ \forall \mu \in H^{-1/2}(\Gamma),\ \mu \geqslant 0. \end{cases}$$

Finalement, en regroupant ces résultats, il vient :

$$(3.6)\qquad \begin{cases} J(u) - \langle\mu, \gamma_0 u\rangle \leqslant J(u) - \langle\lambda, \gamma_0 u\rangle \leqslant J(v) - \langle\lambda, \gamma_0 v\rangle, \\ \forall v \in H^1(\Omega), \quad \forall \mu \in H^{-1/2}(\Gamma),\ \mu \geqslant 0, \\ \gamma_0 u \geqslant 0,\ \lambda \geqslant 0. \end{cases}$$

Cela montre que

(3.7) $$J(u) = \operatorname*{Min}_{v} \operatorname*{Max}_{\mu \geqslant 0} \{J(v) - \langle \mu, \gamma_0 v \rangle\} = \operatorname*{Max}_{\mu \geqslant 0} \operatorname*{Min}_{v} \{J(v) - \langle \mu, \gamma_0 v \rangle\},$$

où $v \in H^1(\Omega)$.

On a donc :

Problème primal : Minimiser $J(v)$ sous les contraintes $\gamma_0 v \geqslant 0$.

Problème dual :

$$\operatorname*{Max}_{\substack{\mu \geqslant 0 \\ \mu \in H^{1/2}(\Gamma)}} \operatorname*{Min}_{v \in H^1(\Omega)} \{J(v) - \langle \mu, \gamma_0 v \rangle\}.$$

Nous n'expliciterons pas davantage ce problème dual. Par contre, nous allons donner *une Interprétation formelle des inégalités* (3.6). Nous supposons que toutes les fonctions sont régulières; nous confondrons alors $\langle \mu, \gamma_0 v \rangle$ avec

$$\int_\Gamma \mu, \gamma_0 v \, d\sigma .$$

L'inégalité de droite montre que la dérivée (de Fréchet) de $J(v) - \langle \lambda, \gamma_0 v \rangle$ est nulle en u; d'où

$$\begin{cases} \displaystyle\sum_{i=1}^{n} \int_\Omega D_i u \, D_i \Phi \, dx + \int_\Omega u \Phi \, dx = \int_\Gamma \lambda \, . \, \gamma_0 \Phi \, d\sigma + \int_\Omega f \Phi \, dx , \\ \forall \Phi \in H^1(\Omega) . \end{cases}$$

Une intégration par parties entraîne

$$\begin{cases} \displaystyle\int_\Omega - \Delta u \, . \, \Phi \, dx + \int_\Gamma \frac{\partial u}{\partial n} \, . \, \gamma_0 \Phi \, d\sigma + \\ \qquad\qquad + \displaystyle\int_\Omega u \Phi \, dx = \int_\Gamma \lambda \, . \, \gamma_0 \Phi \, d\sigma + \int_\Omega f \Phi \, dx , \\ \forall \Phi \in H^1(\Omega) . \end{cases}$$

Si on choisit tout d'abord $\Phi \in \mathscr{D}(\Omega)$, il vient

(3.8) $$-\Delta u + u = f$$

et si Φ est quelconque, il vient

(3.9) $$\frac{\partial u}{\partial n} = \lambda \quad (\lambda \geqslant 0) .$$

Ainsi, dans ce problème $\partial u / \partial n$ représente le multiplicateur de Lagrange.

L'inégalité de gauche de (3.6) entraîne

$$\begin{cases} -\int_\Gamma \mu \,.\, \gamma_0 u \, d\sigma \leqslant -\int_\Gamma \lambda \,.\, \gamma_0 u \, d\sigma \,, \\ \forall \mu \geqslant 0 \,, \end{cases}$$

d'où

$$\gamma_0 u \geqslant 0 \,. \tag{3.10}$$

La relation $\langle \lambda, \gamma_0 u \rangle = 0$ ou $\langle \partial u / \partial n, \gamma_0 u \rangle = 0$ s'écrit

$$\int_\Gamma \frac{\partial u}{\partial n} \,.\, \gamma_0 u \, d\sigma = 0 \,.$$

Mais avec (3.9) et (3.10) cela donne

$$\frac{\partial u}{\partial n}(x) \,.\, \gamma_0 u(x) = 0 \quad \text{p.p. } x \in \Gamma \,. \tag{3.11}$$

On a finalement

$$\begin{cases} -\Delta u + u = f \quad \text{dans } \Omega \,, \\ \left.\begin{array}{l} \gamma_0 u(x) \geqslant 0 \\ \dfrac{\partial u}{\partial n}(x) \geqslant 0 \\ \dfrac{\partial u}{\partial n}(x) \gamma_0 u(x) = 0 \end{array}\right\} \quad \text{p.p. } x \in \Gamma \,. \end{cases} \tag{3.12}$$

4. Un problème en dimension infinie
(Utilisation du théorème de min-max)

4.1 *Le problème primal*

Soit Ω un ouvert *borné* « assez régulier » de $\mathbf{R}^n$, de frontière Γ; on pose

$$V = H_0^1(\Omega) = \left\{ v \mid \sum_{i=1}^{n} \int_\Omega |D_i v(x)|^2 \, dx < +\infty, \gamma_0 v = 0 \right\}.$$

On choisit

$$\|v\|_V = \|\text{grad } v\|_{(L^2(\Omega))^n}^{1/2}.$$

On pose

$$J(v) = \tfrac{1}{2} \|v\|_V^2 - (f, v)_{L^2(\Omega)} \,, \quad f \text{ donnée dans } L^2(\Omega) \,,$$

$$K = \{ v \mid v \in V, \text{grad}^2 \, v(x) \leqslant 1 \quad \text{p.p. } x \in \Omega \} \,.$$

Problème 4.1: Déterminer $u \in K$ tel que

$$J(u) \leqslant J(v) \quad \forall v \in K .$$

On vérifierait que K est sous-ensemble convexe fermé de V et que $J(v)$ est strictement convexe; par suite on a le

THÉORÈME 4.1. Le problème 4.1 a une solution et une seule.

Posons

$$g(v) = \operatorname{grad}^2 v - 1 .$$

L'ensemble K est défini par

$$v \in K \Leftrightarrow v \in H_0^1(\Omega) \quad \text{et} \quad g(v) \leqslant 0 .$$

Il s'agit de préciser dans quel espace se trouve $g(v)$: si $v \in K$, alors $g(v) \in L^\infty(\Omega)$ et comme Ω est borné, on a:

$$g(v) \in L^s(\Omega) \quad \forall s \quad 1 \leqslant s \leqslant +\infty .$$

On peut donc introduire le dual L de $L^s(\Omega)$:

$$L = (L^s(\Omega))'$$

et le cône Λ des éléments positifs de L:

$$\mu \in \Lambda \Leftrightarrow \mu \in L, \mu \geqslant 0 .$$

On peut donc repérer K par

$$v \in K \Leftrightarrow \begin{cases} v \in H^1(\Omega) \\ \displaystyle\int_\Omega \mu(\operatorname{grad}^2 v - 1)\mathrm{d}x \leqslant 0 \quad \forall \mu \in \Lambda \text{ (}^1\text{)} . \end{cases}$$

Le problème est maintenant celui du choix de s, car nous disposons ici d'une infinité de repérages possibles. On vérifierait que le choix $s = +\infty$, $L = (L^\infty(\Omega))'$ conduirait à un point col pour le lagrangien $J(v) + \mu(\operatorname{grad}^2 v - 1)$; cependant nous choisirons $s = +1$, $L = L^\infty(\Omega)$, car par passage à la limite nous obtiendrons les mêmes résultats que pour le choix $s = +\infty$, et de plus nous obtiendrons un théorème d'approximation.

Lorsqu'il y a plusieurs repérages d'un convexe K, le problème du choix du repérage ne semble pas résolu de manière satisfaisante.

4.2 *L'approximation*

Nous nous proposons d'utiliser le théorème du min-max avec les éléments suivants:

$$V = H_0^1(\Omega) \quad \text{topologie faible ,}$$

---

(1) Á remplacer par $\mu(\operatorname{grad}^2 v - 1)$ lorsque $\mu \in (L^\infty(\Omega))'$.

$$\mathscr{U}_p = \{v \mid v \in V,\ \|v\| \leqslant p\},$$
$$L = L^\infty(\Omega) \quad \text{topologie faible } *,$$
$$\Lambda_p = \{\mu \mid \mu \in L^\infty(\Omega),\ 0 \leqslant \mu(x) \leqslant p \ \text{ p.p. } x \in \Omega\},$$
$$\mathscr{L}(v, \lambda) = J(v) + \int_\Omega \lambda(\text{grad}^2\, v(x) - 1)\,\mathrm{d}x\,.$$

Il est facile de montrer que toutes les hypothèses du théorème du min-max sont vérifiées; par suite il existe un couple $u_p, \lambda_p \in \mathscr{U}_p \times \Lambda_p$ tel que

$$\text{(4.1)} \qquad \begin{cases} \mathscr{L}(u_p, \mu) \leqslant \mathscr{L}(u_p, \lambda_p) \leqslant \mathscr{L}(v, \lambda_p) \\ \forall \mu \in \Lambda_p\,;\ \forall v \in \mathscr{U}_p \end{cases}$$

ou encore

$$\text{(4.1)}' \qquad \begin{cases} J(u_p) + \displaystyle\int_\Omega \mu(\text{grad}^2\, u_p - 1)\,\mathrm{d}x \leqslant J(u_p) + \int_\Omega \lambda_p(\text{grad}^2\, u_p - 1)\,\mathrm{d}x \\ \qquad\qquad\qquad\qquad \leqslant J(v) + \displaystyle\int_\Omega \lambda_p(\text{grad}^2\, v - 1)\,\mathrm{d}x\,, \\ \forall \mu \in \Lambda_p,\ \forall v \in \mathscr{U}_p\,. \end{cases}$$

En faisant $\mu = 0$, on a :

$$0 \leqslant \int \lambda_p(\text{grad}^2\, u_p - 1)\,\mathrm{d}x\,.$$

Par suite

$$\text{(4.2)} \qquad \begin{cases} J(u_p) \leqslant J(v) + \displaystyle\int_\Omega \lambda_p(\text{grad}^2\, v - 1)\,\mathrm{d}x\,, \\ \forall v \in \mathscr{U}_p\,. \end{cases}$$

En particulier :

$$\text{(4.3)} \qquad \begin{cases} J(u_p) \leqslant J(v)\,, \\ \forall v \in \mathscr{U}_p \cap K\,. \end{cases}$$

On déduit de là que

$$\text{(4.4)} \qquad \|u_p\| \leqslant c < +\infty \quad \forall p\,.$$

La suite u_p étant bornée, il existe $u^* \in V$ et une sous-suite $u_{p'}$ tels que

$$\lim_{p' \to \infty} u_{p'} = u^* \quad \text{dans } V \text{ faible}\,;$$

mais

$$J(u^*) \leqslant \varliminf_{p' \to \infty} J(u_{p'})\,,$$

d'où, avec (4.4)' :

$$\begin{cases} J(u^*) \leqslant J(v), \\ \forall v \in K. \end{cases}$$

Supposons que $u^* \in K$. Alors $u^* = u =$ solution du problème 4.1. De plus

$$\lim_{p \to \infty} u_p = u \quad \text{dans } V \text{ faible}.$$

Mais avec (4.3) on a en particulier

$$J(u_p) \leqslant J(u).$$

De là, il viendrait facilement

$$\lim_{p \to \infty} \|u_p - u\| = 0.$$

Montrons que $u^* \in K$. Soit $\varphi \in \mathscr{D}(\Omega)$, $\varphi \geqslant 0$; on a

$$\int_\Omega \varphi(x)(\text{grad}^2\, u^*(x) - 1)\,\mathrm{d}x \leqslant \varliminf_{p' \to \infty} \int_\Omega \varphi(x)(\text{grad}^2\, u_{p'}(x) - 1)\,\mathrm{d}x.$$

Mais

$$\int_\Omega \varphi(x)(\text{grad}^2\, u_p(x) - 1)\,\mathrm{d}x \leqslant \int_\Omega \varphi(x)(\text{grad}^2\, u_p(x) - 1)^+\,\mathrm{d}x$$
$$\leqslant \operatorname{Max}_{x \in \Omega} \varphi(x) \int_\Omega (\text{grad}^2\, u_p(x) - 1)^+\,\mathrm{d}x.$$

Posons

$$I_p = \int_\Omega (\text{grad}^2\, u_p(x) - 1)^+\,\mathrm{d}x.$$

Supposons que $\lim_{p \to \infty} I_p = 0$; alors, avec les inégalités précédentes, on a

$$\int_\Omega \varphi(x)(\text{grad}^2\, u^*(x) - 1)\,\mathrm{d}x \leqslant 0 \quad \forall \varphi \in \mathscr{D}(\Omega),\ \varphi \geqslant 0;$$

ce qui entraîne

$$\text{grad}^2 u^*(x) - 1 \leqslant 0 \quad \text{p.p. } x \in \Omega$$

et donc $u^* \in K$.

Montrons que $\lim I_p = 0$. À partir de l'inégalité de gauche de (4.1)', il vient

$$\text{grad}^2 u_p(x) - 1 < 0 \Rightarrow \lambda_p(x) = 0,$$
$$\text{grad}^2 u_p(x) - 1 > 0 \Rightarrow \lambda_p(x) = p.$$

et donc

$$\int_{\Omega} \lambda_p(\text{grad}^2 u_p - 1)\text{d}x = p \,.\, I_p \,.$$

Avec l'inégalité de droite de (4.1)′, il vient en particulier

$$J(u_p) + pI_p \leqslant J(0)$$

et comme u_p est borné :

$$0 \leqslant pI_p \leqslant c_1 \,,$$

d'où

$$\lim I_p = 0 \,.$$

Notons ceci : si $p > c$ (voir (4.4)), alors la fonctionnelle

$$v \to J(v) + \int_{\Omega} \lambda_p(\text{grad}^2 v - 1)\text{d}x$$

atteint son minimum dans $\mathscr{U}_p$ en u_p; mais comme $\|u_p\| \leqslant c < p$, il s'agit aussi du minimum dans V.

Pour p « assez grand » on peut donc remplacer (4.1)′ par

$$(4.5) \quad \begin{cases} J(u_p) + \displaystyle\int_{\Omega} \mu(\text{grad}^2 u_p - 1)\text{d}x \leqslant J(u_p) + \displaystyle\int_{\Omega} \lambda_p(\text{grad}^2 u_p - 1)\text{d}x \\ \qquad\qquad\qquad\qquad \leqslant J(v) + \displaystyle\int_{\Omega} \lambda_p(\text{grad}^2 v - 1)\text{d}x \\ \forall v \in V, \quad \forall \mu \in \Lambda_p \,. \end{cases}$$

On a donc

$$(4.5)' \qquad \mathscr{L}(u_p, \lambda_p) = \underset{v \in V}{\text{Min}} \; \underset{\mu \in \Lambda_p}{\text{Max}} \; \mathscr{L}(v, \mu) = \underset{\mu \in \Lambda_p}{\text{Max}} \; \underset{v \in V}{\text{Min}} \; \mathscr{L}(v, \mu) \,.$$

On a démontré le :

THÉORÈME 4.1. Si u est la solution du problème 4.1, si u_p, λ_p est une solution du problème (4.5)′, alors

$$\lim_{p \to \infty} \|u_p - u\| = 0 \,.$$

4.3 *La dualité*

Si dans (4.2) on fait $v = 0$, il vient :

$$\int_{\Omega} \lambda_p \text{d}x \leqslant J(0) - J(u_p) \leqslant c_2 < +\infty \,.$$

(car u_p est borné). Considérons les applications

$$\tilde{\lambda}_p : \varphi \in L^\infty(\Omega) \to \int_\Omega \lambda_p \, . \, \varphi \, \mathrm{d}x \, .$$

On a :

$$|\tilde{\lambda}_p(\varphi)| \leqslant \|\varphi\|_{L^\infty(\Omega)} \, . \int_\Omega \lambda_p \mathrm{d}x \leqslant c_2 \|\varphi\|_{L^\infty(\Omega)} \, ,$$

donc

$$\tilde{\lambda}_p \in (L^\infty(\Omega))', \; \|\tilde{\lambda}_p\| \leqslant c_2 \, .$$

On peut extraire une sous-suite faiblement* convergente dans $(L^\infty(\Omega))'$:

$$\lim_{p' \to \infty} \tilde{\lambda}_{p'} = \lambda \text{ dans } (L^\infty(\Omega))' \text{ faible* } .$$

Comme $\lambda_p \geqslant 0$ on a $\lambda \geqslant 0$. Si $v \in H^1(\Omega)$, $\mathrm{grad}^2 v \in L^\infty(\Omega)$, le passage à la limite dans (4.2) entraîne

$$\text{(4.6)} \qquad \begin{cases} J(u) \leqslant J(v) + \lambda(\mathrm{grad}^2 v - 1) \, , \\ \forall v \in H^1(\Omega), \;\; \mathrm{grad}^2 v \in L^\infty(\Omega) \, . \end{cases}$$

Si $v = u$, il vient

$$0 \leqslant \lambda(\mathrm{grad}^2 u - 1) \, .$$

Mais $\lambda \geqslant 0$, $\mathrm{grad}^2 u - 1 \leqslant 0$ entraînent

$$\lambda(\mathrm{grad}^2 u - 1) \leqslant 0 \, ,$$

d'où

$$\text{(4.7)} \qquad \lambda(\mathrm{grad}^2 u - 1) = 0 \, .$$

Les relations (4.6), (4.7), et $\lambda \geqslant 0$ permettent d'écrire :

$$\begin{cases} J(u) + \mu(\mathrm{grad}^2 u - 1) \leqslant J(u) + \lambda(\mathrm{grad}^2 u - 1) \leqslant J(v) + \lambda(\mathrm{grad}^2 v - 1) \\ \forall \mu \in (L^\infty(\Omega))', \; \mu \geqslant 0, \quad \forall v \in H_0^1(\Omega), \; \mathrm{grad}^2 v \in L^\infty(\Omega) \, . \end{cases}$$

En posant

$$\mathscr{U} = \{v \mid v \in H_0^1(\Omega), \; \mathrm{grad}^2 v \in L^\infty(\Omega)\} \, ,$$

$$\Lambda = \{\mu \mid \mu \in (L^\infty(\Omega))', \; \mu \geqslant 0\} \, ,$$

$$\mathscr{L}(v, \mu) = J(v) + \mu(\mathrm{grad}^2 v - 1) \, ,$$

on a :

$$\mathscr{L}(u, \lambda) = \underset{v \in \mathscr{U}}{\mathrm{Min}} \; \underset{\mu \in \Lambda}{\mathrm{Max}} \; \mathscr{L}(v, \mu) = \underset{\mu \in \Lambda}{\mathrm{Max}} \; \underset{v \in \mathscr{U}}{\mathrm{Min}} \; \mathscr{L}(v, \mu) \, .$$

Le problème primal correspond au min-max; le problème max-min est le problème dual.

4.4 *L'approximation numérique*

Pour p assez grand, la solution u_p du problème (4.5)′ est assez voisine de la solution u de notre problème. On se propose d'approcher u_p. Un problème semblable a été résolu par Cea et Malanowski [19]; cf. aussi Nedelec [19]. On se propose donc de résoudre le problème

$$\operatorname*{Max}_{\mu \in \Lambda_p} \operatorname*{Min}_{v \in V} \{J(v) + \int_\Omega \mu(\text{grad}^2 v - 1)\mathrm{d}x\},$$

$$J(v) = \int_\Omega \text{grad}^2 v\mathrm{d}x - 2\int_\Omega f \,.\, v\mathrm{d}x,$$

$$v \in H_0(\Omega);\ \mu \in \Lambda_p \Leftrightarrow \mu \in L^\infty(\Omega),\ 0 \leqslant \mu(x) \leqslant p \quad \text{p.p. } x \in \Omega\,.$$

Pour μ donné dans Λ_p, le minimum (en v) est atteint en un point u_μ, tel que

$$\int_\Omega (1+\mu)\ \text{grad}\ u_\mu\ \text{grad}\ \varphi\mathrm{d}x = \int_\Omega f\varphi\mathrm{d}x \quad \forall\varphi \in V \tag{4.8}$$

et alors

$$J(u_\mu) + \int \mu(\text{grad}^2\ u_\mu - 1)\mathrm{d}x = -\int_\Omega f\,.\,u_\mu\mathrm{d}x - \int_\Omega \mu\mathrm{d}x$$

et comme

$$\operatorname*{Max}_{\mu \in \Lambda_p} -\left(\int f\,.\,u_\mu\mathrm{d}x + \int_\Omega \mu\mathrm{d}x\right) = -\operatorname*{Min}_{\mu \in \Lambda_p}\left(\int_\Omega f\,.\,u_\mu\mathrm{d}x + \int_\Omega \mu\mathrm{d}x\right)$$

le problème est donc : minimiser $\left(\int_\Omega f\,.\,u_\mu\mathrm{d}x + \int_\Omega \mu\mathrm{d}x\right)$ sous les contraintes

$$\begin{cases} 0 \leqslant \mu(x) \leqslant p \quad \text{p.p. } x \in \Omega \\ \text{et la relation (4.8).} \end{cases}$$

La méthode proposée par Cea-Malanowski pour résoudre ce problème est la suivante :

— Choix de la direction de descente :

Le problème étant considéré comme un problème de minimisation en μ, après élimination (théorique) de u, on choisira la direction donnée dans la méthode de Frank-Wolfe.

— Choix du point dans la descente :

La recherche du choix « optimal » de ce point peut être très coûteuse; l'algorithme retenu pour ce choix est ρALG3.

Dans ces conditions, il a été prouvé que la méthode d'approximation est convergente.

5. Minimisation d'une fonctionnelle non différentiable via la dualité

Nous allons exposer cette méthode dans un cadre simple; pour un exposé plus complet et contenant des exemples numériques nous renvoyons à un article à paraître de J. Cea, R. Glowinski et J.C. Nedelec.

Afin de traiter de la même façon plusieurs cas de non-différentiabilité nous allons introduire tout d'abord le Lagrangien et ensuite les problèmes primals et duals.

Les données :

— une matrice A (n lignes, n colonnes), symétrique et définie positive,
— une matrice B (m lignes, n colonnes),
— une matrice colonne f (à n éléments). Il sera commode d'identifier les vecteurs de $\mathbf{R}^n$ avec les matrices colonnes à n éléments.
— un ensemble Λ compact, convexe dans $\mathbf{R}^m$.

On pose :

$$\mathscr{L}(v,\mu) = \tfrac{1}{2}(Av,v)_n - (f,v)_n - (Bv,\mu)_m,$$

où

$$(x,y)_p = \sum_{i=1}^{p} x_i \cdot y_i .$$

THÉORÊME 5.1. On peut trouver u et λ tels que :

$$(5.1)\qquad \begin{cases} u\in\mathbf{R}^n, \quad \lambda\in\Lambda, \\ \mathscr{L}(u,\mu) \leqslant \mathscr{L}(u,\lambda) \leqslant \mathscr{L}(v,\lambda), \\ \forall v\in\mathbf{R}^n, \quad \forall\mu\in\Lambda . \end{cases}$$

Démonstration. On ne donne que les grandes lignes de la démonstration. On introduit $\mathscr{U}_p = \{v |\ v\in\mathbf{R}^n, \|v\|_n \leqslant p\}$ et on utilise le théorème de Ky Fan-Sion avec les éléments $\mathbf{R}^n$, $\mathscr{U}_p$, $\mathbf{R}^m$, Λ, $\mathscr{L}(v,\mu)$. Cela introduit un couple u^p, λ^p, pour p assez grand, ce couple vérifie (5.1).

DÉFINITION 5.1.

i) Le problème $\min\limits_{v\in\mathbf{R}^n} \max\limits_{\mu\in\Lambda} \mathscr{L}(v,\mu)$ est dit problème primal.

ii) Le problème $\max\limits_{\mu\in\Lambda} \min\limits_{v\in\mathbf{R}^n} \mathscr{L}(v,\mu)$ est dit problème dual.

COROLLAIRE 5.1. On a, pour tout couple u, λ vérifiant (5.1) :

$$(5.2)\qquad \mathscr{L}(u,\lambda) = \min_{v\in\mathbf{R}^n} \max_{\mu\in\Lambda} \mathscr{L}(v,\mu) = \max_{\mu\in\Lambda} \min_{v\in\mathbf{R}^n} \mathscr{L}(v,\mu).$$

Explicitons maintenant

Le problème dual. La solution u_μ du problème $\min\limits_{v\in\mathbf{R}^n} \mathscr{L}(v,\mu)$ est aussi la solution de

$$(Au_\mu,\varphi)_n - (f,\varphi)_n - (B\varphi,\mu)_m = 0 \quad \forall\varphi\in\mathbf{R}^n$$

ou de

$$Au_\mu = f + B^* \mu . \tag{5.3}$$

On a alors

$$\mathscr{L}(u_\mu, \mu) = -\tfrac{1}{2}(Au_\mu, \mu_\mu)_n = \min_{v \in \mathbf{R}^n} \mathscr{L}(v, \mu)$$

et le problème dual est :

$$\operatorname*{Max}_{\mu \in \Lambda} -\tfrac{1}{2}(Au_\mu, u_\mu), \quad u_\mu \text{ défini par (5.3)}$$

ou encore

$$-\operatorname*{Min}_{\mu \in \Lambda} \tfrac{1}{2}(Au_\mu, u_\mu), \quad u_\mu \text{ défini par (5.3)}. \tag{5.4}$$

La matrice A étant régulière, on peut éliminer u_μ : il vient :

$$\begin{cases} -\min\limits_{\mu \in \Lambda} \{\tfrac{1}{2}(\mathscr{A}\mu, \mu)_m - (\mathscr{F}, \mu)_m + \tfrac{1}{2}(A^{-1}f, f)_n\}, \\ \mathscr{A} = BA^{-1}B^*, \\ \mathscr{F} = -BA^{-1}f, \end{cases} \tag{5.5}$$

et finalement

$$\begin{cases} \min\limits_{\mu \in \Lambda} \hat{J}(\mu), \\ \hat{J}(\mu| = \tfrac{1}{2}(\mathscr{A}\mu, \mu)_m - (\mathscr{F}, \mu)_m, \\ \mathscr{A} = BA^{-1}B^*, \\ \mathscr{F} = -BA^{-1}f. \end{cases} \tag{5.6}$$

Le problème primal. Il s'agit du problème

$$\min_{v \in \mathbf{R}^n} \max_{\mu \in \Lambda} \tfrac{1}{2}(Av, v)_n - (f, v)_n - (Bv, \mu)_m .$$

On pose

$$J_0(v) = \tfrac{1}{2}(Av, v)_n - (f, v)_n,$$

$$J_1(v) = \max_{\mu \in \Lambda} (-Bv, \mu)_m,$$

et le problème primal est :

$$\min_{v \in \mathbf{R}^n} \{J_0(v) + J_1(v)\}.$$

La partie $J_0(v)$ est régulière tandis que la partie $J_1(v)$ est non différentiable dans les exemples qui vont suivre.

La $i^{\text{ième}}$ ligne de la matrice B sera désignée par B_i, ainsi $B_i v$ sera un nombre réel.

EXEMPLE 5.1.

$$\Lambda_1 = \{\mu \mid \mu \in \mathbf{R}^m, (\sum_{i=1}^{m} (\mu_i)^2)^{\frac{1}{2}} \leqslant 1\},$$

$$J_1(v) = (\sum_i (B_i v)^2)^{\frac{1}{2}}.$$

EXEMPLE 5.2.

$$\Lambda_2 = \{\mu \mid \mu \in \mathbf{R}^m, \ |\mu_i| \leqslant 1, \ i = 1, \dots, m\},$$

$$J_1(v) = \sum_i |B_i v|.$$

EXEMPLE 5.3.

$$\Lambda_3 = \{\mu \mid \mu \in \mathbf{R}^m, \ \sum_i |\mu_i| \leqslant 1\},$$

$$J_1(v) = \operatorname*{Max}_i |B_i v|.$$

EXEMPLE 5.4.

$$\Lambda_4 = \{\mu \mid \mu \in \Lambda_1, \ \mu \geqslant 0\},$$

$$J_1(v) = (\sum_i (B_i v^-)^2)^{\frac{1}{2}}.$$

(On utilise la notation $Z^- = -Z$ lorsque $Z \leqslant 0$, $Z^- = 0$ lorsque $Z > 0$.)

EXEMPLE 5.5.

$$\Lambda_5 = \{\mu \mid \mu \in \Lambda_2, \ \mu \geqslant 0\},$$

$$J_1(v) = \sum_i B_i v^-.$$

EXEMPLE 5.6.

$$\Lambda_6 = \{\mu \mid \mu \in \Lambda_3, \ \mu \geqslant 0\},$$

$$J_1(v) = \operatorname*{Max}_i B_i v^-.$$

Approximation des solutions des problèmes primals et duals :

Il est facile de montrer que le problème primal a une solution u et une seule (stricte convexité). Nous allons voir deux méthodes numériques bien adaptées à la résolution de ces problèmes. L'esprit de ces méthodes est le suivant : on résout le problème dual et on récupère comme « sous-produit » une approximation de la solution optimale du problème primal. Nous ne démontrerons pas la convergence, nous exposerons seulement les algorithmes.

Calculons le gradient de la fonctionnelle duale $\hat{J}(\mu)$:

$$\text{grad}\, \hat{J}(\mu) = \mathscr{A}\mu - \mathscr{F} = BA^{-1}B^*\mu + BA^{-1}f;$$

mais si u_μ est défini par (5.3), ce gradient prend la forme :

$$\text{(5.7)} \qquad \begin{cases} \operatorname{grad} \hat{J}(\mu) = Bu_\mu, \\ Au_\mu = f + B^* \mu. \end{cases}$$

On voit donc ceci : pour calculer grad $\hat{J}(\mu)$ il n'est pas nécessaire d'inverser la matrice A mais seulement de résoudre un système linéaire.

Méthode d'Uzawa. Il s'agit de la méthode du chap. 4, §1, 5.1. appliquée au problème dual (5.6). La mise en œuvre est la suivante : on prend $\lambda^0 \in \Lambda$, on construit u^0 solution de $Au^0 = f + B^* \lambda^0$; le passage de u^q, λ^q à u^{q+1}, λ^{q+1} se fait de la façon suivante :

$$\text{(5.8)} \qquad \begin{cases} \lambda^{q+1} = P_\Lambda(\lambda^q - \rho B u^q), \\ Au^{q+1} = f + B^* \lambda^{q+1}. \end{cases}$$

ρ désigne un nombre positif fixe, suffisamment petit.
P_Λ désigne la projection de $\mathbf{R}^m$ sur le convexe fermé Λ.

Méthode de Frank-Wolfe (appliquée au problème dual). Le passage de u^q, λ^q à u^{q+1}, λ^{q+1} se fait de la façon suivante : on commence par déterminer $\mu^q \in \Lambda$ tel que

$$\text{(5.9)} \qquad (Bu^q, \mu^q)_m \leqslant (Bu^q, \mu)_m \quad \forall \mu \in \Lambda$$

puis

$$\text{(5.10)} \qquad \rho^q = \min \{1, -\frac{1}{c}(Bu^q, \mu^q - \lambda^q)_m\}$$

c désigne un nombre fixe « assez grand » (il suffit du prendre $c \geqslant \dfrac{\|A\| \cdot d^2}{2}$, d = diamètre de Λ).

On prend ensuite

$$\text{(5.11)} \qquad \begin{cases} \lambda^{q+1} = \lambda^q + \rho^q(\mu^q - \lambda^q), \\ Au^{q+1} = f + B^* \lambda^{q+1}. \end{cases}$$

On peut montrer que ces deux méthodes sont convergentes, de façon plus précise que $\lim_{q \to +\infty} \|u^q - u\| = 0$.

Notons que la mise en œuvre de ces méthodes est la même pour les six exemples donnés : le seul changement consiste en la projection P_Λ dans la méthode d'Uzawa ou en la recherche de μ^q dans la méthode de Frank-Wolfe.

BIBLIOGRAPHIE

1. Analyse fonctionnelle. Équations aux dérivées partielles

BOURBAKI, N., *Espaces vectoriels topologiques*. Hermann, Paris.

DIEUDONNÉ, J. *Foundation of Modern Analysis*. Academic Press, 1960.

DUNFORD, N., SCHWARTZ, J.T., *Linear Operators*. Intersciences, New York, 1958.

LIONS, J.L., MAGENES, E., *Problèmes aux limites non homogènes et applications*. Dunod, Paris, 1968.

SCHWARTZ, L., *Théorie des distributions*. Hermann, Paris.

TAYLOR, A.E., *Introduction to Functional Analysis*. Wiley, 1967.

YOSIDA, K., *Functional Analysis*. Springer Verlag, 1968.

2. Dérivation au sens de Gateaux

VAINBERG, M.M., *Variational Methods for the Study of Non Linear Operators*. Holden-day, San Francisco, 1964.

3. Livres (où des méthodes d'optimisation sont étudiées)

ABADIE, J., *Non Linear Programming*. Wiley, 1967.

ARROW, K.J., HURWICZ, L., UZAWA, H., *Studies in Linear and Non Linear Programming*. Stanford University Press, 1958.

AUSLENDER, A., *Théorie de l'optimisation et introduction à la théorie des jeux*. Cours polycopié. Clermont-Ferrand, décembre 1969.

BALAKRISHNAN, A.V., NEWSTADT, L.W., *Computing Methods in Optimisation Problems*. Academic Press, 1964.

BELTRAMI, E.J., *Methods of Non Linear Analysis and Optimization*. Academic Press, 1969.

BENSOUSSAN, A., *Filtrage optimal des systèmes linéaires* (à paraître). Dunod, 1971.

BOOT, J.C.G., *Quadratic Programming*. North Holland Publ. Co., 1964.

DANIEL, J.W., *Theory and Methods for the Approximate Minimization of Functionals* (à paraître).

DUFFIN, R.J., PETERSON, E.L., ZENER, C.M., *Geometric Programming*. Wiley, 1967.

FIACCO, A.V., MC CORMICK, G.D., *Non Linear Programming : Sequential Unconstrained Minimization Technique*. Wiley, 1968.

FLETCHER, R., *Optimization*. Academic Press, 1969.

GOLDSTEIN, A.A., *Constructive Real Analysis*. Harper and Row, New York, 1967.

GRAVES, R.L., WOLFE, P., *Recent Advances in Mathematical Programming*. Mac Graw Hill, 1963.

HUARD, P., *Mathématiques des programmes économiques*. Dunod, 1964.

KANTOROVICH, L. V., AKILOV, , *Functional Analysis in Normed Spaces.* Mac Millan, 1954.
KARLIN, S., *Mathematical Methods and Theory in Games, Programming and Economics* (2 tomes). Addison-Wesley, 1959.
KUNZI, H. P., KRELLE, W., *Non Linear Programming.* Blaisdell Publishing Company, 1966.
LATTES, R., LIONS, J. L., *Méthode de quasi-reversibilité et applications.* Dunod, 1967.
LAVI-VOGL, *Recent Advances in Optimization Techniques.* Wiley, 1966.
LEITMAN, G., *Topics in Optimization.* Acad. Press, 1967.
LIONS, J. L., *Contrôle optimal de systèmes gouvernés par des équations aux dérivées partielles.* Dunod, 1969.
LUENBERGER, D. G., *Optimization by Vector Spaces Methods.* Wiley, 1969.
MANGASARIAN, O. L., *Non Linear Programming.* Mac Graw-Hill, 1969.
MESAROVIC, M. D., MACKO, D., TAKAHARA, V., *Theory of Multi-levels Systems.* (à paraître).
POLAK, E., *Computational Methods in Discrete Optimal Control and Non Linear Programming : A Unified Approach.* Acad. Press, 1970.
ROCKAFELLAR, R. T., *Convex Analysis.* Princeton Math. Series, 1970.
STOER, WITZGALL, *Convexity and Optimization in Finite Dimension.* Springer-Verlag, 1970.
WILDE, D. J., *Optimum Seeking Methods.* Prentice Hall, 1964.
WILDE, D. J., BEIGHTLER, C. J., *Foundations of Optimization.* Prentice Hall, 1967.
ZOUTENDIJK, G., *Method of Feasible Directions.* Elsevier Publishing Company, Amsterdam, 1960.

4. Revues (Articles)

DORN, W. S., « Non linear Programming — A survey ». *Manag. Sci.*, **9**, (1963).
ROSEN, E. M., A Review of quasi-Newton methods in on linear equation solving an unconstrained optimization. *Proc. 21st Nat. Conf. of the A.C.M.* Thompson Book Co, Washington D.C., 1966.
SPANG, H. A. III, « A review of minimization techniques for non linear functions». *S.I.A.M. Review*, **4**, 4 (1962).
ZOUTENDIJK, G., « Non linear programming : a numerical survey » *S.I.A.M.Control*, **4**, 1 (1966).

5. Méthode de descente

AUSLENDER, A., *Méthode des sous-gradients.* Thèse. Grenoble, 1969.
BLUM, E. K., A convergent gradient procedure in prehilbert spaces. *Pac. J.* (1966).
CAUCHY, A. L., Méthode générale pour la résolution des systèmes d'équations simultanées. *Acad. Sci. Paris*, **25** (1847).
CÉA, J., Les méthodes de descente dans la théorie de l'optimisation. *Revue française d'informatique et de recherche opérationnelle*, n° 13 (1969).
CROCKETT, J. B., and CHERNOFF, H., Gradient methods of Maximization. *Pac. J. Math.*, **5** (1955).

CURRY, H. B., « The method of steepest descent for non linear minimizing problems ». *Quat. Appl. Math.*, **2**, (1944).
KANTOROVICH, L. V., « On the method of steepest descent ». *Doklady Acad. Nauk.*, **56** (1947).
KELLEY, H. J., « Method of gradients ». *Optimization techniques.* Edit. G. LEITMANN. Acad. Press (1952).
HAUGAZEAU, Y., *Optimisation.* Thèse. Paris, 1968.
LEVITIN, E. S. and POLYAK, B. T., Constrained minimization problems. *U.R.S.S. Comp. Math. and Phys. Math.*, **6**, 1–50, 1966.
OSTROWSKI, A. M., Contribution to the theory of the method of steepest descent. *Arch. Rat. Mec. Anal.*, **26** (1961).
VIGNES, J., *Étude et mise en œuvre d'algorithmes de recherche d'un extremum d'une fonction de plusieurs variables.* Thèse. Paris, 1959.

6. Méthode du type gradient conjugué

BARD, Y., On a numerical instability of Davidon-like methods. *Math. Comput.*, **22**, 665-666 (1968).
BUEHLER, R. J., SMAK, B. V., KEMPTHURNE, O., « Some further properties of the method of parallel tangents and conjugate gradients. *Iowa State Univ., Stat. Lab. Tech. report.*, 337 pp. (1961).
DANIEL, J. W., « The conjugate gradient method for linear and non linear operator equations ». *SIAM Num. Anal.*, **4**, 1967.
DAVIDON, W. C., « Variable metric method for minimization ». Argonne Nat. lab. ANL; 5990 Rev. Univ. of CHICAGO, 21 pp. (1959).
FLETCHER, R. and POWELL, M. J. D., A rapidly convergent method for minimization. *Comp. J.*, **6**, 163-169 (1964).
FLETCHER, R., REEVES, C. M., Function minimization by conjugate gradients. *Comp. Journal*, **6**, 163..., 1964.
HESTENES, M. R., STIEFEL, E., « Method of conjugate gradients for solving linear systems ». *J. Research Nat. Bur. Standards*, **49**, 409-436 (1952).
MYERS, G. E., « Properties of the conjugate gradient and Davidon methods. *J. of Optim. Th. and Appl.*, **2**, 209-219 (1958).
POLAK, E., RIBIÈRE, G., Note sur la convergence de méthodes de directions conjuguées. *R.I.R.O.*, nº 16, 1969.
PSCHENICHNII, To appear.
STEWART, G. W. III, A modification of Davidon's minimization method to accept difference approximation of derivatives. *J.A.C.M.*, **14**, 1, 72-84 (1967).
SHAH, B. V., BUEHLER, R. J., KEMPTHORNE, O., « Some algorithms for minimizing a function ». *SIAM*, **12**, 72-92 (1964).

7. Méthodes du second ordre, « Newton », « Quasi-Newton »

Le livre de KANTOROVICH [3]. Le « *Review* » de Rosen [4].

AUSLENDER, A., Méthode du second ordre dans les problèmes d'optimisation avec contraintes. *R.I.R.O.*, nº R 2, 27-42, 1969.

BARNES, J., An algorithm for solving non linear equations based on the secant method. *Computer J.*, **8**, 66-72 (1965).

BROYDEN, C.G., « A. Class of methods for solving non linear simultaneous equations». *Math. comp.*, **19**, 577-593 (1965).

DENNIS, J.E., « On Newton-like methods ». *Numer. Math.* **11**, 4, 324-330 (1968).

LOHR, L.R. and RALL, L.B., Efficient use of Newton's method. *I.C.C. Bull.*, **6**, 99-103 (1961).

MOURSUND, D.G. and TAYLOR, G.D., « Optimal starting values for the Newton-Raphson calculation of inverses of certain functions. *SIAM J. Num. Ana.*, **5**, 1 (1968).

ORTEGA, J.M., « The Newton-Kantorovich theorem ». *Amer. Math. Month.*, **75**, 658-660 (1968).

RALL, L.B., « Convergence of the Newton process to multiple solutions ». *Num. math.*, **9**, 23-37 (1966).

ZELEZNIK, F.J., « Quasi-Newton methods for non-linear equations ». *J.A.C.M.*, **15**, 265-271 (1968).

8. Méthodes directes

CHERRUAULT, Y., « Une méthode directe de minimisation et applications ». *R.I.R.O.*, Série rouge, n° 10, 1969.

ELKIN, R.M., Convergence theorem for Gauss Seidel and other minimization algorithms. *Computer Sci. Report.* 68-59, Univ. of Maryland, College Park.

FRIEDMAN, M. and SAVAGE, L.J., « Planning experiments secking maxima ». *Techniques of statistical analysis* (Eds. Eisenhart, ...) Mc Graw Hill, 1947.

HOOKE, R. and JEEVES, J.A., « Direct search solution of numerical and statistical problems ». *J.A.C.M.*, 212-229 (1961).

GLASS, H. and COOPER, L., « Sequential search : a method for solving constrained optimization problems ». **12**, 1, 71-82 (1965).

ORTEGA, J.M. and RHEINBOLDT, W.C., « Monotone Iterations for non linear equations with application to Gauss-Seidel methods ». *SIAM Num. Anal.*, **4**, 2 (1967).

ORTEGA, J.M., ROCKOFF, M.L., Non linear difference equations and Gauss-Seidel type iterative methods. *SIAM Num. Anal.*, **3**, 1966.

POWELL, M.J.D., « An efficient method... » *Comp. J.*, **7**, 155-162 (1964).

ROSENBROCK, H.M., « Automatic Method for finding the greatest or least value of a function ». *Comp. J.*, **3**, 175-184 (1960).

SCHECTER, S., Relaxation Method for convex problems. *Tech. Rep. C 588*, Stanford University, 1968.

VARGA, R.S., *Matrix Iterative Analysis.* Prentice Hall, 1962.

WEISMAN, J. and WOOD, C.F., « Experience with the use of optimal search for engineering design ». Voir livre « VOGL-LAVI ».

ZANGWILL, W.I., Minimizing a function without calculating derivatives. *Comp. J.*, **10**, 293-296 (1967).

9. Problème à une variable

Voir les livres de WILDE [3].

BERMAN, G., « Minimizing by successive approximation ». *S.I.A.M. Num. Ana.*, **3**, 1, (1966)

KEIFER, J., « Sequential minimax search for a maximum ». *Proc. amer. Soc. 4*, **3** (1953).

KEIFER, J., « Optimum sequential search ». *SIAM*, **5**, 105-136 (1957).

KROLAK, P. and COOPER, L., « An extension of Fibonaccian search to several variables ». *Comm. A.C.M.*, **6**, 639-641 (1963).

JOHNSON, S., « Best exploration for maximum is Fibonaccian ». *Rand corp. paper RM-1590*, 7 pp. (1955).

10. Accélération de la convergence

FINKEL, R. W., « The method of resultants descents for the minimization of an arbitrary function ». Paper 71, preprints of papers presented at 14th national meeting of A.C.M. (1959).

FORSYTHE, G. E., and MOTZKIN, T. J., Acceleration of the optimum gradient method ». Preliminary report Bull. *Amer. Math. Soc.*, **57**, 304-305 (1951).

STEIN, M. L., « Gradient method... » *J. Res. Nat. Bur. Standards*, **48**, 407-483 (1952).

11. Systèmes linéaires

VARGA, R. S., *Matrix Iterative Analysis*. Prentice Hall.

12. Les méthodes du type Frank-Wolfe

AUSLENDER, A., BRODEAUX, F., « Convergence d'un algorithme de Frank-Wolfe appliqué à un problème de contrôle ». *R.I.R.O.*, nº 7, 1968.

CÉA, J., « Les méthodes de descente en théorie de l'optimisation ». *R.I.R.O.*, nº 13, 1969.

CANON, M. D., CULLUM, C. D., « A tight upper bound on the rate of convergence of the Frank-Wolfe algorithm ». *SIAM J. Control*, **6**, 4, 509-516, 1968.

DEM'YANOV, V. F., « The minimization of a smooth convex functional on a convex set ». *SIAM J. Control*, **5**, 2, 1967.

DEM'YANOV, V. F., RUBINOV, A. M., « The minimization of a smooth convex functional on a convex set ». *SIAM J. Control*, **5**, 2, 280-294, 1967.

FRANK, M., WOLFE, P., An algorithm for quadratic programming. *Naval Res. Log. quart.*, **3**, 95-110, 1956.

GILBERT, E. G., « An iterative procedure for computing the minimum of a quadratic form on a convex set ». *SIAM J. Control*, **4**, 1, 61-80, 1966.

HAUGAZEAU, Y., « Sur la minimisation des formes quadratiques avec contraintes ». *C.R. Acad. Sci. Paris.*, 2 nov. 1966.

POLJAK, B. T., « Existence theorems and convergence of minimizing sequences in extremum problems with restrictions ». *Soviet math.*, **2**, 166, 1966.

VALADIER, M., « Extension d'un algorithme de Frank-Wolfe. *R.I.R.O.*, nº 6, 1965.

13. La méthode du gradient projeté

ROSEN, J.B., « The gradient projection method for non linear programming », Part. I *SIAM J.*, *8*, 181-217 (1960).

ROSEN, J.B., « The gradient projection method for non linear programming. Part II : Non linear Constraints ». *SIAM J.*, **9**, 414-432 (1961).

14. La méthode des directions admissibles

KALFON, P., RIBIÈRE, G., SOGNO, J.C., A method of feasible directions using projection operators. *Proc. I.F.I.P. Congress 68*, Edinburgh, August 1968.

POLAK, E., On the convergence of optimization algorithms. *R.I.R.O.*, n° 16, 1969.

TOPKIS, D.M., VEINOTT, A.F., « On the convergence of some feasible direction algorithms for non linear programming ». *J. SIAM CONTROL*, **5**, n° 2, 1967.

ZOUTENDIJK, G., *Methods of feasible directions.* Elsevier publishing Company, Amsterdam, 1960.

15. « Cutting plane method »

KELLY, J.E., « The cutting plane method for solving convex programs ». *J. SIAM*, **6**, 15-22 (1958).

WOLFE, P., « Accelerating the cutting plane method for non linear programming ». *J. SIAM*, **9**, 481-488 (1961).

16. Les méthodes de pénalisation

AUBIN, J.P., Estimate of the error in the approximation of optimization problems with contraints by problems without constraints (à paraître).

BALAKRISHNAN, A.V., On a new computing technique in optimal control and its application to minimal time flight profile optimization. *Proceeding of the National Academy of Sciences.* January 1968.

BELTRAMI, E.J., A computational approach to necessary conditions in mathematical programming. *ICC Bulletin*, 1967, Vol. 6, 265-273.

BELTRAMI, E.J., On infinite dimensional convex programming. *Journal of Computer and System Sci.* (à paraître).

BELTRAMI, E.J., MAC GILL R., « A class of variational problems in search theory and the maximum principle ». *Oper. Res.*, **14**, 267-278, 1966.

BENSOUSSAN, A., KENNETH, P., « Sur l'analogie entre les méthodes de régularisation et de pénalisation ». *R.I.R.O.*, n° 13, 1969.

BUTLER, T., MARTIN, A.V., « On a method of Courant for minimizing functionals ». *Math. and Physics*, **41**, 291-299, 1962.

CÉA, J., « Sur la Stabilisation ». Séminaire LIONS, J.L. Toulouse, 1965-66.

COURANT, R., « Calculus of variations and supplementary notes and exercices ». *N. Y. U. Lecture Notes*, Rev. 1956-57.

FIACCO, A.V., MAC CORMICK, G.P., « The sequential unconstrained minimization technique for non linear programming : A primal dual method». *Man. Sci.*, **10**, 360-366, 1964.

FIACCO, A.V., MAC CORMICK, G.P., « The slacked unconstrained minimization technique for convex programming ». *J. SIAM Appl. Math.*, **15**, 3, 505-515, 1967.

LIONS, J.L., *Sur le contrôle des systèmes.*, Dunod, 1968.

MAC GILL, R., « Optimal control, inequality state constraint and the generalized Newton-Raphson algorithm ». *SIAM Control*, **3**, 291-298, 1965.

PHILLIPS, D.L., *J. Ass. Comput. Mach.*, **9**, 1-84, 1962.

RIBIÈRE, ., Thèse de 3e cycle.

TYCHONOV, A.N., *Dokl. Akad. Nauk.*, **151**, 501 (1963) et *Dokl. Akad. Nauk.*, **153**, 49 (1963).

17. Décomposition et « multilevel technique »

BROISE, P., HUARD, P., SENTENAC, J., *Décomposition des programmes mathématiques*. Dunod, 1967.

BROSILOW, C.B., LASDON, L.S., A two level optimization technique for Recycle Processes. *Proceedings of the AICHE* — I Chem. E. Meeting, London, 1965.

CÉA, J., Optimisation dans un espace produit. *Proceedings of the Optimization Symposium*. Novo Sibirsk, juin 1966.

CÉA, J., Decomposition of problems in ordinary or partial differential equations. (à paraître).

LASDON, L.S., Duality and decomposition in mathematical programming. *IEEE Trans. on Systems Sciences and cybernetics*. Vol. SSC-4, nº 2, July 1968.

LASDON, L.S., SCHOEFFLER, J.D., «Decentralized Plant Control». Isa transactions, Vol. 5, April 1966.

LIONS, J.L., TEMAM, R., Une méthode d'éclatement des opérateurs et des contraintes en calcul des variations. *C.R. Acad. Sci. Paris*, t. 263; 563-565, 24 octobre 1966.

MESAROVIC, M.D., MACKO, D., TAKAHARA, Y., « Two coordination principles and their application in large scale systems control ». *IFAC Congress*, Varsovie 1969.

PEARSON, J.D., Multilevel programming, Systems Research Center Report nº 70-A-65-25, 1965.

18. La méthode des centres

BUI TRONG LIEU et HUARD, P., La méthode des centres dans un espace topologique. *Numerische Math.*, **8**, 56-57, 1966.

HUARD, P., Resolution of mathematical programming with non linear constraints by the method of Centers. Voir livre ABADIE.

HUARD, P., Programmation mathématique convexe. *R.I.R.O.*, nº 7, 1968.

HUARD, P., Méthode des centres par majorations. *Bulletin de la D.R.E.* (EDF) nº 2, 1970.

TRÉMOLIÈRES, P., Méthode des centres à troncatures variables. *Bulletin de la Direction des Études et Recherches E.D.E.*, Série C (Mathématique Informatique) nº 2, 1968.

19. La dualité et les méthodes duales

Cf. [3], en particulier ARROW, HURWICZ, UZAWA, AUSLENDER, CÉA, LIONS, ROCKAFELLER, STOER.

AUSLENDER, A., Méthodes et théorèmes de dualité. *C.R.A.S. Paris*, **267**, 114-117, 8 juillet 1968.

AUSLENDER, A., Méthodes et théorèmes de dualité. *R.I.R.O.*, n° R 1, 9-45, 1970.

CÉA, J., GLOWINSKI, R., NEDELEC, J.C., Dualité et problèmes aux dérivées partielles (à paraître).

FENCHEL, W., Convex Cones, Sets and Functions. *Lecture Notes*. Dept. of Math. Princeton University, 1953.

GUIGNARD, M., *Conditions d'optimalité et dualité en programmation mathématique*. Thèse. Lille, 1967.

HALKIN, H., Non linear non convex Programming in an infinite dimensional space. Cf. livre de BALAKRISHNAN, NEWSTADT.

JOHN, F., « Extremum problems with inequalities as subsidiary conditions ». Studies and Essays presented to R. COURANT on his 60th Birthday. Interscience, New York, 187-204, 1948.

KUHN, H.W., TUCKER, A.W., Non linear programming. *Proc. 2nd Berkeley Symposium on Math. Stat. and Prob.*, University of Calif. Press, Berkeley, 481-492, (1961).

KY FAN, Fixed point and minimax theorems in locally convex topological spaces. *Proc. Nat. Acad. Sci. USA*, **38**, 121-126, 1952.

KY FAN, Minimax theorems. *Proc. Nat. Acad. Sci. USA*, **39**, 42-47, 1953.

KY FAN, Sur un théorème minimax. *C.R. Acad. Sci. Paris*, **259** (1964), 3925-3928.

LAURENT, P.J., MARTINET, B., Méthodes duales pour le calcul du minimum d'une fonction convexe sur une intersection de convexes. *Colloque d'optimisation*. Nice, juillet 1969.

LEMAIRE, Thèse, Paris.

MARTINET, B., A general method for solving convex inequalities. Application to resolution of a min-max problem. *7th math. programming Symposium*. La Haye, septembre 1970.

MOREAU, J.J., Fonctions convexes duales et points prominaux dans un espace hilbertien. *C.R. Acad. Sci. Paris*, **255**, 2897-2899 (1962).

SION, M., On general minimax theorems. *Pacific J. of Math.*, **8**, 171-176, 1958.

TEMAM, R., Dualité dans les équations aux dérivées partielles (à paraître).

20. Approximation des problèmes aux limites

AUBIN, J.P., Approximation des espaces de distributions et des opérateurs différentiels. *Bull. Soc. France*. Mémoire 12, 1967.

CÉA, J., Approximation variationnelle des problèmes aux limites. *Ann. Inst. Fourier*, **14**, 2 (1964).

21. La méthode du gradient réduit et du gradient réduit généralisé

ABADIE, J., CARPENTIER, J., Generalisation of the Wolfe reduced gradient method to the case of non linear constraints. (Voir livre de R. FLETCHER).

ABADIE, J., GUIGOU, J., Numerical experiments with the G.R.G. method (*Integer and non linear programming*. North Holland Publ. Co., 1970).

FAURE, P., HUARD, P., Résolution des programmes mathématiques à fonction non linéaire par la méthode du gradient réduit. *R.I.R.O.*, **9**, 167-205, 1965.

GUIGOU, J., Expériences numériques comparatives concernant la méthode du gradient conjugué. *Bulletin de la D.E.R.* (EDF) n° 2, 1969.

22. Les tests de Colville

COLVILLE, A.R., A comparative study of non linear programming codes, IBM NYSC Report 320-2949 (1968).

Dépôt légal, N° 7006, 1er trimestre 1971

(B 1029) Imprimé en Belgique par Ceuterick s.a.
Brusselse straat 153 3000-Louvain
Adm.-dir. L. Pitsi Bertemse baan 25 3008-Veltem-Beisem